TOD IM SEPTEMBER

TOD IM SEPTEMBER

Ein Bodenseekrimi

Meersburg

B.H.W.

Bernd Heinz Werner

2019

Verlag und Druck: tredition GmbH,

Halenreie 40-44, 22359 Hamburg

ISBN Taschenbuch: 978-3-7482-9513-6

ISBN Hardcover: 978-3-7482-9514-3

ISBN e-Book: 978-3-7482-9515-0

Bibliografische Information der Deutschen Nationalbibliothek:

Die Deutsche Nationalbibliothek verzeichnet diese Publikation in der Deutschen Nationalbibliografie; detaillierte bibliografische Daten sind im Internet über http://dnb.d-nb.de abrufbar.

Die Summe unseres Lebens sind
die Stunden, wo wir lieben.
Wilhelm Busch

ଓ

Liebe ist Qual,
Lieblosigkeit ist Tod.
Marie von Ebner-Eschenbach

ଓ

Ich danke meinem Lektor Daniel Sieber
Oberstudienrat am Carolinum Ansbach
für viele gute Anregungen und Hilfen.

Und ich danke meiner Frau Renate für ihren Mut,
mir immer wieder Mut gemacht zu haben,
mutig zu bleiben.

Inhalt

Kapitel 1

Turbulenzen

Der Bodensee liegt unter einem blauen und wolkenlosen Himmel, es ist Sonntag und es ist ziemlich ruhig in Meersburg, typisch für den September, die Nachsaison hat schon begonnen. Tagesgäste kommen dann meist erst gegen Nachmittag. Die Sonne steht bereits schräger und die Tage werden langsam kürzer.

Die diesjährige Sommersaison war großartig, das Wetter war wochenlang sonnig, die Belegungszahlen der Hotels waren außerordentlich positiv und die allgemeine Stimmung war sehr entspannt. Aber nun beginnt ein Schatten sich über das idyllische Meersburg zu legen. Noch kann ihn keiner erkennen, aber er kriecht bereits heraus, langsam und unerbittlich. In den kommenden Tagen wird er da sein und die Menschen in dieser Stadt stark beschäftigen.

Florian Haas schläft erschöpft und lange und wird erst kurz vor zwei Uhr mittags wach, die Sonne scheint ins Zimmer. Nur langsam wird ihm klar, wo er eigentlich ist und dass er in einer übelriechenden Unterwäsche auf seinem Bett liegt. Sein altes und verklebtes Sperma gibt einen scheußlichen Geruch ab, er riecht es und es widert ihn an. Er kommt sich vor wie in einem schlechten Film, die Erinnerung kommt nur Stück für Stück zurück. Er reibt sich die verklebten Augen frei und stiert einen Moment zur Zimmerdecke, sein Atem geht unregelmäßig.

Der erste Aufstehversuch misslingt ihm und er kippt nach hinten ins Bett zurück, beim zweiten nimmt er mehr Schwung und steht dann auf wackeligen Beinen neben dem Bett. Mit langsamen und unsicheren Schritten geht er in Richtung Bad, beim Einstieg in die Duschkabine muss er sich festhalten, eine leichte Übelkeit steigt in ihm hoch. Dann duscht er sich, wechselt die Wäsche und die Kleidung und setzt sich an den Esstisch, er muss sich ausruhen, bevor er weitermacht. Die Schmutzwäsche und die immer noch feuchte Jeans steckt er gleich in die Waschmaschine, die ist jetzt auch voll, er wird sie morgen laufen lassen müssen. Er sieht kurz aus dem Fenster hinunter in den Hof, niemand ist zu sehen, alles ist wie sonst, nur der VW Golf von seiner Schwiegermutter Melly Gutemann steht nicht mehr an seinem angestammten Platz.

Von dem Hinuntersehen vom zweiten Stock in den Hinterhof wird ihm schwindelig. Die Sonne scheint ihm voll ins Gesicht, sie blendet ihn, das mag er nicht. In diesem Augenblick ist ihm alles viel zu hell, seine Augen brennen, er hält die Hand darüber und deckt seine Augen ab. Dann tritt er von dem Fenster zurück und sieht sich in der großen Wohnstube um. Mit einem Blick wird ihm klar, dass die Vergangenheit mit der letzten Nacht für ihn abgeschlossen ist, ab heute beginnt eine neue Zukunft, welche genau, das kann er noch nicht so richtig definieren. Aber alles wird anders werden, gar alles.

ଓ

Zur gleichen Zeit etwa befindet sich sein Schwiegervater Hannes Gutemann noch auf seiner diesjährigen Radtour mit seinen drei Kameraden. Sie fahren gerade auf dem Bodenseeradweg in westlicher Richtung, bereits auf der schweizerischen Seite in Richtung Konstanz. Den österreichischen Teil des Bodensees haben sie schon hinter sich, das Wetter hält sich bisher sehr ordentlich und auch die weiteren Aussichten sind gut. So, wie es läuft, wird er am Dienstag gegen Nachmittag, wie geplant, wieder zuhause in Meersburg sein.

Die Abende mit den Freunden sind immer sehr gesellig, manchmal werden sie spät. Man hat sich viel zu erzählen und der Wein schmeckt auch auf der anderen Seeseite gut. Hannes wird einige Erlebnisse mit nachhause bringen können, die er dann seiner Melly berichten kann. Morgen, am Montag will er Melly anrufen. Melly ist mit der gemeinsamen Tochter Jule alleine im Haus, das wird schon gut gehen, denkt er. Dieser Florian ist zwar auch im Haus, aber Sorgen macht er sich deswegen gerade keine, es ist ja alles besprochen worden. Darauf will er sich verlassen und die Tour dauert ja auch nur zwei volle und zwei halbe Tage

ᘓ

Am Spätnachmittag dieses Sonntags gegen fünf Uhr sieht man Florian Haas die Steigstraße hinunter und in die „Winzerstuben“ hineingehen, die ungarische Bedienung erkennt ihn sofort wieder. Sie mag ihn nicht gerne im Restaurant sehen, er macht in letzter Zeit immer Ärger.

„Mal sehen, wie das heute mit dem geht", denkt sie, sie hat keine guten Erfahrungen mit diesem Kerl gemacht. Vor etwa zwei Wochen fiel er stockbetrunken im Lokal der Länge nach hin und die Sanitäter mussten geholt werden, die ihn dann behandelten und ihn anschließend nachhause brachten. Man spricht davon, dass seine Frau die Scheidung beantragt habe und dass er wohl die gemeinsame Wohnung verlassen werde oder auch müsse. Und seinen Alkoholkonsum hat er überhaupt nicht im Griff, da wird sie heute aufpassen müssen.

Wie sie an seinen Tisch kommt, erschrickt sie, als sie ihn ansieht. Er sieht schlecht aus, er ist blass im Gesicht, das Weiß in seinen Augen ist gerötet und er wirkt nervös. Sie reicht ihm die Speisekarte, bleibt am Tisch stehen und beobachtet ihn. Sie spürt, dass ihn ihre Nähe stört, aber dann bestellt er ein Weißbier und einen Schweinebraten mit Kartoffelsalat.

Er weiß, dass man in der Stadt über seine laufende Scheidung redet, trotzdem soll man ihn ruhig in der Öffentlichkeit sehen, er will sich nichts anmerken lassen. Morgen, am Montag bis einschließlich Freitag hat er noch Urlaub.

„Jetzt alles locker nehmen", denkt er sich, „sollen die Leute mich doch anglotzen."

Als er nach dem Essen den ersten Schnaps bestellt, bringt die Bedienung diesen zwar an den Tisch, weist Florian aber sofort darauf hin, dass es keinen zweiten geben wird. Gut, dann wird er den einen Schnaps eben hier zu sich nehmen, die weiteren Schnäpse wird er sich zuhause gönnen. Da hat er sich einen Vorrat angelegt, alles edle Brände aus Bodenseeobst, gute Brennereien gibt es hier einige.

„Siegesschnäpse sind das," spricht Florian Haas vor sich hin, als er das Lokal verlässt, „Siegesschnäpse, jawohl, Siege müssen gefeiert werden, sie sind ohnehin so selten, Prosit."

☙

Am nächsten Morgen dann vernimmt Florian laute Stimmen unten im Hof und beim Hinuntersehen erkennt er einige Pensionsgäste, die herumstehen und sich lautstark unterhalten. Dann hört er, dass die Türglocke im ersten Geschoß bei seinen Schwiegereltern bimmelt. Kurz darauf läutet es auch in seiner Wohnung. Es ist Montag und er ist allein, er geht zum Fenster und ruft hinunter und fragt, was denn los sei.

„Guten Morgen, Herr Haas, wir möchten gerne frühstücken, aber die Weinstube ist geschlossen, auch der Hintereingang ist zu. Wir bekommen doch immer schon am Montag, trotz Ruhetag, hier unser Frühstück. Wissen Sie, was da los ist?"

Im dem Innenhof zwischen dem Vorder- und dem Hinterhaus hallt es immer stark und die Stimmen hören sich dadurch lauter an.

„Nein, leider weiß ich auch nichts, tut mir leid. Es ist auch sonst niemand im Haus, am besten ist es, sie gehen in ein anderes Lokal und nehmen dort ihr Frühstück ein. Sie können das ja dann mit Frau Gutemann verrechnen. Mehr kann ich Ihnen jetzt auch nicht sagen."

Er sagt noch, dass er erkennen könne, dass der Golf von Frau Gutemann nicht an seinem Platz stehe und dass er annehme, dass die Frauen zum Einkaufen gefahren sein könnten.

Die Gruppe verzieht sich murrend, das hatte es noch nie gegeben. Sonntags kein Frühstück, o.k., das war auch früher schon so, klar. Aber dann montags auch keines und das ohne eine Ankündigung, das waren die Stammgäste nicht gewohnt. Wie immer hängt hinter dem Glas der Eingangstür zwar das Schild mit den offiziellen Öffnungszeiten und dem ergänzenden Hinweis: „Sonntag und Montag geschlossen", aber an den Montagen gab es für die Pensionsgäste immer ein Frühstück und immer ausreichend und gut. Also dann bis zum Dienstag, mal sehen.

Ꞩ

Hannes Gutemann versucht am Abend des Montags noch zuhause bei Melly anzurufen, aber es nimmt niemand ab. Auch über das Mobiltelefon von Jule kommt er nicht weiter, nur immer der Hinweis: „Der angerufene Teilnehmer antwortet nicht, versuchen Sie es später noch einmal." Das versucht Hannes aber dann doch nicht, denn noch macht ihm das keine allzu großen Sorgen, morgen ist er ja bereits wieder in Meersburg, die werden sich halt an ihrem freien Tag einen Ausflug gegönnt haben.

„Und, Hannes, hast du die Melly erreichen können? Steht Meersburg noch?" Seine Freunde haben ihre eigenen Pflichtanrufe zuhause schon hinter sich gebracht, die Pflicht ist erledigt, jetzt kann es gemütlich werden.

„Nein, ich erreiche niemand, es ist wohl keiner zuhause. Die haben heute ihren freien Montag, da werden sie etwas unternommen haben. Derzeit sind beide nicht sehr gerne im Haus, solange noch der schwierige Florian dort wohnt. Der will noch in diesem Monat ausziehen, dann ist die ganze Chose endlich vorbei."

„Mit diesem Florian hat deine Tochter auch keine tolle Partie gemacht, aber das muss jeder selbst wissen. Wie man sich bettet, so liegt man."

Die inzwischen eingeleitete Scheidung ist den Freunden bekannt, darüber sprach man in den letzten zwei Wochen in Meersburg überall. Diesen österreichischen Schwiegersohn mochte man in Meersburg ohnehin nicht. Seit seiner Heirat mit der Tochter von Hannes sah man ihn ziemlich selten und in der Weinstube so gut wie gar nie.

Morgen, Dienstag, wird die letzte Etappe zu fahren sein, was bedeutet, dass heute der letzte gemeinsame Abend ist. Die Freunde prosten sich zu, es ist eine schöne Runde am Tisch, der Wein schmeckt mit jedem Glas besser und auch die Wirtin hat ihre Freude an den junggebliebenen älteren Herren, sie gibt eine Runde aufs Haus aus. Nächstes Jahr, haben sie gesagt, wollen sie wiederkommen.

❧

Der Dienstag beginnt wieder damit, dass schon um halb neun Uhr in der Wohnung von Florian die Glocke läutet. Er ist schon wach und denkt sich bereits, um was es gehen dürfte. Es schaut hinunter in den Hof, da stehen wieder die Pensionsgäste und lamentieren. Florian zieht sich seine Schuhe an und geht hinunter in den Hof.

„Herr Haas, hören Sie uns zu. Das mit Montag verstehen wir gerade noch, aber jetzt am Dienstag ist es dasselbe. So geht das nicht. Was ist denn hier nur los, warum ist niemand von den Gutemanns im Hause?"

Florian drängt alle Fragen zurück, er habe seine Frau Jule und seine Schwiegermutter seit Sonntag nicht mehr gesehen. Einer der Gäste fragt nach Johannes, dem Hannes, den auch alle kennen, Florian weicht aus und weist darauf hin, dass dieser auf seiner jährlichen Radtour sei und heute am späteren Nachmittag wieder zurück sein dürfte.

Dann wird er noch gefragt, ob zumindest die Weinstube heute Abend geöffnet sei, ansonsten müssten sie sich ein anderes Lokal suchen, aber auch da weicht Florian aus, er habe keine Ahnung und ergänzt seine Ausführungen mit dem Hinweis:

„Hören Sie, ich bitte Sie um Verständnis, aber mein Verhältnis zur Familie Gutemann ist derzeit nicht das beste, wir reden kaum miteinander. Wissen Sie, ich lebe in Scheidung mit meiner Frau, ich meine mit der Jule, und ich werde hier auch bald ausziehen. Die Pension geht mich ohnehin nichts an, da habe ich mich nie eingemischt. Entschuldigen Sie mich bitte."

Einige der Pensionsgäste meinen, dass man die Polizei einschalten müsste, andere entgegnen, dass es jetzt gerade erst neun Uhr sei und dass der Hannes Gutemann ja heute Nachmittag von der Radtour zurück sei, solange könne man schon noch warten. Die Gäste verziehen sich wieder, Florian Haas geht zurück in seine Wohnung, er legt sich auf das Sofa, immerhin hat er diese Woche Urlaub.

☙

Als dann um halb vier Uhr Hannes Gutemann endlich in den Hof radelt, seine Freunde sind gleich direkt nachhause gefahren, stehen einige der Pensionsgäste schon im Hof und warten ungeduldig auf ihn. Florian Haas beobachtet das Geschehen vom zweiten Stock aus. Er sieht, dass die Gäste auf Hannes Gutemann einreden, und wendet sich ab, da will er nicht hineingezogen werden. Aber er bleibt am noch offenen Fenster stehen und kann die lauten und mit aufgebrachtem Ton geführten Gespräche im Hof verfolgen.

„Herr Gutemann, was ist denn hier nur los? Wir sind seit Samstag schon da und wir hatten mit Ihrer Frau und der Jule auch noch gesprochen, da wurde uns aber nichts gesagt. Und stellen Sie sich vor, gestern am Montag war alles zu und heute am Dienstag ebenso. Ihre Frau und Jule sind nirgendwo zu finden und Ihr Schwiegersohn", sie zeigen nach oben, „weiß auch nichts, er hat angeblich die beiden seit Sonntag nicht mehr gesehen und das Auto Ihrer Frau ist ebenfalls weg."

Hannes Gutemann runzelt die Stirn und sieht, schon nichts Gutes ahnend, nach oben, Florian weicht vom

Fenster zurück, aber Hannes hat ihn schon gesehen. Ihm kommt ein schrecklicher Verdacht, noch weiß er zwar nichts, aber das alles ist für ihn nicht normal. Er beginnt bereits die Entscheidung, die Radtour mitzufahren, zu bereuen. Verdammt, wenn während dieser knapp vier Tage etwas passiert sein sollte, es wäre nicht auszudenken.

Zunächst geht er zu sich in die Wohnung im ersten Stock und sieht nach, aber es ist niemand da, es fällt ihm auch sonst nichts auf, alles ist wie immer. Dann geht er, so schnell er kann, in den zweiten Stock und läutet Sturm an der Wohnungstür, völlig außer Atem steht er dem Florian gegenüber.

„Wo sind sie, rede, wo sind Jule und Melly? Du musst sie gesehen haben. Ich komme rein, geh mir aus dem Weg, Saukerle."

Florian kann Hannes nicht zurückhalten, der schiebt ihn mit beiden Händen zurück, dann sieht er sich in den Zimmern um, nichts. Auf dem Esstisch steht noch eine leere Schnapsflasche, das Badezimmer ist auch leer. Hannes sieht hinunter in den Hof, der Platz, wo seine Melly ihr Auto stehen hat, ist ebenfalls leer.

„Ich nehme an, dass sie weggefahren sind, der Golf fehlt seit Sonntag. Als ich am Sonntag aufgewacht bin, habe ich das festgestellt. Aber ich habe mich darum nicht gekümmert, die Scheidung läuft ja bereits und Jule ist aus unserer Wohnung schon ausgezogen. Das alles geht mich schon nichts mehr an."

Hannes steht ihm mit hochroten Gesicht gegenüber.

„Ich warne dich, Bürschle, wenn denen etwas

passiert ist und es stellt sich heraus, dass du der Schuldige warst, dann schlage ich dir den Schädel ein, so wahr ich Johannes Gutemann heiße, merke dir das. Ich muss die Polizei informieren."

Hannes Gutemann geht nach unten, die Gäste im Hof stehen immer noch da und sehen ihn fragend an, hat er eine neue Information?

„Leute, ich weiß auch nicht mehr, Melly und Jule sind nicht im Haus und auch der Golf ist weg. Ich muss die Polizei anrufen, die Weinstube bleibt vorerst geschlossen. Es tut mir sehr leid, aber allein kann ich das Lokal nicht aufmachen."

Die Gäste gehen kopfschüttelnd durch das Tor hinaus auf den Schlossplatz, sie sind irritiert, was wird dann morgen sein? Die Urlauber interessiert zunächst nur, wo sie ihr Frühstück herbekommen, wer die Zimmer sauber macht und ob man am Abend in der „Schönen Fischerin" seinen Wein bekommt. Dafür haben sie auch bezahlt und jetzt wollen sie das, was sie sonst immer bekommen haben.

Elementarbedürfnisse älterer Urlauber halt, das sind alles nur Grundversorgungsthemen, mehr nicht. Sorgen um den Verbleib und das Schicksal der beiden Frauen werden erst einmal zurückgestellt, die kommen vielleicht später.

Kapitel 2

Die Suche

Johannes Gutemann ist besorgt, er hat keine guten Vorahnungen. Er versucht zwar diese zu verdrängen, aber sie lassen ihn nicht los. Wenn die Frauen schon am Sonntag mit dem Auto losgefahren sein sollten und heute am Dienstag, es ist jetzt schon fünf Uhr, immer noch nicht da sind, dann muss etwas passiert sein. Sie haben auch keine Nachricht hinterlassen, und dass seine Melly ihre Hausgäste im Stich lässt, das gab es noch nie. Sie kennt die Gäste alle persönlich sehr gut, die kommen seit Jahren, gerade jetzt in der Nachsaison sind es fast immer dieselben.

Hannes Gutemann geht ins Lokal und erkennt sofort, dass der Golfschlüssel nicht am Schlüsselbrett hängt, was ihm zunächst auch einleuchtet. Es wurde alles aufgeräumt, wie das am Samstagabend immer getan wird, wenn zwei Schließtage folgen. Er geht zum Telefon und ruft die örtliche Polizeistation an.

„Hier Gutemann, der Hannes, bist du es, Walter? Ich brauche deine Hilfe. Stell dir vor, ich komme vor zwei Stunden von meiner diesjährigen Radtour um den See zurück und es ist keiner da, niemand. Die Gäste haben mich erwartet, die warten seit Montag auf ihr Frühstück und haben sich beschwert, dass sich niemand um sie kümmert."

„Hast du schon im Haus nachgesehen, Hannes. Auch oben bei deinem komischen Schwiegersohn?"

Walter Steinmeier ist bekannt, dass die Scheidung von Jule und diesem Florian eingeleitet ist.

„Natürlich, Walter. Ich habe den Florian sofort zur Rede gestellt, denn ich hatte sofort den Verdacht, dass er dahinterstecken könnte, aber der weiß angeblich auch nichts, sagt er zumindest. Jule lebt doch gerade mit dem Kerl in Scheidung, da ist der Kontakt zu uns abgerissen, der wird noch in diesem Monat ausziehen."

„Das ist alles sehr sonderbar, so kenne ich deine Melly und auch deine Jule überhaupt nicht. Alles liegen und stehen zu lassen und wegzufahren, das gefällt mir nicht. Das passt weder zu deiner Melly noch zur Jule."

„Walter, ich habe große Sorgen, mehr noch, ich habe Angst, dass denen etwas zugestoßen ist. Wenn sich herausstellen sollte, dass der Florian dieser Nichtsnutz etwas damit zu tun hat, bringe ich ihn um. Eigenhändig, das schwöre ich dir."

„Ich werde sofort eine Vermisstenanzeige aufgeben, Hannes. Welche Farbe und welches Kennzeichen hat denn das Auto von Melly? Weißt du, was sie anhatten? Weißt du nicht, klar, du warst ja unterwegs. Wer war denn bei deiner Radtour mit dabei, ich brauche auch die Namen und die Anschriften deiner Kameraden. Du weißt, ich muss das alles prüfen lassen, auch dein Alibi, aber das dürfte reine Formsache sein. Dann geht alles nach Friedrichshafen zu Kriminalhauptkommissar Sturm, der ist der Kopf."

Walter Steinmeier, Kommissar auf der Polizeistation in Meersburg, notiert alle Daten, er wird über die

Zentrale in Friedrichshafen eine Suchmeldung aufgeben. Die persönlichen Daten der beiden Frauen sind hinterlegt, die Fotos sind aber nicht mehr aktuell. Hannes wird ihm sofort neuere Fotos vorbeibringen, es sind nur dreihundert Meter bis zur Polizeistation.

Als Hannes von dort zurückkommt, sieht er einige Personen vor der Weinstube stehen, sie diskutieren und zucken mit den Schultern.

„Ich muss Euch sagen, dass die Weinstube vorübergehend geschlossen bleiben wird. Allein kann ich das nicht machen. Ich habe soeben auf der Polizei eine Suchmeldung aufgegeben. Mehr kann ich im Augenblick nicht machen. Wenn Euch irgend etwas zu Ohren kommen sollte, ruft mich bitte an, derzeit muss jeder Spur nachgegangen werden."

Das wird dem Hannes spontan zugesichert, aber es ist ihm auch klar, dass das Fehlen von Melly und Jule schnell bekannt würde. Das wird wie ein Lauffeuer durch die Stadt gehen. Hannes hofft, dass zumindest dadurch neue Informationen zu erhalten sein könnten.

„Diese Radtour hätte ich nicht machen sollen, die drei Freunde wären auch ohne mich gefahren. Es waren so schöne vier Tage rund um den See und jetzt das."

☙

Hannes Gutemann geht mit schweren Schritten in die Weinstube, er schreibt mit einem Filzstift auf ein Stück Karton:

„Weinstube vorübergehend geschlossen“

und hängt es draußen an die Eingangstüre. Hinter ihm sammeln sich ein paar Leute, es sind Nachbarn, wie er beim Umdrehen erkennen kann.

„Hannes, was ist denn los? Die Leute reden davon, dass Melly und Jule verschwunden sind. Du warst auf deiner Radtour, da muss es geschehen sein.“

Hannes regt sich sofort auf, denn er erkennt, dass die Rederei schon begonnen hat.

„Langsam, Leute, macht die Sache nicht noch schlimmer, denn noch ist ja nichts geschehen.“

Aber er macht sich dabei nichts vor, irgend etwas ist sicherlich geschehen, wenn man auch noch nicht weiß, was. Er geht wieder ins Lokal, schließt ab und setzt sich an den Stammtisch. Zur Beruhigung schenkt er sich ein Glas Wein ein, irgendeinen, er trinkt das Glas fast leer und schenkt nach.

Was kann er jetzt tun? Das Telefon läutet, Hannes Gutemann steht auf und nimmt ab.

„Herr Gutemann? Hier spricht Kriminalhauptkommissar Eustachius Sturm von der Kripo Friedrichshafen. Wir bearbeiten gerade ihre Suchmeldung, sie ist bereits raus, aber ich würde gerne zu ihnen kommen, wenn es ginge gleich morgen früh um acht Uhr, ist das für Sie so in Ordnung? Vielleicht ergeben sich schon heute Nacht Hinweise. Wir fragen alle Krankenhäuser und Polizeistationen ab, sollten die beiden Frauen einen Unfall gehabt haben, erfahre ich das.“

„Ja, Herr Sturm, ich werde morgen früh um acht

Uhr zu Ihrer Verfügung stehen, muss ich etwas vorbereiten oder herrichten?“

„Sofern Ihnen etwas auffällt, informieren sie mich sofort. Ich gebe Ihnen jetzt meine Mobilnummer, da erreichen Sie mich immer, ich wiederhole: immer. Sollten bei uns hier neue Informationen aufschlagen, rufe ich Sie selbstverständlich sofort an. Ansonsten bringe ich morgen Kollegen von der Spurensicherung mit, die werden sich alles genau ansehen. Ich hoffe, Herr Gutemann, es löst sich alles auf, wenn nicht, läuft ab morgen eine groß angelegte Suchaktion.“

„Ich danke Ihnen, Herr Sturm und eine gute Nacht, ich glaube, meine wird keine besonders gute sein“.

Es ist jetzt kurz nach sieben Uhr abends, Hannes Gutemann schließt die Hintertür zum Lokal und geht über den Hof ins Hinterhaus. Er weiß, dass sich oben dieser Florian aufhält, sofern er nicht weggegangen ist, aber hochgehen und ihn nochmals befragen, will er nicht. Die Geschichte mit diesem Florian und seiner Jule ist einfach vorbei, die Ehe ist hinüber, die Scheidung läuft, diesen Monat wird er ausziehen, dann ist dieses ganze Thema erledigt. Gott sei Dank.

☙

Er nimmt das Telefon in die Hand und wählt die Nummer von Vinzenz Weiler, dem alten und inzwischen wieder neuen Freund seiner Tochter Jule. Nach der Scheidung von Florian haben beide vor zu heiraten, aber es ist nur der Anrufbeantworter dran, er soll es doch später noch einmal versuchen. Dann sucht er die Privatnummer von Adalbert Weiler, dem Bruder von Vinzenz und Rechtsanwalt in Meersburg, heraus und ruft dort an.

„Hier Anika Weiler, mit wem spreche ich?“

„Gutemann, der Hannes, ist am Apparat, guten Abend, Anika. Ich rufe nicht gerne noch nach Feierabend an, aber so wie es aussieht, ist etwas passiert, ist denn dein Mann zuhause?“

„Ja, Hannes, er ist hier, ich gebe ihn dir gleich, aber bitte, mach mir keine Angst, ist etwas mit der Jule?“

„Das sage ich gleich deinem Mann. Hallo, Adalbert, der Hannes ist hier, stell dir vor, was heute passiert ist.“

Und nun erzählt er Adalbert Weiler die ganze Geschichte, wie er zuhause ankam und vom Rad stieg, wie bereits die Pensionsgäste im Hof auf ihn warteten, wie er erfahren musste, dass sowohl Melly als auch Jule seit Sonntag nicht mehr gesehen worden sind und dass das Auto von Melly verschwunden ist. Er erzählt dem schweigend zuhörenden Adalbert, dass die Polizei bereits eine Suchmeldung in Auslauf gegeben hat und dass morgen früh um acht Uhr die Kripo Friedrichshafen zu ihm kommen wird mit Mitarbeitern der Spurensicherung. Er erzählt auch, dass er in der oberen Wohnung war und diesen Florian gestellt hatte, der aber auch keine Auskunft geben konnte oder keine geben wollte.

Adalbert ist entsetzt, er hält sich aber Hannes gegenüber zurück. Er wird gleich nachher seinen Partner Max Vöhringer informieren, der ja den Scheidungsfall Haas gegen Haas auf dem Tisch hat.

„Mein Gott, Hannes, hoffentlich kommen die beiden wieder gesund und heil zurück, man weiß ja heute nie, was so alles geschehen kann. Hast du schon meinen Bruder erreichen können? Anrufbeantworter? Dann versuche es doch später bitte nochmals, auch ich werde versuchen, Vinzenz zu erreichen. Vinz wollte sich mit Jule am kommenden Wochenende in Nussdorf treffen, da hat Vinz bereits ein Zimmer in einer ihm von früher gut bekannten Pension reservieren lassen. Beide wollen sich nicht gemeinsam in Meersburg zu oft sehen lassen, gerade wegen dem Florian und der laufenden Scheidung, du verstehst?"

Hannes versteht, beide reden noch ein paar Minuten, aber als Hannes merkt, dass er beginnt, sich zu wiederholen, beendet er das Telefonat. Später, gegen 22.00 Uhr, erreicht er Vinzenz und erfährt dabei, dass Anika ihn kurz zuvor angerufen habe. Vinzenz ist deprimiert und fassungslos zugleich.

„Weißt du, Hannes, noch ist zwar nichts passiert, aber ich habe überhaupt kein gutes Gefühl und ich weiß nicht, was ich von hier aus denn tun könnte. Bitte informiere mich, sobald die Polizei etwas herausgefunden hat, es wäre nicht auszudenken, wenn beiden etwas passiert wäre. Wir können beide jetzt nur hoffen, dass es doch noch zu einem guten Ende kommt. Gute Nacht, Hannes."

ଓ

Als dann später bei Hannes Gutemann das Licht ausgeht, schleicht sich Florian auf leisen Sohlen hinunter in den Keller. Er geht bis ganz nach hinten, seine Taschenlampe leuchtet ihm den Weg aus. Er öffnet den Lattenverschlag und überprüft, ob auf dem feuchten Sandboden eventuell Spuren erkennbar sind, aber der Sandboden ist glatt, der Spaten lehnt wie immer an der Wand. Beruhigt geht er zurück ins Erdgeschoß des Hinterhauses.

Florian Haas geht in die Wohnung zurück, sein Magen meldet sich, aber gegen den Hunger hat er nichts mehr im Kühlschrank, er wird morgen einkaufen müssen. Auch der Vorrat an Schnaps ist aufgebraucht, egal, auch den wird er morgen auf seiner Kaufliste stehen haben.

Morgen ist Mittwoch, da hat er noch Urlaub bis einschließlich Freitag, vielleicht sollte er ein paar Tage wegfahren, nach Bregenz zu seinem Vater, den hat er auch schon lange nicht mehr gesehen. Der wohnt außerhalb der Stadt in Haard. Sein Vater ist in Bregenz als Koch in einem Hotel beschäftigt, er ist in zweiter Ehe verheiratet, seine erste Ehefrau, Florians Mutter, hatte sich damals das Leben genommen, oben im Dachstuhl hatte man sie gefunden. Sie hatte sich erhängt. Im Dialekt haben die Leute gesagt: „Sie ist in den Hanf gegangen."

Florian war damals schon zwanzig, als das passierte. Der Vater hatte ein Verhältnis mit einer Bedienung aus dem Hotel und seine Mutter hing am Alkohol. Da gab es schlimme Phasen, einmal war sie auf Entzug, aber bald nach ihrer Rückkehr fing sie wieder an. Schnaps, immer wieder Schnaps. Er zog dann aus und bald danach passierte es. Gelegentlich besucht er ihr Grab,

Wehmut empfindet er dabei aber nicht.

Er hatte in Bregenz eine kaufmännische Lehre gemacht und konnte danach bei ZF in Friedrichshafen in der Kundenbetreuung eine Stelle bekommen, die er heute noch innehat.

Er wollte damals nur weg, weg von da, wo ihn alle kannten, und auch von den unschönen häuslichen Zuständen. Zu der zweiten Frau seines Vaters, der Monika, hat er eine normale Beziehung, sie kann ja nichts dafür. Die haben dort ein Gästebett, da könnte er übernachten. Hier wird er derzeit nicht mehr gebraucht.

௸

Hannes versucht später noch einmal, Vinzenz telefonisch zu erreichen. Er muss jetzt mit jemandem reden, er hält dieses Alleinsein nicht aus. Als Vinzenz abnimmt, bekommt er zur Antwort, dass Max Vöhringer, von seinem Geschäftspartner Adalbert informiert, ihn gerade vorhin angerufen habe. Beide hatten ein ausführliches Gespräch. Vinzenz spricht leise und klingt deprimiert, das alles kommt ihm bedrohlich vor.

„Hannes, ich mache mir große Sorgen, das sieht für mich nicht gut aus. Ich kann mir nicht helfen, aber seit ich das weiß, habe ich einen Verdacht gegen diesen Florian. Aus meiner Sicht hätte nur er ein Motiv, ich wüsste sonst keinen. Der hat die eingeleitete Scheidung und die Abwendung der Jule von ihm nicht verkraftet, Eifersucht ist immer ein Motiv, du musst morgen die Kripo voll informieren. Mein Gott, wenn den beiden etwas zugestoßen ist, es wäre nicht auszudenken, bei den ganzen Plänen, die ich mit der Jule schon gemacht habe. Hoffentlich geht das gut aus. Danke für die Information und haltet mich bitte auf dem Laufenden, du und auch der Max, beide, bitte. Gute Nacht, Hannes."

Vinzenz hatte zuvor den Anruf von Max Vöhringer entgegengenommen und war vollkommen konsterniert gewesen. Max hatte versucht, ihn zu beruhigen mit dem Hinweis, dass die Polizei bereits eingeschaltet sei, aber das war für ihn auch keine Beruhigung, sondern nur der Hinweis auf eine ungeklärte Sache in Verbindung mit dem Verschwinden von zwei Personen. Und eine von den beiden war ausgerechnet seine Jule. Wo sind nur die beiden Frauen?

Er denkt an seine wiedergefundene tiefe Liebe zu Jule. Eine kluge und schöne junge Frau, gerade 33 Jahre alt und einziges Kind von Hannes und Melly. Jule und Vinzenz und ihre gemeinsamen großen Pläne. Sollte das alles umsonst gewesen sein?

Kapitel 3

Blick zurück

In diesem Moment erinnert sich Vinzenz noch genau daran, wie er vor gut drei Wochen, an einem warmen Samstag im August, von seinem Wohnort Weissach nach Meersburg gefahren war. Das war damals seine eigene Entscheidung gewesen und diese Heimkehr nach Meersburg hatte dann alles, aber auch alles verändert.

☙

An jenem Samstag vor drei Wochen bemühte sich der Sommer noch einmal besonders. Es ging auf Ende August zu, man wartete schon auf den Herbst. Aber es war ein warmer und windstiller Tag, der Sommer gab sich noch einmal die Ehre und Vinzenz freute dies besonders, da er für zwei Wochen nach Meersburg fahren wollte. Fünf Jahre war er nicht mehr in seiner Heimatstadt gewesen, fünf Jahre hatte er sich geweigert, ja, es sich sogar verboten, dorthin zu fahren. Zu viel war in diesen fünf Jahren geschehen. Zu viel an stark wechselnden Empfindungen hatte er hinnehmen müssen. Jetzt wollte er mit dem Besuch sein Gefühlsleben ordnen und nicht länger im Versteck leben. Sein Entschluss stand fest.

Bei seinem Bruder Adalbert, der in Meersburg zusammen mit einem Kollegen eine Anwaltskanzlei betrieb, würde er für die zwei Wochen wohnen können.

Da wird er in der Familie von Adalbert gut aufgenommen werden, da war er sich sicher. Mit Adalbert und seiner Frau Anika hatte er sich immer gut verstanden. Für die drei Kinder der beiden war er der Onkel aus Weissach, der große Onkel, der bei Porsche arbeitet und Rennwagen baut. Dass der Porsche-Onkel kommt, hatten alle drei schon herumerzählt. Vinzenz hatte den drei Buben auch kleine Geschenke eingepackt, natürlich auch drei Porschemodellautos.

Vinzenz Weiler verstaute seinen Koffer und eine Sporttasche in seinem Porsche 911, der Platz hinter den Sitzen reichte dafür aus. Ein mittelgroßer Koffer und eine Sporttasche genügten ihm immer für zwei Wochen Urlaub. Da waren Hemden, Hosen und seine Wäschestücke sauber abgezählt eingepackt, sodass er, ohne dass er etwas hätte waschen müssen, erfahrungsgemäß zwei Wochen damit gut auskommt.

Er war vor rund fünf Jahren von Meersburg nach Weissach gezogen, wo die Firma Porsche ihr Entwicklungs- und Testzentrum hat. Fünf Jahre waren das nunmehr her und seine berufliche wie auch seine private Welt hatten sich in dieser Zeit völlig verändert. Wie diese fünf Jahre so ziemlich alles auf den Kopf gestellt hatten, wurde ihm gerade jetzt beim Aufbruch sehr deutlich klar.

Zuvor war Vinzenz Weiler bei der Zahnradfabrik ZF in Friedrichshafen beschäftigt gewesen. Geboren und aufgewachsen in Hagnau, konnte er nach dem erfolgreich abgeschlossenen Ingenieursstudium bei ZF beginnen. Nach zwei Jahren schon übernahm er eine verantwortliche Position in der Entwicklungsabteilung für die ZF-Automatikgetriebe, weitere Positionen auf der Karriereleiter schienen bereits erkennbar zu sein, da erhielt er das Angebot der Firma Porsche.

Dahinter verbarg sich damals, und das wusste Vinzenz genau, ein ehemaliger Studienkollege, seit ein paar Jahren bei Porsche, den er auf einer Messe wiedergetroffen hatte. Beide hatten sich als Studenten bestens verstanden und nun wollte dieser, dass Vinzenz nach Weissach wechseln solle und hatte das in der Geschäftsführung auch eingefädelt. Das Angebot war einfach großartig und nicht abzulehnen und so hatte er sich für den beruflichen Aufstieg entschieden.

☙

Vinzenz setzte sich in den Porsche und startete die Fahrt nach Meersburg. Er gab in das Navi den Zielort ein und erkannte, dass er in rund zwei Stunden dort sein dürfte. Für den Weg in die Heimat bräuchte er normalerweise kein Navi, so vertraut war ihm die Route, aber er informierte sich immer gern, ob eventuell ein Stau oder ein Verkehrshindernis angezeigt würde, aber heute waren keine Störungen erkennbar, er würde also gegen 14.20 Uhr in Meersburg ankommen.

Meersburg, die schöne und historische Stadt am Bodensee, seine alte Heimat und letzte Wohnstätte. Die damalige Trennung war schwierig gewesen und die folgende Zeit vor allen Dingen im privaten Bereich sehr belastend. Seine große Liebe zu Jule stand auf dem Spiel, beide hegten zwar noch die leise Hoffnung, dass trotz der räumlichen Entfernung vielleicht doch eine

Verbindung möglich wäre. Allein, es blieb bei dem Wunsch.

Vinzenz erinnerte sich in diesem Moment, er fuhr gerade auf der A 8 und wechselte am Kreuz Böblingen auf die A 81 in südlicher Richtung, mit einem wehmütigen Gefühl an seine erste Begegnung mit Jule, gerade so, wie wenn es erst gestern gewesen wäre. Jule, eigentlich Juliane Gutemann, war seine Liebe auf den ersten Blick. Er wohnte noch in Hagnau und besuchte gelegentlich seinen Bruder Adalbert in Meersburg. Und da war dieser eine Abend, an dem Adalbert ihn in seine Lieblingsweinstube mitgenommen hatte. Adalbert hatte ihm schon mehrmals von dieser Weinstube erzählt, der Weinstube „Zur schönen Fischerin" am Schlossplatz im oberen Teil von Meersburg. Oben, wo das Neue Schloss steht, dort wo man von der Seeseite über die Steigstraße hochgehen muss, um von oben dann einen traumhaften Blick über den See zu haben.

Die Weinstube gehörte zu der darüber liegenden Frühstückspension Gutemann. Die Eltern von Jule betrieben die Pension mit acht Doppelzimmern, genauer gesagt, Melly Gutemann, die Mutter von Jule, führte die Pension. Ihr Mann, Johannes, der Hannes, Gutemann, war seit vielen Jahren als Versicherungsmakler tätig. Ein sportlicher und immer noch gutaussehender Mann. Zusammen mit seiner Frau Melly und der hübschen Tochter Juliane galten sie als eine bekannte Traditionsfamilie in Meersburg.

Als Vinzenz damals mit seinem Bruder die Weinstube betrat, fiel ihm sofort dieses blonde und mehr als nur hübsche Mädchen auf, das im Lokal bediente.

Adalbert, der hier Stammgast war, stellte Vinzenz dem Mädchen auch sofort vor.

„Jule, darf ich dir meinen Bruder Vinzenz vorstellen, er ist auf Kurzbesuch bei mir. Ich habe ihm schon von deiner Weinstube erzählt. Vinzenz, das ist die Jule Gutemann, die Juniorchefin hier, sei freundlich zu ihr, dann bekommen wir auch den besten Wein."

Mit einem Blick war es Vinzenz sofort bewusst, dass er sich nicht lange wird bemühen müssen, freundlich zu sein. Denn, wie sich die beiden in diesem Moment in die Augen sahen, öffneten sich gleichzeitig auch ihre Herzen. Der Händedruck war mehr als nur eine Höflichkeit und Vinzenz bekam leicht rote Backen und sein Pulsschlag war an seinem Hals deutlich zu spüren.

Das war der Abend, an dem alles begann. Das Virus der großen Liebe hatte beide erfasst und von da an kam Vinzenz immer öfter in die Weinstube. Bald war er ein gern gesehener Gast im Hause Gutemann. Melly und Hannes Gutemann sahen die Entwicklung zwischen Vinzenz und ihrer Jule mit großer Sympathie und ließen dies Vinzenz auch spüren.

☙

Vinzenz fuhr in diesem Augenblick an Herrenberg vorbei in Richtung Horb, er kam dem „Thema Meersburg" immer näher, er wurde ernster und angespannter. Das „Thema Meersburg", wie es Vinzenz gerne beschrieb, war das Resultat seiner beruflichen Entscheidung gewesen, die vollkommen konträr zu seiner damaligen privaten Situation stand.

Es kam damals erst einmal so, wie es kommen musste und wie es das Schicksal vorbestimmt hatte: Vinzenz und Jule wurden ein Liebespaar. Vinzenz war ohnehin Single und Jule hatte zwar eine kleine Beziehung, aber ohne die Ernsthaftigkeit einer Bindung, eher eine Freundschaft, und so hatte ihre Liebe keine Vorbelastungen. Vinzenz suchte sich eine kleine Zweizimmerwohnung in Meersburg, richtete sie gemütlich ein, gleich mit einem Doppelbett, damit auch das klar war und fuhr von da an von Meersburg nach Friedrichshafen ins Büro, vielleicht fünf Kilometer weiter als bislang von Hagnau aus.

Jule hatte inzwischen die volle Verantwortung für die Weinstube übernommen, ihr freundliches Wesen und ihre Herzlichkeit waren der Garant für den stets guten Besuch des Lokals. Kleinere Gerichte und natürlich hauptsächlich die Weine der Winzergenossenschaft Meersburg waren auf der Karte, Sonntag und Montag war Ruhetag, geöffnet war ansonsten von 16.00 bis 23.00 Uhr.

Melly und Hannes mochten Vinzenz wie ihren eigenen Sohn, es war schon fast zu viel an Sympathie vorhanden gewesen. Bei ZF war Vinzenz in größere Projekte eingebunden und war dadurch auch immer wieder unterwegs, aber das waren selten mehr als zwei bis drei Tage.

Zwei Jahre nach seinem Umzug nach Meersburg wurde seine Jule zur Weinkönigin der Region gewählt. Sie war eine ausgesprochene schöne Frau geworden, lockiges blondes Haar, schlank und ihre blauen Augen leuchteten in ihrem freundlichen Gesicht, Vinzenz war stolz auf seine Jule. Beide waren während der Woche in ihre beruflichen Aufgaben eingebunden, aber die Sonntage verbrachten sie stets gemeinsam, oftmals auch mit Melly und Hannes, und der Bodensee mit der gegenüberliegenden Schweiz und den Möglichkeiten im Hinterland boten immer neue Ziele, es war eine beglückende Zeit.

Natürlich war dann auch eine Hochzeit eingeplant, das wurde gern von Melly forciert. Eine Mutter hat da eigene Gefühle und Wünsche und Jule war ihr einziges Kind, da will man den Kreis schließen. Das seit rund 300 Jahren im Familienbesitz stehende Haus lag im nördlichen Bereich des großen Schlossplatzes und bestand aus einem vorderen Haus, in welchem die Pension mit Weinstube untergebracht war und aus einem hinteren Gebäude, wo Hannes Gutemann im Erdgeschoß sein Versicherungsbüro hatte und im ersten Stock die Familie wohnte. Das zweite Geschoß stand zur Nutzung noch frei, da wollte man demnächst einen großzügigen Umbau machen und als Wohnung für das junge Paar herrichten. Pläne wurden bereits gemacht und ein Architekt, ein Freund der Gutemanns, entwarf bereits den Grundriss für die künftige Raumnutzung.

Und genau zu diesem Zeitpunkt, also zur sogenannten Unzeit, erreichte Vinzenz das Angebot aus Weissach. Das war der Hammer schlechthin. Ein Einstellungsgespräch wurde ihm angeboten, aber er wollte Jule noch nicht verunsichern und sagte ihr daher nichts, nahm aber den Termin in Weissach wahr.

CS

Auf der A 81 war wenig Verkehr, er würde bald das Kreuz Hegau erreicht haben, da musste er auf die 98er wechseln. Das war damals auch die Route zum Gespräch bei Porsche, nur in der entgegengesetzten Richtung. Nun aber war seine Spannung wesentlich größer, als damals, obwohl damals schon die große Welt von Porsche für ihn aufregend genug war.

Um es vorweg zu nehmen, das Ergebnis des Gespräches war überwältigend. Vinzenz spürte in jedem Satz des Gesprächs die Wichtigkeit, das Image der Nobelmarke hochzuhalten und mit Innovationen stets die Nase im Wettbewerb vorne zu haben. Und er spürte deutlich, dass Porsche ihn haben wollte. Sie hatten sich schon über ihn und seine Arbeit bei ZF informiert und waren sich sicher, dass er in ihrem Hause eine wichtige Position übernehmen könne. Und natürlich war das finanzielle Angebot auch über seinem bisherigen, mit allem Schnickschnack wie Firmenwagen, Weiterbildung, auch im Ausland, und der Aussicht auf eine spätere Einbindung in die Unternehmensleitung. Die damalige Rückfahrt nach Meersburg erlebte er in einer Mischung aus Jubel und Magenschmerz.

☙

Wie sollte er das Jule beibringen? Beruflich hatte er sich schon entschieden, dazu war das Angebot einfach zu gut. Darauf hatte er doch all die Jahre, schon seit dem Studium, gedanklich hingearbeitet. Jetzt hatte man ihm diese Offerte gemacht, in den nächsten fünf Tagen sollte das Angebot in schriftlicher Form in der Post sein. Diese Zeit wollte Vinzenz noch abwarten, denn für eine fundierte Entscheidung brauchte er schließlich auch eine verbindliche Zusage.

Es war ein schwieriges Gespräch mit seiner Jule. Als das Angebot in seiner Post lag, es kam an einem Donnerstag, plante Vinzenz den Sonntag dafür ein. Er wollte mit Jule zu Fuß zur Haltnau gehen, auf dem Weg dahin ihr das Angebot erläutern, dort einkehren und dann seine bereits getroffene Entscheidung besprechen. So war der Plan.

Auf dem Fußmarsch zur Haltnau, was rund drei Kilometer ausmachte, war alles noch friedlich, Jule hörte zu, aber sie erkannte auch die Gefahr, die da hervorgekrochen kam. Auf der Haltnau angekommen, wollte keiner der beiden etwas essen, der Appetit war ihnen vergangen. Also bestellten sie beide einen Wein vom Bodensee, die Haltnau ist an Konstanz gebunden, dann eben einen Wein von denen, und eine Flasche Wasser dazu.

Jule begann zu weinen, Vinzenz schnürte es die Kehle zu. Keiner wollte es aussprechen, aber in beiden schwelte die Angst, dass ein Weggang von Vinzenz nach Weissach die Gefahr eines Auseinanderlebens beinhalten würde. Ein Auseinandergehen zu einem Zeitpunkt, wo man sich über die geplante Heirat in Verbindung mit dem Ausbau des zweiten Obergeschosses und damit einer gemeinsamen Zukunft bereits besprochen hatte. Es war ein Gespräch, das beide mit einer depressiven Stimmung beendeten.

Das Autobahnkreuz Hegau öffnete sich, von hier aus ging es weiter auf der A 98 in Richtung Stockach, das hieß dann schon in Richtung See fahren.

Vinzenz kam der damalige Vorgang noch einmal voll in Erinnerung, er litt in diesem Augenblick in seinem Porsche dieselben Qualen, wie damals auf der Haltnau. Aber er war seinerzeit fest entschlossen gewesen, den Schritt in Richtung Weissach zu tun. Vielleicht würde die Verbindung doch halten und man könnte dann an eine Lösung denken. Aber wie sollte die denn aussehen? Es sah aus wie in der Mengenlehre: kaum gemeinsame Schnittmengen, zwei Einzelpersonen mit zwei verschiedenen emotionalen Zukunftsplänen drifteten gerade auseinander.

Jule saß auf ihrem Stuhl unter dem Sonnenschirm, es schüttelte sie, sie zitterte am ganzen Körper, obwohl es ein sehr warmer Tag war. Vinzenz versuchte, ihren Arm zu berühren, aber Jule zog ihn spontan zurück. Nicht anfassen, bitte, nicht berühren, hieß das. Ablehnung gegen alles, was Vinzenz heute ausgesprochen hatte. Wie werden Melly und Hannes darauf reagieren? Nicht auszudenken, welche Enttäuschung in ihnen aufkommen würde. Die ganze Planung ihrer gemeinsamen Zukunft, die bereits so wunderbare Formen angenommen hatte, würde zerbersten und in Scherben auf dem Boden liegen.

ঙ

Das Autobahnkreuz Hegau hatte Vinzenz schon hinter sich, jetzt ging es in Richtung Stockach.

Er zwang sich, Ruhe zu bewahren, das alles war vor fünf Jahren gewesen. Fünf lange Jahre, in denen sowohl Vinzenz als auch Jule dann ihre eigenen Wege gegangen waren, als beiden klar geworden war, dass es für eine „Fernbeziehung“ mit gelegentlichen Wochenenden keine Zukunft geben konnte. An die Aussprache mit Melly und Hannes mochte sich Vinzenz am liebsten gar nicht mehr erinnern. Jule hatte beiden schon von der anstehenden Veränderung erzählt. Melly traf es am härtesten, sie hatte verweinte Augen bei dem Gespräch der vier Personen. Hannes versuchte, die Entscheidung von Vinzenz rational zu erklären, allein der Versuch scheiterte kläglich. Vinzenz versprach zwar, alles zu versuchen, dass die Verbindung zu Jule bleiben könne, aber keiner der Vier glaubte in diesem Augenblick an diese Möglichkeit.

Jule hatte sich für die Nachfolge des Familienbetriebes entschieden, das war ihre Welt und ihre persönliche Zukunft. Vinzenz sah seine Zukunft in der neuen beruflichen Aufgabe, seine Chance, auf die er all die Jahre hingearbeitet hatte und die nunmehr auf dem Tisch lag. Er sollte morgen, Montag, das Angebot unterschrieben zurückschicken und bei ZF fristgemäß kündigen. Für sechs Monate würde Porsche ihm die Hotelkosten in Weissach bezahlen, dann sollte er eine Wohnung gefunden haben. Es war alles organisiert.

Am Tage seines Umzuges nach Weissach war er noch am Nachmittag im Hause Gutemann und verabschiedete sich. Die Gesichter waren ernst und angespannt, aber Jule war erstaunlich ruhig und gefasst, er hatte einen Heulanfall erwartet. Frauen sind manchmal im Leben gefestigter, wenn sie im Klaren mit sich und mit dem Geschehen sind. Es schien, als ob Jule in diesem Moment sehr klar war, klar dachte und klar handelte. Für Vinzenz war diese Klarheit ein gewisser Vorteil, es waren weniger Emotionen offen erkennbar. Als er sich verabschiedet hatte, wandte er sich ab und ging, aber er konnte seine Tränen auch nicht mehr halten. Es schüttelte ihn und als er die Steigstraße hinabging, waren seine Knie weich und er musste sich festhalten.

Weissach hatte ihn dann aufgenommen und er hatte versucht, sich in die neue Arbeit hinein zu kämpfen. Es war mehr Ablenkung als Arbeitsaufgabe, aber es half. Einmal, nach zwei Wochen rief er abends in der Weinstube an und hatte Melly am Telefon. Jule hätte zu tun und jetzt keine Zeit. Er spürte die Ablehnung und legte auf. Eine Woche später, gleich um 16.00 Uhr, hatte er Jule am Apparat. Es gab ein sachliches Erkunden nach dem Ergehen des anderen, mit den Aussagen, es gehe schon so und man habe viel Arbeit. Vinzenz versuchte noch zu erzählen, wie interessant seine neue Tätigkeit sei, merkte aber, dass Jule das herzlich wenig interessierte. Man versprach sich, bald wieder anzurufen, aber es klang nicht überzeugend. Als Vinzenz Jule erklärte, dass er in den nächsten zwei Wochen nicht nach Meersburg kommen könne, da die Wochenenden für Testversuche mit neuen Modellen eingeplant seien, legte Jule auf. Das war‘s, der Film war gerissen und einen emotionalen Kleber dafür gab es nicht.

☙

Auf dem Kreuz Stockach runter auf die B 31n und weiter Richtung Überlingen, er nahm damals die Straße hinter dem See entlang, bald würde er in Meersburg sein.

In Meersburg, bei seinem Bruder Adalbert und dessen Familie. Von Adalbert hatte Vinzenz etwa zwei Jahre nach seinem Weggang erfahren, dass Jule geheiratet hatte. Einen gleichaltrigen Kerl, der bei ZF in der Kundenabteilung arbeitete, er war aus Bregenz, also ein Österreicher. Eine ziemlich überstürzte Heirat. Adalbert kam seit der Trennung auch nicht mehr in die „Schöne Fischerin", er wollte einer wahrscheinlichen Auseinandersetzung aus dem Weg gehen, aber er hatte erfahren, dass Jule zwar das Lokal noch betreiben würde, aber der Elan früherer Jahre verloren gegangen sei.

Obwohl die Verbindung zu Jule zu diesem Zeitpunkt schon beendet war, traf die Nachricht von ihrer Heirat Vinzenz tief. Das alles erschien ihm zu kurzfristig und zu unüberlegt, für ihn war das eine reine Kurzschlusshandlung, so etwas konnte nicht gutgehen. Es war aber auch der letzte Punkt einer Entkoppelung und er versuchte, dies als Erleichterung zu empfinden, aber er tat sich damit schwer.

Er passierte Überlingen, die Heimat rückte näher. Weiter auf der B 31, es öffnete sich der Blick auf den See. Ruhiges Wasser, einige Segler waren unterwegs, Fähren und Personenschiffe kreuzten, er sah im Hintergrund die Mainau und die gegenüberliegende Schweiz, die Heimat hatte ihn wieder. Es war schon verdammt schön hier, verdammt schön. Da konnte Weissach nicht mithalten.

Vinzenz war immer, schon von Kindheit an, mit dem Wasser verbunden gewesen. Wasser in diesem Ausmaß wirkte auf ihn beruhigend, ausgleichend, da fühlte er die Welt und ihre Geschichte. Das Klima in der Bodenseeregion ist milder, die Winter kürzer und die Sommer länger. Wo Wein wächst, ist das Klima angenehmer und die Menschen freundlicher. Das weiche Klima wirkt auf die Menschen ein, der Wein schenkt eine gewisse Glückseligkeit. Das hatte er alles verlassen. Verlassen wegen einer Karriere, die immer mehr an Leistung und Einsatz verlangte. Der Wettbewerb war hart, manchmal, dachte Vinzenz, wird er auch nur so hart dargestellt, um Leistung zu organisieren.

☙

Kurz nach Unteruhldingen grüßte das barocke Birnau zur rechten Hand und schon fuhr er auf Meersburg zu. Gute zwei Stunden Fahrt hatten ohne Stau ausgereicht.

Er war dabei, sich etwas zu entspannen, die Erinnerungen während der Fahrt hatten ihm doch sehr zugesetzt. Das war alles nicht so einfach zu verdauen gewesen, er spürte, dass da viel an Sentimentalität noch in ihm hing. Bald würde er bei Adalbert sein, darauf freute er sich sehr. Wovor er allerdings etwas Angst hatte, war dann der Gedanke an den ersten Besuch bei den Gutemanns in der „Schönen Fischerin“. Dass er hingehen würde, war für ihn klar, das war er der alten Verbindung schuldig. Wenn es bekannt würde, dass er sich in Meersburg aufgehalten hatte und keinen Besuch bei Gutemanns gemacht hätte, das wäre nicht auszudenken, das wäre unter seinem Niveau, so etwas macht man nicht.

Meersburg. Über die Stettener Straße fuhr er seitlich an der Stadt hoch und kam von oben in die Oberstadt. Er bog in die Hofeinfahrt des Hauses seines Bruders ein, der Kies knirschte unter den breiten Reifen. Er sah zwei Buben auf sich zu rennen. „Onkel Vinz ist da, Onkel Vinz ist gekommen, hurra“, riefen beide und lachten über ihre jungen Gesichter.

„Kinder sind etwas Großartiges, Kinder sind die Zukunft, dafür kann man immer etwas aufgeben. Nur dafür lohnt es sich“ dachte er und begriff aber noch nicht, was er in diesem Moment ausgesprochen hatte.

Kapitel 4

Meersburg

„Meersburg, alte Heimat, sei mir gegrüßt. Jetzt hast du mich wieder, endlich, ich fühle mich einfach wohl hier“ murmelte er vor sich hin, dann stieg er aus.

Die beiden Neffen, es waren die fünfjährigen Zwillinge Nils und Jens, stürmten auf Vinzenz zu. Er kniete nieder und fing beide mit seinen offenen Armen auf, einen links, einen rechts. Dann stand er mit den beiden auf und ging in Richtung Haus, von wo ihm schon seine Schwägerin Anika entgegen kam. Auch sie lachte über das ganze Gesicht.

„Grüß Gott, Vinz, servus, endlich traust du dich wieder in deine alte Heimat, herzlich willkommen. Adalbert ist mit dem Lars kurz in die Stadt gegangen, Lars braucht Schuhe, weißt du, er wächst aus allem schnell heraus mit seinen neun Jahren. Komm herein und bring dein Gepäck gleich mit.“

Es war so wie früher, dachte Vinzenz, wie wenn nichts geschehen wäre. Für diese Unkompliziertheit war Vinzenz in diesem Augenblick dankbar. Er ließ die Jungs zu Boden und holte sein Gepäck aus dem Auto. Anika zeigte ihm das Gästezimmer, dann erschien Adalbert mit seinem Lars, die Begrüßung war ebenfalls herzlich. Adalbert, fünf Jahre älter als Vinzenz, war in diesen Jahren etwas grau geworden, was ihm aber gut zu Gesicht stand. Beide Weilerbrüder waren immer noch attraktive Männer, Anika wusste das sehr wohl.

Diese Familienidylle, die er in diesem Augenblick erlebte, fehlte Vinzenz vollkommen. In diesen Minuten des Wiedersehens wurde ihm das schmerzhaft bewusst. Sein berufliches Engagement hatte ihm die Zeit genommen, um auch privat etwas Gleiches entstehen lassen zu können. In Weissach hatte er zwar eine lockere Beziehung zu einer Kollegin begonnen, aber das war für ihn keine Basis für eine Familienplanung. Er verspürte in diesem Moment, wie sehr ihm ein privates Glück wichtig wäre, an diesem Tag mehr denn je, aber die Trennung von Jule hatte ihn zurückgeworfen und die Nachricht von ihrer Heirat noch mehr.

❧

Adalbert, Anika und Vinzenz saßen dann auf der Gartenterrasse und tranken Kaffee, die Buben tollten im Garten herum, die mitgebrachten Miniporsches hatten sie stolz auf dem Tisch, wie in einer Startreihe, aufgestellt. Man unterhielt sich über alles Mögliche, bis dann Adalbert speziell wurde und zu seinem Bruder sagte:

„Vinzenz, hör zu, heute ist Samstag, was denkst du, wir könnten doch vor dem Abendessen noch zusammen, also nur wir beide, zur „Schönen Fischerin" gehen. Einmal musst du ohnehin hin, das gehört sich so, also warum nicht gleich heute. Morgen und am Montag ist die Weinstube geschlossen, dann könnten wir erst wieder am Dienstag hingehen. Nur auf ein Glas Wein, dann wäre der Bann gebrochen. Anika kocht uns etwas für danach."

Vinzenz wollte noch sein Veto einlegen, nach dem Motto: „was schon heute, muss das denn sein?“, aber dann überlegte er einen Augenblick und antwortete:

„Adalbert, du hast völlig Recht, warum nicht gleich heute, dann ist meine Angespanntheit auch hoffentlich weg. Ich weiß ja nicht, wie Jule und ihre Eltern reagieren werden, die wissen ja nicht, dass ich hier bin. Sollte ich nicht gut behandelt werden, dann war es das eben. Dann bleiben wir auch nicht lange.“

„Also, wenn Anika auf sieben Uhr das Essen fertig macht, sie macht heute gute Pizzen, gerade auch für die Kinder, dann können wir doch um fünf Uhr in der Weinstube sein, das reicht doch, denke ich.“

Vinzenz schmunzelte, seine Schwägerin Anika, die früher so unterkühlte Norddeutsche, hatte sich gut im Süden eingewöhnt und machte heute sogar Pizzen, also ein Gericht von der Alpensüdseite. Sie hatte den Spagat offensichtlich geschafft, und bei den Vornamen der Jungs hatte sie sich sogar durchgesetzt. Prima Anika, alles geht, wenn man es nur will.

Vinzenz fiel auf, dass sein Bruder immer nur von „der Weinstube“ und von „der Schönen Fischerin“ gesprochen, aber stets den Namen Jule vermieden hatte. Er vermutete stark, dass Adalbert ihn damit schonen wollte.

Es war Vinzenz in diesem Moment auch sehr angenehm, dass er nur mit seinem Bruder zusammen in die „Schöne Fischerin“ gehen sollte und dass Anika so lange zuhause kochen würde. Wenn es zu Spannungen oder gar zu Unfreundlichkeiten zwischen ihm und Jule kommen sollte, und das war beileibe nicht völlig auszuschließen, wollte er seine Schwägerin nicht dabeihaben, das wäre ihm unangenehm gewesen.

„Also dann bis um sieben Uhr", sagt Vinzenz zu Anika und fügte noch vorsorglich hinzu: „Ich meine, bis spätestens um sieben, wenn es dumm läuft, dann auch früher."

Adalbert runzelte die Stirn, er würde heute wohl auf seinen jüngeren Bruder aufpassen müssen, genauso wie früher.

Kapitel 5

Bei Jule

Vom Haus seines Bruders bis zur „Schönen Fischerin“ waren es zu Fuß gerade mal zehn Minuten. Adalbert hatte in dem oberen Stadtteil in der Stefan-Lochner-Straße gebaut. Beide gingen langsam hinunter in Richtung Oberstadt, der Weg ging leicht bergab, es war ein wunderschöner Sommerabend. Reden wollte Vinzenz nicht, also hielt sich Adalbert auch zurück.

Die Weinstube hatte vier Tische vor dem Haus aufgestellt, aber sie zogen es vor, ins Lokal zu gehen, genauso wie früher oder wie damals, als Vinzenz Jule zum ersten Mal begegnet war. Beide sprachen immer noch kein Wort miteinander. Vor der Eingangstür blieben beide stehen und sahen sich an. Adalbert spürte die große Anspannung bei Vinzenz, es würde ihm ebenso gehen. Adalbert nickte Vinzenz aufmunternd zu, dann traten sie ein.

Es waren erst wenige Gäste da, Vinzenz entdeckte sofort seinen damaligen Stammtisch, er war noch frei. Als beide auf den Tisch zugingen, kam Jule aus der Küche und entdeckte beide Brüder. Im seinem Hals verspürte Vinzenz seinen eigenen Puls schlagen, er war sehr erregt. Jule war perplex, blieb kurz stehen und erkannte die Situation und dann, zur völligen Überraschung der beiden, kam ein Lachen in ihr Gesicht, es schien, als ob sie sich freute, Vinzenz wieder zu sehen.

„Ich werde verrückt, Vinzenz, mein Lieber, was

machst denn du hier? Grüße dich, Adalbert, ich habe dich schon lange nicht mehr gesehen, nehmt ihr euren Tisch? Das ist ja eine Überraschung, das muss ich gleich Melly und Hannes berichten.“

Und tatsächlich ging Jule auf Vinzenz zu und umarmte ihn herzlich. Sie hing mit beiden Armen an Vinzenz‘ Hals und gab ihm einen Kuss auf die Wange, Vinzenz fühlte, dass er errötete. Alles hatte er erwartet, nur nicht dies. Aber die Umarmung tat Vinzenz gut, Jule war erwachsener geworden, fraulicher und noch schöner. Sie sah Vinzenz in die Augen, er hielt ihrem Blick stand. Die Umarmung löste sich nur langsam auf und die Brüder setzten sich, Vinzenz wie früher auf die Bank und Adalbert auf einen Stuhl.

„Einen Weißherbst vom Meersburger Sonnenufer, wie früher?“

Jule stand fragend am Tisch. Der Weißherbst ist ein süffiger Roséwein, und der vom Bodensee besonders.

„Ja, gerne, zwei Gläser und noch eine Flasche Wasser“, antwortete Adalbert.

Vinzenz hielt sich zurück, er war immer noch erstaunt und begriff die Situation noch nicht ganz.

„Ich freue mich, dass ihr zu mir gekommen seid, lange haben wir uns nicht mehr gesehen, auch du, Adalbert, hast dich rar gemacht. Es wird heute nicht viel los sein, an solchen schönen Abenden sitzen die Leute lieber im Freien oder am See. Ich möchte mit euch anstoßen, ich gönne mir auch ein Gläschen.“

Vinzenz beobachtete Jule, wie sie hinter der Theke die Getränke einschenkte, sie sah ständig zu ihm herüber und lachte ihm zu. Er war irritiert, fünf Jahre nach der Trennung, verbunden mit all den Schwierigkeiten, erfuhr er eine Freundlichkeit, die er nicht erwartet hatte. Jule kam mit den Getränken an den Tisch und stellte sie ab.

„Also, meine lieben Weilerbuben, erst einmal herzlich willkommen und sehr zum Wohl. Es ist euer Lieblingswein, wie früher, ich kann es noch gar nicht glauben, dass ihr da seid."

Sie stießen an, die Gläser klangen mit einem guten Ton, Vinzenz sah Jule in die Augen, ein warmer Blick begegnete ihm und er gab in diesem Augenblick Weissach die ganze verdammte Schuld, dass das alles so gekommen war. Und dann konnte er nicht anders, er musste fragen, es musste heraus:

„Jule, wie geht es Melly und Hannes und wie geht es dir, jetzt wo du verheiratest bist?"

„Melly und Hannes sind gesund und gut beschäftigt. Mein Mann Florian kommt nachher noch vorbei, er ist nicht so gern in der Weinstube unter den Leuten. Florian arbeitet auch bei ZF in Friedrichshafen, er ist Österreicher und kommt aus Bregenz, wir wohnen im Hinterhaus, jeder hat seinen Bereich."

Das klang alles sehr sachlich und Jules bislang freundliches Gesicht verdunkelte sich und wirkte plötzlich ernst, als sie von ihrem Mann Florian erzählte. Aber sie kam in ihrer Erzählung nicht weiter, denn die Stubentüre ging auf und Melly kam herein. Sie traute zuerst ihren Augen nicht, wen sie da am Tisch sitzen sah, ihre Augen wurden groß und sie kam mit gestreckten Armen auf den Tisch zu.

„Vinzenz, mein Guter, was machst du denn hier? Grüße dich, lass dich umarmen, willkommen in der alten Heimat, gut siehst du aus.“

Melly drückte Vinzenz heftig, sie packte seinen Kopf mit ihren beiden Händen, wie den eines kleinen Jungen, und küsste ihn auf beide Wangen. Vinzenz wusste im Moment nicht so recht, wie er sich verhalten sollte, auf einen solchen Empfang war er nicht vorbereitet gewesen. Auch Adalbert beobachtete erstaunt, wie beide Frauen sich offenkundig riesig freuten, so, wie wenn in den letzten fünf Jahren nichts geschehen wäre.

Melly holte sich auch sofort ein Glas Wein und nun prosteten sich zwei Männer und zwei Frauen zu, die wenigen Gäste im Lokal bekamen das Wiedersehen zwar mit, aber es war keiner unter ihnen, der die Vorgeschichte kannte. Melly erwähnte noch, dass ihr Hannes wohl erst später kommen würde, er sei noch mit dem Rad unterwegs.

Das erste Glas Wein war schnell getrunken, Melly brachte die zweite Runde mit dem mütterlichen Hinweis an Jule:

„Bleib sitzen, ich mach das schon, du hast ihn doch so lange nicht mehr gesehen.“

Vinzenz hatte es gehört, es tat ihm gut und der Wein begann so langsam auch zu wirken.

☙

Mitten in die Tischgespräche hinein ging wieder die Türe auf und ein jüngerer Mann, hager, etwas ungepflegt, mit Brille, kam an den Tisch. Jule erhob sich und versuchte, die Situation zu erklären.

„Kurze Unterbrechung, bitte, darf ich euch meinen Mann, den Florian, vorstellen. Florian, das sind die beiden Weilerbrüder, Vinzenz und Adalbert, beide alte Meersburger."

Vinzenz blieb sitzen und hoffte inbrünstig, dass dieser Florian sich nicht zu ihnen setzten würde. Er sah hinüber zu Adalbert, der hatte die Augenbrauen hochgezogen und zuckte mit den Schultern. Keiner wusste so recht, wie es weitergehen würde.

Das Gesicht Florians wirkte plötzlich verkrampft, er gab beiden Brüdern die Hand und murmelt dabei ein „Hallo" und so etwas wie „Habe noch zu tun." Platz nehmen mochte er auch nicht und so entfernte er sich wieder über die Küche. Weg war er und weg mit ihm die bislang so fröhliche Stimmung.

Jule sah Vinzenz ins Gesicht, ihre großen Augen sahen ihn an, wie wenn sie etwas fragen wollten, dann schüttelte sie ihren Kopf, senkte ihren Blick und starrte in ihr Glas. Jetzt spürte Vinzenz eine im Raum um sich greifende Unstimmigkeit und auch Melly hatte urplötzlich ihr Lachen eingestellt. Adalbert trank sein Glas aus und wollte bezahlen.

„Wir sollten uns auf auf den Heimweg machen, Vinzenz. Es ist jetzt halb sieben und um sieben wollen wir essen." Er sah zu Jule hin:

„Anika macht uns ein Pizzaessen, das mögen die

Kinder gerne, wir haben zugesagt, um sieben zuhause zu sein."

Als beide aufstanden und sich verabschiedeten, entdeckte Vinzenz, dass Jule mit nassen Augen auf Vinzenz zukam und ihn umarmte. Er hörte, wie sie ihm ins Ohr flüsterte:

„Sehen wir uns nochmal, bevor du wieder zurückfährst? Ich würde mich freuen, ich glaube, Melly auch. Es war schön, dass du da warst, komm doch wieder, bitte, ich bitte dich, hörst du, Vinz?"

Vinzenz war so durcheinander, dass er vergessen hatte, Jule zu sagen, dass er für ganze zwei Wochen bei seinem Bruder sein würde. Er murmelte nur noch, dass er sicher wiederkommen werde, und war schon in der Tür, nicht aber ohne noch einen Blick zurück zu werfen. Jule winkte ihm freundlich zu, Melly wischte sich eine Träne aus ihrem Auge, dann stand er im Freien. Beide Brüder sahen sich an und sprachen im Gehen über den überraschenden Verlauf des Besuches.

ଓଃ

Adalbert erklärte Vinzenz, dass er seit dem Wegzug von Vinzenz, also seit fünf Jahren, nicht mehr in der Weinstube gewesen war. Die Trennung von Jule hatte auch bei ihm eine Blockade geschaffen, er war nicht mehr in der Lage gewesen, dort einen entspannten Abend verbringen zu können. Adalbert hatte natürlich auch erfahren, dass die Ehe zwischen Jule und Florian keine einfache sei. Auf dem Rückweg erzählte er seinem Bruder einige Einzelheiten.

Florian galt als Einzelgänger, er mied die Weinstube und die Geselligkeit. Zu seinen Schwiegereltern bestand eine sehr angespannte Beziehung, Melly lehnte Florian ab, gelinde gesagt. Es soll auch schon Streit zwischen dem bockigen Florian und dem Hannes gegeben haben. Es sei sogar zu Handgreiflichkeiten zwischen den beiden gekommen.

Adalbert legte seine rechte Hand auf die Schulter seines Bruders.

„Jule hat es mit diesem Österreicher nicht leicht, er ist genau das Gegenteil von ihr. Bei ZF arbeitet er in der Verwaltung, ich habe erfahren, auch dort wird er nicht anerkannt, er kann einfach keine Freundschaften entwickeln. Ich kann mir nicht vorstellen, dass Jule glücklich ist und dass diese Ehe lange halten wird."

Nachdenklich ging Vinzenz mit Adalbert ins Haus, es roch schon nach den Pizzen, die Buben saßen bereits am Tisch, sie hatten Hunger. Wer wachsen will, muss essen. Anika winkte beiden aus der Küche zu.

„Setzt euch bitte schon hin, ich bringe gleich das Essen. Adalbert, frag doch deinen Bruder, was er trinken möchte, mir kannst du einen Weißherbst einschenken, da ist noch ein Rest in der Flasche."

Vinzenz wäre ein Glas Wasser nach dem Wein bei Jule am liebsten gewesen, er hatte keinen richtigen Appetit, zu sehr beschäftigte ihn der Besuch bei den Gutemanns. Wie hieß eigentlich Jule jetzt? Auch Adalbert wusste es nicht. Nicht wichtig, genauso unwichtig wie Florian, dieser Österreicher, selbst. Vinzenz begann diesen Menschen zu verachten, warum nur hatte Jule sich so entschieden? Dieser verklemmte Florian ohne Nachnamen, ein Nobody, hatte so eine schöne, herzliche und lebensbejahende Frau wie Jule nicht verdient, der nicht, überhaupt nicht. Wenn schon einer, dann er selbst.

Die Buben gingen nach dem Essen in ihre Zimmer und dann später in ihre Betten, die Erwachsenen saßen noch länger am Esstisch zusammen. Vinzenz wirkte inzwischen sehr entspannt, er genoss es, den ersten Abend wieder in der alten Heimat zu sein, man war bei dem Weißherbst geblieben und süffelte vor sich hin. Jetzt, wo die Kinder in ihren Betten waren, erzählte Adalbert dann von dem überraschenden Wiedersehen in der „Schönen Fischerin". Wie herzlich Jule sich Vinzenz gegenüber verhalten hatte und dass sich auch Melly über das Wiedersehen gefreut hatte und dass dann noch Jules Ehemann aufgetaucht sei und damit die schöne Stimmung kaputt gemacht hatte.

☙

Der Wein hatte die sonst eher kühle Anika etwas in Fahrt gebracht und so erzählte die ansonsten dem Dorfklatsch abgeneigte Schwägerin einige Dinge, die sie aus dem Kreis ihrer Bekannten erfahren hatte.

Anfänglich noch zurückhaltend sprach Anika Vinzenz gegenüber sehr offen über die in der Stadt bekannte Situation.

„Die Gutemanns gehören in Meersburg zu den Traditionsfamilien, da wird man natürlich beobachtet und sowohl die Verbindung und erst recht die Trennung zwischen Jule und dir, Vinzenz, wurde damals vor fünf Jahren in allen Einzelheiten kommentiert. Aber mehr noch die überraschende Heirat mit einem bis dato nicht bekannten gleichaltrigen Kerl und dann noch mit einem Österreicher, den in Meersburg keiner kannte."

Und natürlich wusste auch Anika mehr, als ihr Mann das bisher erzählen konnte, gerade von den in der Stadt bekannten Schwierigkeiten dieser knapp dreijährigen Ehe.

„Wenn man ein offenes Haus hat, in dem Menschen ein- und ausgehen, lässt sich das nicht verheimlichen, Vinz. Ich weiß von einer Nachbarin, die eine gute Freundin zu Jule ist, dass Jule inzwischen an eine Trennung denkt und ihre Eltern das nur begrüßen würden. Glücklicherweise hat Hannes bei der Heirat darauf bestanden, dass ein Ehevertag gemacht wurde und Gütertrennung besteht."

Der süffige Weißherbst war verführerisch. Als Vinzenz mit einem leichten Schlag ins Bett ging, nahm er alle Neuigkeiten über Jule mit in einen tiefen Schlaf. Am nächsten Tag wäre dann Sonntag, da würde er alles erst einmal sortieren müssen, dazu bräuchte man einen klaren Kopf.

„Gute Nacht, Jule, schlaf gut, ich denke an dich."

Kapitel 6

Sturm

Am Mittwoch, pünktlich um acht Uhr, fahren zwei Polizeifahrzeuge vor die Weinstube, Hannes Gutemann wartet bereits im ersten Stock des Hinterhauses auf sie. Fünf Polizisten kommen durch das Tor in den Innenhof und läuten bei Gutemann. Hannes kommt herunter, begrüßt die vier Polizisten und eine Polizistin, dann schließt er die Hintertür zum Lokal auf und sie gehen hinein. Die Geräusche im Hof wecken Florian auf, er geht zum Fenster und sieht gerade noch, dass die Polizei da ist, und sieht auch, wie sie mit Hannes im Lokal verschwinden. Gut, sollen sie machen, was sie wollen.

In der Weinstube setzen sich alle an den großen Stammtisch und der Leiter der Fahndungsgruppe erläutert nochmals die aktuelle Situation.

„Herr Gutemann, ich bin Kriminalhauptkommissar Sturm, Eustachius Sturm, Kripo Friedrichshafen. Ich bin der verantwortliche Kriminalhauptkommissar für die baden-württembergische, ich meine für die nördliche Bodenseeseite, also auch für diesen Fall. Leider hat die Suche über Nacht weder einen Hinweis erbracht, noch konnten unsere Mitarbeiter im Einsatz einen Erfolg melden.“

Eustachius Sturm ist ein erfahrener Kriminalist, ehrgeizig und zielstrebig. Geboren und aufgewachsen ist er in Meckenbeuren im Oberland. Vor zwölf

Jahren war er vom Kriminaloberkommissar zum Kriminalhauptkommissar aufgestiegen, damals noch auf dem Polizeirevier in Ravensburg. Nach seiner Heirat zog er mit seiner Ehefrau Mechthild zusammen, die in Tettnang zuhause war. Sie war beruflich beim Landgericht in Ravensburg als Richterin tätig. Beide hatten dann später in Tettnang neu gebaut, das lag unweit von Friedrichshafen und es gab eine kurze Verbindung nach Ravensburg. Das Polizeirevier Ravensburg und das in Friedrichshafen gehören zu dem Polizeipräsidium Konstanz.

Zu Ravensburg verbindet ihn immer noch seine alte Beziehung zu seiner damaligen Sekretärin Solveig Büchele. Diese Verbindung hatte er aufrechterhalten, auch wenn er sie nur noch einmal im Monat besuchen kommt. Eustachius Sturm ist inzwischen 54 Jahre alt, Solveig ist zehn Jahre jünger, bei ihr holt er sich das, was er bei seiner Frau nicht mehr so richtig findet. Beide sind katholisch, katholisch locker, Solveig beichtet immer an Ostern.

Mechthild Sturm ist eine kluge Frau. Sie ist nunmehr seit 18 Jahren mit ihrem Mann verheiratet, für sie ist es die zweite Ehe. Die Beziehung zu Solveig hat sie akzeptiert, das ist für sie eine andere Ebene. Beruflich ist Mechtild Juristin und als Vorsitzende Richterin im II. Senat am Landgericht in Ravensburg tätig. Sie ist der ruhende Pol in der Beziehung, beide respektieren sich. Eustachius holt sich gerne und immer wieder Rat bei seiner Mechthild, denn durch ihre Richtertätigkeit hat sie einen großen Erfahrungsschatz, der ihm oft zugutekommt. Als Richterin ist sie sehr auf Einzelheiten fixiert, sie gilt in Kollegenkreisen als sehr penibel.

Über seinen Vornamen machen sich manche lustig, sein Vater hatte ihn so taufen lassen, da sein Großvater auch schon so geheißen hatte, Familientradition eben, kann man nichts machen. Er kennt noch drei Männer, die auch diesen Vornamen haben, arme Kerle.

Seine Freunde nennen ihn kumpelhaft Eustach, damit kann er leben. Seine Frau Mechthild nennt ihn ein wenig bösartig Stachi, das ist schlimmer, aber sie ruft ihn nur zuhause so, da hört es niemand. Solveig hat sich für Stachelbär entschieden, das gefällt ihm sogar. Aber eigentlich egal, irgendeinen Vornamen hat jeder.

Exakte Aufklärung mit der Vorliebe zu wichtigen Details, Spuren suchen, Einzelbilder zu Mosaiken zusammenbauen, das sind seine Stärken. Er liebt die Filmserie Colombo mit Peter Falk in der Rolle des Kommissars. Unauffällig sein, fast etwas bieder, sich eher dumm stellen und fragen, immer wieder fragen, das gibt immer auch Antworten. Sturm ist nunmehr schon seit acht Jahren als Kriminalhauptkommissar in Friedrichshafen für einen Bereich des nördlichen Bodenseeufers samt Hinterland zuständig, da tut sich immer etwas. Da wird er gebraucht, er wartet darauf, täglich. Und heute könnte so ein Tag sein.

ଓଃ

„Man muss daher heute, Mittwoch, davon ausgehen, dass entweder ein Unfall oder gar ein Verbrechen geschehen ist. Die Anrufe bei den regionalen Krankenhäusern und bei allen Polizeistationen haben aber ergeben, dass die beiden gesuchten Personen nicht gesichtet wurden."

„Ich habe mir auch nochmals Gedanken gemacht", wirft Hannes Gutemann ein, „beide Frauen und das Auto meiner Frau sind verschwunden. Sie sind ohne Gepäck weggefahren, das habe ich heute Nacht noch überprüft. Die beiden Schlüsselbunde für das Vorder- und für das Hinterhaus sind ebenfalls weg. Aber beide Handys sind da, ich habe sie gefunden. Und was es noch nie gegeben hat, ist der Umstand, dass unsere Gäste ohne irgendeine Information geblieben sind. Es sind schließlich langjährige Gäste im Haus, die Melly alle persönlich gut kennt, diese Leute würde Melly niemals alleine lassen. Am Samstag haben die noch miteinander gesprochen. Für mich sieht das gar nicht gut aus."

„Hatten die beiden Frauen Feinde oder gibt es jemanden, der ihnen etwas Böses antun könnte? Denken Sie doch mal nach, wir suchen ein Motiv, Herr Gutemann, jede Tat hat ein Motiv."

Hannes Gutemann hebt die rechte Hand, wie wenn er um Aufmerksamkeit bitten würde. Die Sache mit der schon laufenden Scheidung muss er noch unbedingt anbringen.

„Herr Sturm, da muss ich Ihnen sagen, dass meine Tochter Jule seit kurzem in Scheidung lebt. Ich will damit sagen, dass sich Jule entschlossen hatte, einen Anwalt mit der Scheidung zu beauftragen. Das ist jetzt gerade mal so zwei Wochen her. Davor gab es schon schwere Auseinandersetzungen mit ihrem Mann, es kam sogar einmal zu Handgreiflichkeiten, da bin ich dazwischen gegangen. Jule ist aus der gemeinsamen Wohnung schon ausgezogen und lebt jetzt bei uns im ersten Stock. Ihr Mann, dieser Florian Haas, wohnt noch oben im zweiten Stock, er will angeblich in diesem Monat ausziehen, er müsste noch in der Wohnung sein."

„Ein Motiv wäre das allerdings. Wenn er im Haus ist, sollten wir ihn befragen. Gehen Sie doch, Kollege Schmid, zu ihm hoch, und nehmen Sie noch die Kollegin Schweizer mit, sicher ist sicher."

Als die beiden aus dem Lokal ins Treppenhaus des Hinterhauses gehen, kommt ihnen Florian von oben auf der Treppe entgegen. Er bleibt stehen und sieht die Polizisten an.

„Sie sind sicher Florian Haas, mein Name ist Schmid, das ist meine Kollegin Schweizer, hier sind unsere Ausweise. Wir haben ein paar Fragen an Sie, wollten Sie gerade gehen?"

„Ja, ich müsste einige Einkäufe machen, mein Kühlschrank ist leer, aber gut, kommen Sie mit nach oben."

Florian geht voraus, in der Wohnung angekommen, sehen sich die beiden Polizisten etwas um, da sie keinen Durchsuchungsbefehl haben, machen sie es unauffällig. Dann fragen sie ihn, wo er von Samstag auf Sonntag war.

„Ich war den ganzen Abend in der Wohnung und habe die Zeitung gelesen, den Immobilienteil habe ich wegen meiner Wohnungssuche studiert. Ich habe noch etwas getrunken, wahrscheinlich etwas viel und bin dann auch ziemlich früh ins Bett gegangen. Nein, Zeugen habe ich dafür leider keine."

Dann fragt Florian ziemlich herausfordernd, was die Polizei denn von ihm eigentlich wolle, er lebe in Scheidung mit der Tochter der Gutemanns und er werde noch in diesem Monat in eine eigene Wohnung ziehen.

„Herr Haas, ich muss Sie schon darauf aufmerksam machen, dass Sie durch die derzeit laufende Scheidung automatisch in den engeren Kreis der Verdächtigen geraten sind. Scheidungen geben immer ein Motiv her. Halten Sie sich zu unserer Verfügung, im Fall dass wir weitere Fragen an Sie haben, und verlassen Sie nicht das Land."

Als Florian aufgefordert wird, seinen Ausweis vorzuzeigen, überprüft diesen die Polizistin Schweizer und notiert sich die Daten.

ᘓ

Die beiden Polizisten kehren zu ihrer Gruppe zurück, berichten kurz von dem Gespräch und dem Besuch in der Wohnung. Danach möchten Tilmann Merk, Leiter der Spurensicherung, und sein Mitarbeiter ihre Arbeit aufnehmen. Sie gehen ins Hinterhaus und durchsuchen Jules neu bezogenes Zimmer, die Garderobe und das Bad. Dann sehen sie sich noch in der Küche der Weinstube um.

Auf die Frage, ob die Häuser unterkellert seien, antwortet Hannes, dass nur das Hinterhaus einen Keller habe. Daraufhin wird auch dieser Keller durchsucht, dabei gelangen sie bis zu einem Lattenverschlag. Außer dem Spaten an der Wand, ist dort aber nichts vorhanden. Hannes Gutemann erklärt, dass man diesen Bereich nicht benütze, da er nicht gepflastert ist und außerdem oft sehr feucht sei.

Alle Einzelheiten werden notiert. Als sie das Haus verlassen, fährt gerade Florian mit seinem BMW in den Hof. Er geht grußlos mit zwei Einkaufstüten an den Beamten vorbei. Als er auf Kriminalhauptkommissar Sturm zukommt, sieht ihm dieser bewusst direkt ins Gesicht, er nimmt den scheuen Blick Florians und dessen verbissenen Mund genau zur Kenntnis. Sturm meint, dass er im Laufe der Jahre einen Blick für die Menschen bekommen hat. Der Kerl kommt ihm suspekt vor.

„Herr Gutemann, wohnt dieser Haas jetzt eigentlich allein in der großen Wohnung im zweiten Stock? Ist Ihre Tochter da oben ausgezogen?“

„Ja, Herr Sturm, der bewohnt seit zwei Wochen ganz alleine die Wohnung. Wegen der Scheidung ist unsere Jule dort oben ausgezogen, sie muss doch das Trennungsjahr einhalten, hat der Anwalt ihr geraten, verstehen Sie?“

Sturm versteht das, es sind immer wieder die gleichen Umstände bei solchen Scheidungen. Die formalen Dinge überlagern alle Gefühle, da wollen die Anwälte immer die Herrscher des Verfahrens sein.

Als die Polizei wieder weg ist, ruft Hannes Gutemann bei Max Vöhringer an und erzählt ihm von dem Vorgang und auch darüber, dass Florian befragt worden sei, aber noch hätten sich keine Anhaltspunkte ergeben. Man muss jetzt abwarten, der Polizeiapparat ist angelaufen.

Max Vöhringer wird Vinzenz sofort verständigen, Vinzenz wird das gebuchte Doppelzimmer in der Pension Seeblick stornieren müssen. Wenn er trotzdem allein kommen sollte, kann er auch bei seinem Bruder übernachten.

ଓ

Der Donnerstag vergeht ohne neue Erkenntnisse. Hannes Gutemann ist sehr niedergeschlagen, seine Radfreunde haben sich alle schon bei ihm gemeldet und sich nach dem Stand der Ermittlungen erkundigt. In Meersburg ist ohnehin das Verschwinden der beiden Frauen das Stadtgespräch schlechthin. Melly und Jule sind beliebt in der Stadt, man kennt sie seit vielen Jahren als freundlich und hilfsbereit. Das plötzliche Verschwinden wirft immer neue Spekulationen auf. Wann immer sich Meersburger in der Stadt begegnen, gibt es nur dieses Thema.

Von den Pensionsgästen wollen morgen vier wieder abreisen. Das Frühstück müssen sie in einem anderen Café einnehmen, die Betten und die Zimmer werden nicht gerichtet und die schöne Weinstube bleibt geschlossen, so haben sie sich das nicht vorgestellt. Hannes Gutemann kommt ihnen preislich sehr entgegen, man ist trotzdem zuversichtlich, dass es im kommenden Jahr wieder normal zugehen wird. Hannes selbst hat da so seine Bedenken.

Hannes Gutemann geht fast nicht mehr aus dem Haus, denn er wird sofort auf den Vorfall angesprochen und kann doch immer nur die eine unbefriedigende

Antwort geben: „Die Polizei hat leider immer noch keine neuen Erkenntnisse.“

Aber mit jedem Tag verstärken sich die Vermutungen, dass etwas Schreckliches mit beiden Frauen geschehen sein muss. Alles deutet darauf hin und nicht wenige bringen Florian Haas damit in einen Zusammenhang.

„Der Kerl hat Dreck am Stecken, schau ihn dir doch bloß an, wie der daherkommt, und saufen soll er auch. Wo der herkommt, weiß auch niemand so genau, seine Mutter soll sich erhängt haben.“

So wird über ihn überall gesprochen. Florian bekommt das nur manchmal mit. Aber auch bislang hatte er in Meersburg keine Freunde und, was die Leute über ihn und seine verpfuschte Ehe sagten, war ihm ohnehin egal. Wenn nicht der Job bei der ZF wäre, würde er wegziehen, er hat sich hier noch nie wohlgefühlt. Die aktuelle Wohnungssuche kommt ihm da gerade recht.

☙

Als er am Donnerstagabend schon wieder in die „Winzerstube“ kommt und etwas essen möchte, sieht ihn die junge Bedienung kritisch an. Sie sagt zu ihrer Kollegin, dass sie ihn nicht bedienen möchte und ihre Kollegin das übernehmen solle. Florian zeigt sich aber bewusst in der Öffentlichkeit, so, wie wenn ihn die Sache gar nichts anginge. Er trinkt auch nicht zu viel, dafür mehr, wenn er in der Wohnung ist. Da fällt die ganze Anspannung von ihm ab und er säuft sich jeden Abend in den Schlaf.

„Nächste Woche ziehe ich hier aus, dann ist das Thema durch. Ich brauche noch Möbel, da gehe ich zum XXL, ein Schlafzimmer mit einem Schrank und eine Essecke in der kleinen Küche werden erst einmal ausreichen. Die bieten auch immer eine Finanzierung an, so wird es gehen."

Florian spricht sich Mut zu. Seit die Polizei im Haus war und eine Großfahndung läuft, ist ihm nicht mehr ganz so wohl zumute. Aber sie können unmöglich irgendeinen Verdacht oder Hinweis gegen ihn haben.

Gut, der Scheidungsfall wirkt sich gerade jetzt ungünstig für ihn aus, das hatte er so nicht eingerechnet. Da hatte der Kommissar ihm schon im letzten Gespräch erklärt, dass die Polizei darin ein Motiv sehen könnte. Na gut, dann sollen sie eben darin ein Motiv sehen. Ein Motiv ist für ihn noch lange kein Beweis, ein Motiv ist nur ein Gedanke, mehr nicht.

Gerade deshalb will Florian sich ungezwungen in der Öffentlichkeit zeigen und die Winzerstuben sind von jeher sein Lokal gewesen. Er will sich nicht verstecken und, wenn es so weiter gehen sollte, dass ihn die Leute verdächtigen und ihn öffentlich beschuldigen, wird er sich bei der Polizei beschweren. Lange wird er das nicht mehr so mitmachen.

Kapitel 7

Zwei finden sich wieder

Der Sonntag stand damals dem Vortag in nichts nach, ein wolkenloser Himmel färbte den See blau, ein sonniger Tag kündigte sich an. Anika hatte das Frühstück auf der Terrasse angerichtet, Vinzenz hatte gut geschlafen, tief und lang und genoss den heißen Kaffee. Die Jungs hockten mit Nutella-verschmierten Mündern am Tisch, Vinzenz war für sie die Attraktion schlechthin. Er war der Ingenieur bei Porsche und zwar genau in der Testabteilung für die Supersportwagen, Turbos, GTS usw. Schade, dass gerade Ferien sind, dachte sich Lars, das könnte ich sonst morgen gleich in der Klasse erzählen.

Gestern hatte Vinzenz seinen eigenen und ganz persönlichen Test durchlaufen, nämlich den in der „Schönen Fischerin" bei Jule und bei Melly. Er war nach durchschlafener Nacht der Meinung, dass der Test für ihn erfolgreich ausgegangen war. Am Schluss gab es zwar noch einen Schaden, indem der Ehemann von Jule aufgetaucht war. Die wenigen Minuten von Florians Anwesenheit in der Weinstube hatten ausgereicht, um den unhaltbaren Zustand der Ehe der beiden für jedermann sichtbar aufzuzeigen.

Dieser Vorfall beschäftigte Vinzenz auch an diesem Morgen immer noch und er versuchte davon wegzukommen, indem er sich laufend einredete, dass das nicht seine Angelegenheit sei, das sollen die beiden doch untereinander ausmachen. Aber mehr und mehr wurde ihm bewusst, dass Jule immer noch ihren Platz in seinem Herzen hatte und die letzten Worte Jules beim Abschied gingen ihm nicht aus dem Sinn.

„Es war schön, dass du da warst, komm doch wieder, bitte, ich bitte dich, hörst du?"

„Komm doch wieder", das hing ihm noch voll im Ohr, und dann noch der Zusatz „ich bitte dich, hörst du."

Er kannte Jule, das sagte die nicht einfach so dahin, da steckte mehr dahinter. Aber wieviel mehr? Wieviel mehr durfte es oder konnte es denn sein? Wieviel mehr vertrug denn der Augenblick überhaupt? Alles Fragen ohne irgendwelche Antworten.

Seine Gefühle schlugen Purzelbäume, er wollte alles sortieren, analytisch sortieren, also ingenieursmäßig einordnen, aber er merkte, dass er dazu nicht in der Lage war. Emotion gegen Rationalität, und das alles an diesem sonnenverwöhnten Tag. Was würde das wohl für ein Sonntag werden?

☙

Da kam es Vinzenz sehr entgegen, dass Adalbert vorschlug, zusammen mit den Kindern einen Bootsausflug zu machen. Er wollte dem Sonntagstourismus am See entkommen und einen Tag auf seinem Boot draußen auf dem Wasser verbringen. Adalberts Boot hatte seinen Liegeplatz in Hagnau und so fuhren alle sechs dahin, in Adalberts BMW X 5 hatten sie Platz. Vinzenz hielt das für eine gute Idee, raus aufs Wasser und erst wieder am Abend zurück, so hatten sie es früher oft genug gemacht.

Als sie mitten auf dem See waren, ließ Adalbert das Boot vor sich hindümpeln, und Vinzenz legte sich mit einer Decke auf die Planken des Vorschiffes. Er hatte sich auf Anraten Anikas noch gut eingecremt, die Augustsonne stand hoch. Es war zwar erst 13.00 Uhr, aber er schlief sofort ein und wachte erst wieder auf, als er Anika rufen hörte, dass der Kaffee fertig sei. Inzwischen war es kurz nach fünfzehn Uhr, er hatte also rund zwei Stunden geschlafen, Adalbert und Anika hatten Vinzenz beobachtet und ihn nicht gestört. Adalbert meinte, dass Vinz den Schlaf jetzt wohl brauche, das Wiedersehen gestern und die damit verbundene Anspannung hätten ihm doch ziemlich zugesetzt.

Später war dann allgemeines Aufbrechen angesagt und Adalbert legte das Boot wieder in Hagnau an seinem Platz an, mit dem Auto fuhren sie zurück und machten noch Station an der Haltnau, es war inzwischen fast neunzehn Uhr, also siebene, wie man hier sagte. Die Sonne hatte alle gebräunt und die Luft hatte Appetit gemacht. Vinzenz bestellte sich einen Schweizer Wurstsalat und ein Glas vom kühlen Weißburgunder, Adalbert schloss sich dem an. Anika nahm ein Felchenfilet und die Kinder bekamen ihre geliebten Pommes.

Als die Sonne langsam am Horizont angekommen war und ans Untergehen dachte, ergriff Vinzenz das Wort, ihm war plötzlich danach.

„Ich danke euch herzlich, meine Lieben, für mich war heute ein herrlicher Tag. Wieder in der alten

Heimat und in eurer Nähe, ich genieße das sehr, glaubt es mir. Weissach gibt das alles nicht her. Aber ich muss zugeben, der Abend gestern und der heutige Tag haben meine bisherigen Lebensparameter stark verändert. Wohin das alles noch führen wird, kann ich heute nicht sagen. Aber bitte stoßt mit mir auf die Zukunft an, auf die eure und auf meine. Es soll alles gut werden. Prosit."

Man trank die Gläser leer, die Sonne war verschwunden, in wenigen Minuten hatten sie das Haus erreicht.

Morgen war Montag, da hatte „Die schöne Fischerin" Ruhetag. Dann wäre der Dienstag der nächstmögliche Tag, um Jule zu besuchen. Das nahm er sich fest vor, dann würde er aber alleine hingehen.

☙

Der Montag verging entspannt und gemütlich. Adalbert war schon in seiner Kanzlei, Vinzenz frühstückte mit Anika und dabei kamen beide in ein langes und sehr persönliches Gespräch. So offen und frei hatte er mit seiner Schwägerin noch nie reden können. Sie erzählte ihm, dass sie sich inzwischen sehr wohl fühle in Meersburg und dass ihre beiden Eltern vor fünf bzw. sechs Jahren innerhalb von einem Jahr verstorben waren. Beide liegen in dem Familiengrab in Ratzeburg, dort, wo Anika auch herkommt. Sie hatte also nur die Seen wechseln müssen, dachte sich Vinzenz, und natürlich auch den Dialekt. Adalbert müsse derzeit auf seine Gesundheit etwas aufpassen, meinte Anika, sein Blutdruck sei zu hoch und seine

Cholesterinwerte stimmten nicht ganz, er nehme deswegen auch Medikamente.

Am Nachmittag nahmen ihn die Jungs in Beschlag, vor allem Lars. Der fragte ihm ein Loch in den Bauch, er wollte alles wissen über die Porscheautos, über die Motoren mit den Turbos, über die Leistung und die Beschleunigung. Vinzenz war ein guter Erzähler und Lars war von seinem Onkel begeistert. Je länger er sich aber mit Lars unterhielt, desto mehr wurde es Vinzenz immer klarer, dass ihm so eine Familie mit Kindern fehlte. Noch nie hatte er das so deutlich, ja fast schonungslos erkannt, er wirkte nachdenklich. Anika beobachtete ihn, sie spürte seine Nachdenklichkeit. Das hatte er alles seiner beruflichen Karriere geopfert, jetzt würde er das am liebsten ändern, wenn er nur wüsste wie?

Morgen, Dienstag, würde er Jule besuchen, fünf Uhr wäre wohl eine gute Zeit.

☙

Alles an diesem Dienstag war bei Vinzenz fixiert auf den Besuch bei Jule in der „Schönen Fischerin“. Da wollte er mit Jule ein Gespräch führen, ein Gespräch über eine gemeinsame Zukunft, wenn es die denn geben sollte. Vinzenz wollte sich darauf vorbereiten, aber je mehr er sich dazu Gedanken machte, desto mehr merkte er, dass ihm dies nicht gelang.

Als er um 16.30 Uhr Adalberts Haus verließ, war er sehr angespannt. Einerseits kam er dem Wunsch Jules nach und besuchte sie, andererseits war es völlig offen, wie die Begegnung heute verlaufen würde. Würde sich die Begegnung an die letzte anschließen? Würde dieser Florian wieder auftauchen? Auf dem Weg zu Jule nahm er sich fest vor, morgen kurzfristig nach Weissach zurückzufahren, sollte das Gespräch unangenehm werden oder sogar in einem Streit enden, und, sofern sich dieser Florian einmischen sollte, würde er ihn von seinem Tisch weisen.

Er ging langsam, es war noch genügend Zeit. Wie er beobachten konnte, hatte sich in Meersburg in der alten Innenstadt kaum etwas verändert. Einige Fassaden der Fachwerkhäuser waren renoviert, frühere Geschäfte waren geschlossen, neue waren eröffnet worden. Das Leben lässt eben keinen Stillstand zu. Im privaten Bereich war es auch nicht anders, Stillstand blockiert die Möglichkeiten der Zukunft, dachte er sich.

☙

Kurz nach fünf Uhr betrat Vinzenz die Weinstube, es war noch kein Gast zu sehen, aber an dem Stammtisch, der ja auch schon früher Vinzenz‘ Lieblingstisch war, erkannte er Jule mit ihren Eltern. Herrje, alle Gutemanns auf einmal, der Hannes hatte sich kaum verändert, nur seine Haare waren grauer geworden. Als sie Vinzenz erkannt hatten, ging ein Lachen über die Gesichter von Melly und Hannes. Beide standen auf und kamen Vinzenz entgegen. Melly umarmte ihn und Hannes gab ihm die Hand und legt Vinzenz seine schwere linke Hand auf die Schulter.

„Ich habe schon gehört, dass du mit deinem Bruder

am Samstag hier warst. Schön, dass du wieder mal in deiner Heimat bist, ich freue mich sehr, dich zu sehen, Vinzenz. Um es ehrlich zu sagen, wir haben dich heute erwartet und sitzen hier schon an deinem Lieblingsplatz. Wir waren uns sicher, dass du heute vorbeischauen wirst, wie lange bleibst du denn in Meersburg?"

Jule küsste Vinzenz auf beide Wangen, sie sahen sich lange und stumm in die Augen, wie konnte es jetzt weitergehen?

„Es ist eben, wie es ist."

Mehr fiel Vinzenz in diesem Moment nicht ein. Eigentlich ein dummer Ausspruch, der ihm schon fast wieder leidtat, aber Jule antwortete sofort und konterte klug:

„Und nichts bleibt, wie es ist, alles ist im Fluss, lieber Vinz, merk dir das."

Das sollte er sich merken, ja, das sollte er, war denn das ein Fingerzeig? Sie setzten sich zu viert an den Tisch, Hannes bot eine Freirunde zu Ehren des Gastes an, wie er es formulierte, und Melly stand sofort auf, um die Getränke zu holen. Jule setzte sich auch gleich neben Vinzenz auf die Bank.

„Es freut mich, dass du, Hannes, bei so guter Gesundheit bist, du hältst dich wohl immer noch mit deinen Radtouren fit, so wie früher. Im Übrigen, weil Du mich gefragt hattest, ich habe vor, zwei Wochen zu bleiben. Mein Bruder Adalbert hat darauf bestanden, dass ich für diese Zeit bei ihm wohne."

„Zwei Wochen, das ist ja schön, da sehen wir uns sicherlich noch ein paar Mal. Weißt du Vinz, es war für uns damals schon eine schwierige Situation, als du nach Weissach gezogen bist. Für Melly und für mich war das ein totaler Bruch und für Jule erst recht. Aus beruflicher Sicht habe ich deine Entscheidung schon verstanden, da müssen wir Männer manchmal Prioritäten setzen, auch wenn es weh tut. Insofern ist es aber schön, dass du trotzdem hier bist und uns besuchen kommst, sehr zum Wohl und herzlich willkommen, Vinzenz."

Sie prosteten sich gegenseitig zu, Vinzenz war es recht, dass Hannes nicht lange um das leidige Thema herumgeredet und es sofort angesprochen hatte. Damit war es auf dem Tisch. Jule sah Vinzenz ins Gesicht, er meinte, in ihren Augen kleine Tränen sehen zu können, aber auch er selbst war gerührt über die Worte von Hannes Gutemann. Er war also immer noch ein gern gesehener Gast in diesem Haus.

„Danke für die Einladung, Hannes, ja, du hast recht, beruflich habe ich meinen Weg machen können. Aber wenn ich wie in diesen Tagen in der Familie von Adalbert erlebe, was ein Familienleben mit Kindern einem geben kann, wird mir klar, auf was ich durch meine damalige Entscheidung verzichten muss."

In diesem Augenblick war es Vinzenz bewusst, dass er noch zum Wesentlichen vorstoßen musste, jetzt konnte er nicht mehr vorbei an dem Zustand von Jules Ehe und dieser schwierigen Beziehung zu ihrem Mann Florian.

☙

„Und Jule und mir war es damals sehr wohl bewusst, dass eine Fernverbindung mit nur gelegentlichen, gemeinsamen Wochenenden unsere Liebe zerstören wird, und so kam es ja dann auch. Ich hatte dabei den Vorteil, dass die neue Aufgabe mich vollkommen in Beschlag nahm und mich ablenkte, aber ich denke, Jule stand nach dieser Trennung ganz alleine da, ich habe oft an sie gedacht."

Jetzt kullerten Jule die Tränen wirklich über ihre Wangen und Melly schloss sich ihrer Tochter an. Jule legte ihre Hand auf die von Vinzenz und hielt sie fest. Da schlug Hannes mit der Faust auf den Tisch, die Gläser wackelten.

„Hört auf mit dem Geheule, Weiberleut, das macht mich ganz verrückt. Natürlich hatte uns die Reaktion von Jule nicht gefallen, aber sie wollte ja unbedingt diese Heirat. Heute wissen wir, dass das ein Fehler war, ja, ich gebe es zu und Jule weiß das inzwischen selbst. Diese Verbindung hat aus meiner Sicht keine Zukunft. Wo ist eigentlich der Florian heute?"

„Er hat heute Betriebskegeln, also seine Abteilung zumindest, immer dienstags. Wenn er da heimkommt, legt er sich immer gleich ins Bett. Leider trinkt er inzwischen auch zu viel. Immer, wenn er angetrunken ist, greift er mich an, ich meine, er schreit mich dann an und ist nicht mehr zugänglich. Das macht mir manchmal Angst."

Jule stierte in ihr Weinglas, Hannes fuhr fort:

„Wehe, wenn der dir etwas antun sollte, also wenn er dich schlagen sollte, dann bekommt er es mit mir zu tun, so wahr ich hier sitze. So etwas gibt es in meinem Haus nicht."

Jetzt war Vinzenz mitten in diesem leidigen Thema drin, wusste aber nicht, wie er reagieren sollte. Es war ihm bewusst, dass gerade seine Anwesenheit den Krug zum Überlaufen gebracht hatte. Jule und Melly trockneten ihre Tränen ab, dann stand Jule auf und holte neuen Wein, sie brachte gleich die ganze Flasche mit an den Tisch. Jule sah Vinzenz ins Gesicht:

„Weißt du, Vinzenz, ich will dich nicht mit hineinziehen in dieses Zerwürfnis, aber ich denke, dass wir beide auch heute noch ehrlich miteinander umgehen können und da möchte ich nicht dir gegenüber ein falsches Bild abgeben."

Jule schenkte die Gläser voll. Sie wirkte nachdenklich.

„Wie das alles eines Tages ausgehen mag, weiß ich heute noch nicht, aber es wird einen Weg geben, da bin ich mir sicher. Heute ist es für mich erst einmal wichtig, dass du da bist und wir uns aussprechen können. Prosit, mein lieber Vinz, auf die Zukunft, weißt du was, komm her, ich möchte dich küssen."

Gesagt, getan, Jule setzte sich schnell zu Vinzenz und, bevor der sich wehren konnte, küsste Jule Vinzenz inniglich. Beide Zungen fanden sich und Vinzenz empfand keinerlei Scham, auch wenn ihre Eltern mit am Tisch saßen. Nach dem langen Kuss lehnte sich Jule entspannt an Vinzenz, ihr Kopf lag an seiner Schulter. Melly sah etwas verunsichert zu ihrem Hannes hinüber, der stand plötzlich auf und ging in Richtung Toilette. Er musste jetzt Zeit gewinnen, das ging ihm alles zu schnell. Verstehe einer die Frauen.

☙

Zwei Paare kamen ins Lokal und setzten sich an den gegenüberliegenden Tisch, Melly bediente die Gäste. Jule hielt die Hand von Vinzenz, beide tranken ihre Gläser aus, Vinzenz wollte bezahlen, aber das ließ Hannes nicht zu.

„Heute bist du unser Gast, ein sehr willkommener Gast. Ich hoffe, wir sehen uns noch ein paarmal, bis du wieder fährst. Du bist doch zu Fuß gekommen, weißt du was, dann trinken wir noch ein letztes Glas auf diesen Abend miteinander. Alles ist gesagt worden, gar alles, ich bin sehr erleichtert und das war ich schon lange nicht mehr."

Als Vinzenz ging, umarmten sich alle noch einmal. Jule ging mit vor die Türe, jetzt, wo sie alleine mit Vinzenz war, wirkte sie gefasst. Sie stand angelehnt an einen Holzpfosten, der die Türüberdachung trug, sie hatte beide Hände im Rücken verschränkt.

„Was machen wir denn da gerade, Vinz? Denkst du auch darüber nach, wie es weitergehen könnte? Die Trennung damals hat uns sehr zugesetzt, uns beiden. Heute nach fünf Jahren können wir uns aber erlauben, erwachsener an so ein Thema heranzugehen. Vielleicht haben wir in diesen Tagen noch die Gelegenheit, alleine, nur wir zwei, uns auszusprechen."

Jule trat auf Vinzenz zu, legte ihre Arme um seinen Hals und küsste ihn weich und trotzdem leidenschaftlich. Vinzenz erwiderte den Kuss, schon lange hatte er nicht mehr so geküsst, genau gerechnet, ganze fünf Jahre nicht mehr. Er war über sich selbst überrascht, denn in ihm kam keine Spur eines schlechten Gewissens hoch.

„Ich habe dich immer noch lieb, Jule, Das war mir nicht ganz so bewusst, als ich am Samstag in Richtung Meersburg losgefahren bin, aber jetzt weiß ich es. Ich habe dich auch nach der Trennung immer noch gemocht, es aber nicht zugegeben. Ja, wir sollten uns aussprechen, vielleicht am Sonntag oder am Montag, wenn die Weinstube geschlossen ist. Aber was macht dann dein Mann?“

„Florian ist ab übermorgen, also ab Donnerstag für eine Woche auf Weiterbildung, da hätten wir Zeit, die Frage ist nur, ob er wirklich auf das Seminar geht. Seit er weiß, dass du in Meersburg bist, spricht er kaum mehr mit mir. Ich gebe dir Bescheid. Komm doch bitte am Donnerstag vorbei, dann kann ich es dir sagen. Gute Nacht, mein lieber Vinz, ich denke an dich.“

Sie küssten sich nochmals und Vinzenz ging langsam den Weg zurück. Er konnte es drehen und wenden, wie er es wollte, es wurde ihm immer klarer: er hatte sich erneut in Jule verliebt. Wo das hinführen würde? Keine Ahnung, das war ihm im Augenblick auch egal. Er war glücklich, er war geküsst worden und es war ihm viel an Sympathie entgegengebracht worden. Am Samstag schon, aber heute noch viel mehr.

Bei Adalbert und Anika angekommen, setzte er sich noch zu den beiden. Keiner fragte ihn, wie der Abend war, und er selbst wollte jetzt auch nicht darüber reden. Als er sich verabschiedete und auf sein Zimmer ging, sah ihm Anika lange nach. Sie spürte, dass der Abend bei Jule kein normaler gewesen war, und sie meinte auch, an Vinzenz' Verhalten erkannt zu haben, dass Jule und Vinzenz sich nähergekommen waren. Frauen haben da so ein besonderes Gespür. Gott sei Dank.

ꕥ

Mittwoch, Frühstück auf der Terrasse, Adalbert war schon weg und die Kinder waren irgendwo um die Ecke bei den Nachbarskindern. Der Himmel war leicht bewölkt, es könnte noch ein Gewitter aufziehen. Am Bodensee sind Gewitter oft sehr gefährlich, sie kommen sehr schnell mit Blitz und Donner und starkem Sturm. Die hohen Wellen sind immer eine Gefahr für die Segler.

Anika hatte mit ihrem Frühstück auf Vinzenz gewartet, sie wollte ihm Gesellschaft leisten und natürlich wollte sie etwas erfahren über den gestrigen Abend bei Jule.

„Sag mal, Vinz, gab es gestern ein Gewitter in „Der schönen Fischerin“? Du warst so ruhig, als du gekommen bist, gab es hohen Wellengang?“

Sie lachte, um die Situation zu entspannen, und beobachtete dabei Vinzenz' Gesicht. Der ließ sich etwas Zeit, er wollte sich die Antwort überlegen, bei Anika zählte jedes Wort und jeder Tonfall würde registriert.

„Anika, für mich war es ein großartiger Abend, alle waren da, ich meine Melly, der Hannes und die Jule, die hatten schon auf mich gewartet. Die hatten voll darauf spekuliert, dass ich komme. Wir hatten gerade mit dem ersten Glas angestoßen, da sprach Hannes in seiner wunderbar direkten Art auch schon die damalige Trennung an. Wie diese Trennung alle mitgenommen habe, also die Melly und auch ihn, den Hannes, und ganz besonders natürlich die Jule. Ich konnte auch nicht an mich halten und habe dann offen diese, aus meiner Sicht doch sehr sonderbare Heirat ins Spiel gebracht. Die Reaktionen von Hannes und Melly waren ehrlich, beide haben die Heirat bis heute nicht verstanden."

„Und wie hat Jule reagiert?" fragte Anika.

„Jule? Nach ihren Aussagen ist diese Ehe kaputt. Das Verhältnis zu diesem Florian ist mehr als kritisch, Jule hat manchmal sogar Angst, dass er ihr etwas antun könnte. Ich glaube, Hannes würde Florian an den Kragen gehen, wenn dieser seiner Jule etwas tun würde. Aber hör mir zu, Anika, du wirst es nicht für möglich halten, am Ende der Diskussion hat mich Jule geküsst, verstehst du das? In diesem Augenblick war natürlich alles Reden überflüssig geworden. Jule hat mich leidenschaftlich vor ihren Eltern, es waren sonst noch keine Gäste im Lokal, geküsst und ich gebe es zu, ich habe zurückgeküsst."

„Ihr habt euch geküsst, so richtig wie Liebende?"

Anika wollte mehr wissen. Dieses Tempo des sich Wiederfindens ging der Norddeutschen zu schnell.

„Ja, Anika, genauso. Und zum Abschied draußen vor der Türe nochmals, ich weiß auch nicht, wie das jetzt weitergehen kann. Ich bin vollkommen durch den Wind. Ich habe mich mit Jule zunächst auf morgen,

Donnerstag, verabredet. Dieser Florian, sagte mir Jule, wird von Donnerstag an für eine Woche auf ein von der ZF angeordnetes Weiterbildungsseminar gehen, da könnten wir uns ungestört unter vier Augen unterhalten."

„Vinzenz, Vinzenz, du bringst mich ins Staunen. Das ist ja alles wie in einem schlechten Roman. Du kommst hierher, um dich von einer Altlast zu befreien, und dann verliebst du dich in dieselbe. Du könntest eine Frau sein, denen passiert manchmal so etwas. Ich glaube, du hängst ganz schön in einem Schlamassel drin, jetzt gilt es, jeden weiteren Schritt gut zu überlegen."

ᘓ

Vinzenz mochte diese norddeutsche Klarheit von Anika. Aber wenn man verliebt oder neuverliebt war, war man nicht klar im Verstand. Da war ein Mensch, die Jule, im Spiel, in einem neuen Spiel, das eigentlich das alte war. Alte Liebe rostet nicht, sagt der Volksmund und Vinzenz musste zugeben, dass das wohl stimmen würde.

„Weißt du Anika, im Prinzip ist es genauso wie damals vor fünf Jahren: Jule gegen Weissach heißt das Spiel. Dieses Spiel haben wir schon einmal gespielt und da hatte Jule verloren. Ich will aber ein zweites Mal nicht, dass es wieder so ausgeht. Jetzt müssen wir abwarten, was unsere nächsten Gespräche ergeben werden. Behalte aber bitte diese Informationen für dich und für Adalbert, ich verlasse mich da fest auf dich."

Weissach gegen Meersburg, keine Frau gegen eine tolle Frau, Entfernung gegen Nähe, berufliche Perspektive gegen familiäre Perspektive, vor diesen wichtigen Entscheidungen stand Vinzenz. Dieser Sonderling Florian war ihm dabei völlig egal, Jule hatte sich bereits von ihm abgewandt, eine Scheidung wird das alles beenden, Kinder sind keine da, das Vermögen war durch den Ehevertrag geregelt. Soviel zum weiteren Verlauf der Sache, Vinzenz zwang sich zur Sachlichkeit, er musste versuchen, seine hohen Emotionen herunter zu holen. So etwas kann Anika, die Norddeutsche, aber er, der Süddeutsche, tat sich da verdammt schwer.

Es wird zu tiefgreifenden Entscheidungen kommen müssen, das war ihm inzwischen klar geworden. Der Donnerstag könnte schon eine Vorentscheidung bringen. Hoffentlich fährt der Florian auf das Seminar, das würde einiges leichter machen.

Kapitel 8

Der Donnerstag

An diesem Donnerstag kam Vinzenz erst gegen 19.00 Uhr in die „Schöne Fischerin“. Er war noch mit den Buben in Friedrichshafen gewesen und hatte den Zwillingen Spielzeug gekauft und für Lars eine Levis-Jeans.

Jule bediente gerade einen Gast. Die Weinstube war schon gut gefüllt. Als Jule Vinzenz sah, kam sie auf ihn zu und küsste ihn vor allen Leuten auf den Mund,

„Servus, Vinz, nimm doch Platz, er ist schon weg.“

„Du meinst Florian? Ist er auf das Seminar gegangen? Aha, dann begegne ich ihm nicht mehr, sehr gut. Bring mir bitte einen halbtrockenen Müller, ich setze mich an meinen Tisch, da ist noch Platz.“

Vinzenz entspannte sich, dieser Florian war also weg. Dann hatte sich schon einmal dieses Problem erledigt. Wenn er ihm begegnet wäre, dann hätte er … ja was eigentlich? Früher hätte man sich geschlagen, heute kämpft man verbal, geistig bissig, eloquent gehässig und persönlich verletzend, so lange, bis man sich dann doch verkloppt. Besser so. Jule brachte ihm den Wein, stellte ihn auf dem Tisch ab und legte ihre Hand auf die von Vinzenz.

„Bleibst heute ein bisserl länger? Donnerstags ist meistens früher Schluss, am Freitag und am Samstag wird es dafür später. Heute könnten wir uns zusammensetzen, wir hätten schon einiges zu besprechen.

Hast du schon etwas gegessen? Warte, ich bring dir was, ich weiß doch, was du magst."

„Sie weiß, was ich mag, immer noch nach all der Zeit. Wenn ich nur wüsste, was ich will", sprach Vinzenz vor sich hin.

„Wenn ich Jule will, muss ich Weissach lassen, so einfach ist das. Der Satz könnte von Anika stammen, eine kluge Frau."

Vinzenz war sich sicher, dass Anika in der Familie seines Bruders das Sagen hatte, es zumindest nach und nach an sich gezogen hatte. Und Vinzenz war es auch klar, dass sein Bruder nichts dagegen hatte.

In diesem Moment setzte sich an seinen Tisch ein Paar mittleren Alters, der Mann schaute zu Vinzenz und nickte ihm zu, Vinzenz glaubte, ihn zu kennen.

„Hallo, Herr Weiler, wir kennen uns doch. Ich bin der Kanzleipartner Ihres Bruders, dort haben wir uns schon getroffen. Vöhringer, Max Vöhringer mein Name."

Jetzt erinnerte sich Vinzenz wieder.

„Ja, klar, guten Abend, Dr. Vöhringer, aber waren wir nicht früher schon beim Du gewesen?"

„Ja, waren wir, also, Vinzenz, dann noch einmal: Ich bin der Max und das ist meine Frau Lisbeth, nett, dass wir uns hier zufällig wieder begegnen. Adalbert hat mir schon erzählt, dass du ein paar Tage wieder in Meersburg bist, sehr zum Wohl."

Auch mit Lisbeth duzte sich Vinzenz, das war ein glücklicher Zufall. Jule kam her und lachte über das ganze Gesicht, natürlich kannte sie die Vöhringers, die kommen öfter zu ihr. Sie brachte Vinzenz ein Butterbrot mit Schnittlauch, eine Tomate und etwas Bergkäse, einfach, natürlich und gesund.

„Lass es dir schmecken. Du bist doch in guter Gesellschaft und damit nicht allein. Ich habe noch zu tun, gute Unterhaltung euch dreien."

Jule war froh, dass Vinzenz eine Ansprache am Tisch hatte, so konnte sie sich um die anderen Gäste kümmern.

Es wurde ein mehr als nur unterhaltsamer Abend. Max und Lisbeth hatten ein gewinnendes Wesen und damit nicht genug, Max ließ eine Information herraus, die Vinzenz nahezu umgehauen hätte: Die Kanzlei betreue unter anderem ein größeres Unternehmen mit Sitz in Friedrichshafen, welches für die Leitung des gesamten Technikbereiches einen Ingenieur mit Berufserfahrung suche. Max nannte keinen Namen, nur so viel, dass es sich nicht um ZF handeln würde. Der Leiter des Technikbereiches werde aus Altersgründen im kommenden Jahr ausscheiden, die Kanzlei soll verdeckt nach einem qualifizierten Nachfolger suchen.

„Weißt du, Vinzenz, es ist zwar eine völlig andere Branche als deine, aber von dem Leiter erwartet man eine kundenorientierte Ausrichtung, das ist doch deine Stärke, mehr kann ich jetzt nicht sagen. Wenn es dich interessiert, sprich doch mit Adalbert, er hat den Vorgang auf dem Tisch."

Wer hätte das gedacht, das war doch ein Fingerzeig des Schicksals, das könnte ihm gut in die Karten spielen. Darüber würde er mit Adalbert reden müssen, gleich morgen. Das Lokal lehrte sich dann später zusehends, auch Max zahlte und als er und Lisbeth am Gehen waren, umarmten beide Vinzenz und wünschten ihm noch eine gute Zeit für die restlichen Tage in Meersburg.

ଓ

Es war kurz nach elf Uhr, das Lokal hatte sich gelehrt und Jule sah zu ihm herüber.

„Ich bin gleich fertig, dann setze ich mich zu dir, jetzt haben wir Zeit, du trinkst noch ein Glas?"

Dann setzte sich Jule zu Vinzenz und brachte ihm den Wein, sie selbst hatte sich ein Wasser eingeschenkt. Sie umfasste seine Hand und küsste ihn zuerst auf die Wange, dann auf den Mund und Vinzenz gab ihr einen zärtlichen Kuss zurück. Aber jetzt, wo die Zeit zum Reden da gewesen wäre, wussten beide plötzlich nicht, was sie sagen sollten. Fast verlegen saßen beide da. Vinzenz trank einen Schluck und begann.

„Jule, mit uns geschieht gerade etwas, ich bin sicher, du spürst es auch. Ich habe auf der Herfahrt nicht gedacht, dass das alles so kommen könnte. Für mich ist es wie früher, wie wenn diese fünf Jahre nicht gewesen wären. Aber bei jedem von uns steht ein großes Hindernis zwischen einer gemeinsamen Zukunft. Bei mir ist es die berufliche Aufgabe und bei dir ist es dieser Florian, dein Mann. Erst, wenn es uns gelingt, diese Hindernisse aus dem Weg zu räumen, können wir nach vorne denken."

„Natürlich, Vinz, du hast Recht. Aber ich weiß heute, dass ich dich immer noch liebe und dass du mir in den letzten Jahren sehr gefehlt hast. Weißt du, das ist erst einmal die Basis und egal, wie es mit uns ausgehen mag, meine Ehe ist kaputt, das steht für mich fest. Eine Scheidung ist die einzige Lösung. Das schiebe ich nun schon seit ein paar Monaten vor mir her, aber erst seit du da bist, komme ich ins Handeln. Stell dir vor, ich habe heute, nachdem Florian abgefahren war, übrigens ohne sich zu verabschieden, unser Gästezimmer für mich eingerichtet. Mein Bettzeug ist schon dort und auch alle meine Kleider und so. Er kann das große Schlafzimmer für sich haben, mir reicht dieses Gästezimmer, da kommt er nicht mehr hinein, das ist jetzt endgültig."

Vinzenz umarmte Jule, beide küssten sich. Sie hatte sich also schon von ihm getrennt, jetzt auch räumlich. Jule hatte eine erste Entscheidung getroffen.

„Jule, auch ich werde eine Entscheidung treffen und zwar bald. Ich werde Weissach aufgeben, aufgeben müssen. Ich werde mich umorientieren, Adalbert kann mir dabei sehr gut helfen, aber so ein Schritt wird nur mit dir gemeinsam gehen. Nur so können wir uns eine Zukunft schaffen."

„Danke, danke dir, Vinz, das ist mehr als ich erwarten konnte."

Mehr brachte Jule in diesem Augenblick nicht heraus. Das, was Vinzenz gesagt hatte, dass er eine eigene Entscheidung zu Gunsten einer gemeinsamen Zukunft treffen würde, ließ Jules Herz aufblühen. Ja, das würde wunderschön sein.

„Vinz, ich möchte, dass du heute bei mir bleibst," Jule sah ihm ins Gesicht und nickte ihm bestärkend zu.

„Ich möchte dich nicht gehen lassen. Ich habe dich schon einmal gehen lassen, aber heute nicht, bitte. Komm wir gehen ins Haus, da sind wir allein, ich schließe hier nur noch ab. Bleib bitte, gerade heute."

ꕤ

Jule schloss das Lokal ab, löschte die Lichter und beide gingen über den Hof ins Hinterhaus. Die Lichter im ersten Stock bei Melly und Hannes waren schon aus. Jule ging voran, Vinzenz kannte den Treppenaufgang ins zweite Geschoß. Die Stufen knarrten etwas, sie versuchten leise zu sein, dann waren sie oben. Jule schloss die Wohnungstür auf. Vinzenz war es nicht ganz wohl, das war für ihn ein fremder Raum, da war noch ein Florian zu spüren, Jule bemerkte seine Reaktion.

„Vinz, sei nicht albern, komm gleich in mein Zimmer, da sind nur wir beide, nur wir beide, hörst du, sonst niemand."

Es war warm in dem Zimmer, sie standen einander gegenüber, nichts, nichts war jetzt mehr aufzuhalten. Hastig entkleideten sie sich gegenseitig, Jule atmete heftig, Vinzenz nicht weniger, dann standen beide nackt voreinander und küssten sich, immer wieder. Jule zog Vinzenz in ihr neues Bett, sie waren wie berauscht. Beide streichelten sich gegenseitig, die Körper waren ihnen noch gut bekannt, auch nach fünf Jahren noch. Als Vinzenz behutsam in Jule eindrang, stöhnte Jule glücklich und klammerte sich eng an Vinzenz.

„Oh, mein lieber Vinz, endlich. Endlich habe ich dich wieder, bleib bei mir, nicht nur diese Nacht, mein Schatz, für immer, für ewig, darum bitt' ich dich. Mein Gott, wie schön ist das."

Sie liebten sich und bekamen nicht genug voneinander, intensiver im Gefühl, mehr noch als früher. Beiden kamen zum Höhepunkt und entluden ihre Leidenschaft. Es kümmerte beide nicht, ob man sie im darunterliegenden Geschoß würde hören können. Und wenn schon, Melly und Hannes würden nichts dagegen haben, im Gegenteil.

Verschwitzt lagen beide auf dem Bettlaken, Haut an Haut, Herz an Herz, sie sprachen kein Wort und genossen die im Raum liegende Harmonie. Irgendwann fielen Vinzenz und Jule in einen tiefen und entspannten Schlaf. Dieses Glück hatten beide jahrelang vermisst, jetzt war es da, wieder da.

Vielleicht hatte Anika auf Vinzenz an diesem Abend auch gewartet, vielleicht. Aber Anika war eine erfahrene Frau, sie hatte sich sicher ihr Bild schon zusammengereimt. Sie fühlte sich als Beobachterin einer Entwicklung, die nicht schöner sein konnte, deren Ausgang aber noch ziemlich unklar war.

☙

Gegen sechs Uhr früh wurden beide wach, sahen sich an und küssten sich zärtlich. Jule strich sich die Haare aus dem Gesicht, Vinzenz lag auf dem Rücken und blickte an die Decke.

„Lass uns noch nicht gleich aufstehen", sagte Jule,

„bleib noch bei mir, wir haben doch Zeit."

Sie kuschelten sich nochmals zusammen, aber kurz nach acht Uhr stand Jule auf und begab sich ins Bad.

„Wenn ich fertig bin, Vinz, gehe ich runter ins Lokal, kommst dann nach, ich mache uns ein Frühstück, bis gleich."

Das Gästezimmer, das ab sofort Jules Zimmer sein würde, hatte ein eigenes Bad mit Dusche und WC, dort duschte Vinzenz und zog sich an. Als er über den Hof zum Vorderhaus ging, waren die Fenster im ersten Stock schon geöffnet, aber er konnte weder Melly noch Hannes sehen. Am Stammtisch hatte Jule bereits gedeckt, es duftete schon nach frischem Kaffee. Was für ein herrlicher Morgen, die Sonne schien durch die Südfenster. Vinzenz hörte Jules Stimme aus der Küche.

„Hallo, Vinz, ich bin gleich fertig, setz dich schon mal hin, ich habe Eier aufgesetzt, ich weiß doch, dass du das magst. Hast du gut geschlafen, das Bett ist halt für zwei Personen ein wenig eng."

Vinzenz setzte sich nicht sofort und ging zu Jule in die Küche. Er umarmte sie und hielt sie fest umschlungen. Beiden war klar, was da gestern geschehen war, blieb unumstößlich, ein Zurück konnte es jetzt nicht mehr geben. Das Leben hatte einen Meilenstein gesetzt.

„Jule, es war wunderschön, ich bin sehr glücklich. Wir haben unsere gemeinsame Zukunft gestartet, ab jetzt gilt es. Ich hoffe nur, dass dir der Florian keinen zu großen Kummer macht, du wirst mit ihm reden müssen, sofort nach seiner Rückkehr, mit Hannes und Melly werde ich reden, wo sind sie denn?"

„Der Hannes ist zu einem geschäftlichen Termin weggefahren und Melly wird jeden Moment wieder da sein, sie holt uns frische Semmeln beim Bäcker."

„Dann hat Melly mitbekommen, dass ich heute Nacht bei dir war?"

„Ja, das hat sie sicher. Sie hat zwar keinen Ton gesagt, aber als sie ging, hat sie es doch nicht lassen können und hat mir zugerufen: ich bring heute noch zwei Brezeln mit, die mag Vinzenz besonders gern."

In diesem Augenblick ging auch schon die Türe auf und Melly kam lachend herein.

„Guten Morgen, ihr beiden, lasst euch das Frühstück schmecken, ich habe bereits gefrühstückt. Es ist ein schöner Tag heute, ich sage euch, ein ganz besonders schöner Tag, solche schönen Tage kann es von mir aus in Zukunft noch viele geben."

Alle verstanden, was sie meinte und dachte, sie winkte noch den beiden zu und ging durch die offenstehende Tür in den Hof. Jule sah Vinzenz an und nickte ihm zu.

„Ein sehr schöner Tag, Vinz, für uns alle ein schöner Tag. Ich liebe dich und wir haben beide unsere Lösungen für unsere gemeinsame Zukunft gefunden. Umsetzen müssen wir sie halt noch, aber das schaffen wir."

Als Vinzenz aufbrach war es halb elf Uhr, sie hatten sich beim Frühstück noch über Florian unterhalten und da war Jule sehr offen und ehrlich gewesen. Dadurch, dass einerseits Florian vor ihr aufstehen musste, um ins Büro zu fahren, andererseits aber, dass Jule das Lokal erst um 16.00 Uhr öffnet und dadurch kaum vor Mitternacht schlafen gehen könne, habe sich die Beziehung, mit Ausnahme des Sonntags neutralisiert. Beide lebten nebeneinander her, Florian wurde in letzter Zeit immer verschlossener, sie erlaubte ihm auch nicht mehr, sie anzufassen. Wenn sich Jule ins Ehebett legte, schlief Florin bereits und Jule hatte auch mitbekommen, dass Florian fast immer angetrunken war. Das machte ihr die meisten Sorgen, manchmal kam ihr Florian unberechenbar vor.

Vinzenz würde noch heute mit Adalbert sprechen, ob die Kanzlei die Scheidung übernehmen könne. Jule würde das mehr als recht sein. Vinzenz würde ohnehin mit seinem Bruder seine eigene berufliche Angelegenheit noch besprechen, das würde er heute oder morgen tun. Am Samstagabend dann, würde er wieder zu Jule in die Weinstube kommen.

ଓ

Vinzenz ging langsam durch die Oberstadt zurück zum Haus seines Bruders. Kurz vor elf Uhr kam er dort an, er ging um das Haus herum und sah auf der Terrasse seine Schwägerin, wie sie eine Pflanze in einen Topf setzte. Als sie ihn kommen sah, schmunzelte sie über das ganze Gesicht.

„Guten Morgen, mein lieber Schwager, geht es dir gut? Ich weiß, manchmal ziehen sich Aussprachen auch über die ganze Nacht hin. Aber Spaß beiseite, du brauchst mir nichts zu sagen, bist du mit deiner Jule im Reinen?“

Anika stellte den Blumentopf auf den Boden und

setzte sich auf einen Stuhl.

„Anika, wie soll ich es dir sagen? Ich mache es mal einfach: Jule und ich sind wieder ein Paar. Da sind zwar noch auf beiden Seiten Dinge zu klären, nur grundsätzlich sind wir uns einig. Das alles habe ich mir auf meiner Fahrt hierher weder träumen können, noch konnte ich erwarten, dass diese Tage in Meersburg mich derartig umdrehen werden. Ich bin gerade dabei, mein komplettes Weltbild und mein eigenes Zukunftsbild zu verändern. Ist denn Adalbert heute Abend zuhause? Ich muss mit ihm einiges besprechen."

„Ja, ich denke, er wird gegen 19.00 Uhr hier sein, ich mache heute nur gesunde Salate, kein Fleisch, willst du mit uns essen? Die Jungs bekommen vorher schon ein Omelett."

„Gerne, ja. Übrigens, gestern in der „Schönen Fischerin" saß an meinem Tisch ein Paar und es stellte sich heraus, dass es die Vöhringers waren. Ich hatte Max schon Jahre nicht mehr gesehen, es war ein sehr vergnüglicher Abend. Weißt du eigentlich, Anika, ob die Kanzlei auch Scheidungen übernimmt?"

„Aha, daher weht der Wind, verstehe, also nimmt die Sache nun Fahrt auf. Ja, natürlich übernimmt die Kanzlei auch Scheidungsfälle, das macht aber meist immer Max Vöhringer, darin soll er ziemlich gut sein."

Anika sah Vinzenz ins Gesicht, sie hatte die Augenbrauen hochgezogen, das was sie gerade hörte oder ahnte, erstaunte sie nun doch.

„Ich liege doch richtig, dass du andeuten willst, dass sich Jule scheiden lassen möchte, endlich. Aus meiner

Sicht eine überfällige Entscheidung. Gut, Kinder sind keine da, jeder der beiden ist in einem Arbeitsverhältnis und es gibt einen Ehevertrag, der die Vermögen regelt, nur das Trennungsjahr bremst eventuell das Thema etwas ein. Sprich doch mit Adalbert heute Abend, der kann dir mehr dazu sagen."

„Guter Vorschlag, Anika, ich gehe jetzt noch ein wenig an den See hinunter, es ist wieder ein schöner Tag heute. Ich brauche etwas Zeit zum Nachdenken, ich muss über vieles nachdenken, das brauche ich dir nicht zu erzählen. Mein Kopf ist voll mit Themen und Ideen, ich werde gegen 19.00 Uhr wieder da sein. Sollte sich etwas ändern, kannst du mich gerne über mein Handy informieren. Danke erstmal für deine Hilfe und für deinen Rat, ich kann derzeit jede Hilfe gebrauchen."

Vinzenz winkte noch kurz zurück, dann bis heute Abend.

☙

Vinzenz ging den gewohnten Weg die Steigstraße hinunter, schlenderte an der Uferpromenade entlang, setzte sich auf eine freie Bank und schloss die Augen. Was waren das nur für Tage hier in Meersburg! Es war Wahnsinn. Alles überschlug sich, er musste aufpassen, dass er den Überblick behielt. Immerhin war er in der Lage, ein plastisches Zukunftsbild in seinen Gedanken zu formen. Weissach auflösen, eine neue berufliche Aufgabe hier beginnen, Scheidung durchziehen, Jule heiraten, Wohnung umbauen, auf Kinder warten usw. usw.

Er merkte jetzt, was da alles auf ihn zukommen wird.

Das könnte einen spannenden Herbst geben, hoffentlich gehen die Dinge auch so aus, wie sie geplant sind. Man muss dabei ja auch mit Schwierigkeiten rechnen, nicht alles wird reibungslos vonstatten gehen.

Er ging noch vor, wo die Bodenseeschiffe anlegen, und dachte einen Moment darüber nach, vielleicht eine Überfahrt nach Konstanz zu buchen, aber mit der Rückfahrt würde es dann doch zu spät. Er ging zurück in die Innenstadt und trank in einem Cafe einen Cappuccino, es war Freitag. Fast eine Woche war er nun schon hier, noch bliebe ihm die zweite Woche. Die würde er wohl auch brauchen, damit die Geschehnisse der ersten Woche geordnet werden.

Auf das Gespräch mit seinem Bruder am Abend war er sehr gespannt, er würde pünktlich sein. Adalbert dürfte überrascht sein, wie klar seine Zukunftspläne inzwischen gereift waren, klar, zielführend und kompromisslos.

Kapitel 9

Zeit der Entscheidungen

Vinzenz war schon um 18.30 Uhr wieder im Haus und unterhielt sich noch mit Anika. Er erzählte ihr, dass er den Nachmittag zum Nachdenken gebraucht habe, zu viel und zu schnell hatte sich seine bisherige Welt verändert.

„Weißt du, Anika, ich glaube, ich bin auf mein allergrößtes Problem gestoßen und du und Adalbert haben mir den Weg gezeigt. An euch und eurem Familienleben ist mir klar geworden, wo, wann und warum ich von meinem Weg abgekommen bin."

„Du meinst deine Entscheidung für Weissach?" Anika hatte sein Problem schnell definiert.

„Ja, denn die Entscheidung für Porsche war nicht nur meine Entscheidung für eine berufliche Veränderung, damit einher gingen dann zwangsläufig Entscheidungen gegen meine Verbindung zu Jule und damit gegen eine Familienplanung, wie ich sie damals schon hatte. Aber der Aufstieg im Job hat mir den Kopf verdreht und heute bin ich in einer Mühle drin, wo ich nur noch an Leistung, Erfüllung von Planvorgaben und Wettbewerb orientiert bin. Ich bin nach Meersburg gefahren, um das nicht geklärte Verhältnis zu Jule über eine Aussprache zu ordnen, das war mein Ziel. Mehr war gar nicht vorgesehen."

Als Adalbert zur Türe hereinkam, hatte er von dem Gespräch schon im Flur etwas mitbekommen.

„Bruderherz, ich höre da weiche Klänge an mein Ohr dringen. Du bist doch nicht etwa ins Philosophieren über den Sinn des Lebens gekommen? Diese Phase hatte ich auch schon, und da, das sage ich dir ehrlich, war es gut, dass ich mit Anika eine gute Zuhörerin und Analystin an meiner Seite hatte. Sie vermischt nichts, sie sortiert immer nach Wichtigkeiten, das hat mir damals sehr die Augen geöffnet. Übrigens entstand auch dadurch die Partnerschaft mit Max, ich teile vieles mit ihm, ich kann mich auf ihn verlassen und er sich auch immer auf mich. Diese Verbindung hat sich zu einer sehr verlässlichen Partnerschaft entwickelt. Das macht vieles einfacher, verstehst du?“

„Ja, eine Partnerschaft suche ich auch, Adalbert, eine fürs Leben, weißt du? Und in diesen Tagen erst ist mir klar geworden, dass dazu nur eine Person gehören kann, und das ist die Jule. Für sie bin ich heute bereit, beruflich zurückzustecken. Ich bin jetzt vierzig, da wird es Zeit für eine Familie und für Kinder und für Freunde und für die Heimat.“

Anika hatte aufgedeckt, es gab Salate, stilles Wasser und einen Schluck Wein, die Kinder hatten bereits mit Anika gegessen und hatten sich schon verkrochen.

„Setzt euch an den Tisch und lasst euch das Essen schmecken. Adalbert, dein Bruder will mit dir einiges besprechen, wie er mir sagte, ich kann mich gerne woanders hinsetzen, dann seid ihr unter euch.“

„Anika, ich bitte dich, hier bei deinem Mann und bei mir zu bleiben. Auch ich hätte gerne deine Meinung zu allem gehört, was zu besprechen ist, es ist mir wichtig.“

☙

Und dann erzählte Vinzenz von dem gestrigen Abend, von dem Zusammentreffen mit Max und Lisbeth Vöhringer, von der angedeuteten Idee, eine neue Position in der Heimat aufzubauen. Von der Nacht mit Jule und dem Frühstück, und dass Melly seine Nächtigung bei Jule mitbekommen habe, packte er gleich mit hinzu. Und dann noch, dass Jule bereits aus dem gemeinsamen Schlafzimmer ausgezogen sei und sich entschlossen habe, die Scheidung einzureichen. Und dass das natürlich für ihn bedeuten würde, zu Jule zurückzukommen usw. usw.

Adalbert hörte sehr aufmerksam zu, Anika saß ihm mit verschränkten Armen gegenüber, sie wartete auf die Reaktion ihres Mannes.

Und Adalbert fasste das soeben Gehörte zusammen, fand den Entschluss von Vinzenz richtig und auch mutig. Ja, die Kanzlei sei immer wieder im Headhunting beauftragt, qualifizierte und zu einer Unternehmensleitung befugte Leute zu finden. Da wolle er jetzt noch keine Namen nennen, aber er sah mindestens zwei Angebote, die für Vinzenz sehr zutreffend sein könnten. Und natürlich übernehme die Kanzlei Scheidungsfälle, im Fall von Jule Gutemann werde er das Mandat aber an Max Vöhringer übergeben. Da würde er sich in seiner brüderlichen Nähe zu Vinzenz lieber heraushalten.

„Sag bitte Jule, sie soll mich möglichst bald anrufen, wir machen einen Termin und klären die wesentlichen

Punkte. Wo ist denn derzeit dieser Florian?“

„Adalbert, der ist bis nächsten Mittwoch auf einem Weiterbildungsseminar. Das Thema ist wohl bessere Kommunikation zwischen Innen- und Außendienst, dazu ist er in Lech am Arlberg in einem noblen Hotel kaserniert, da darf keiner raus, Gruppentherapie verstehst du?“

Anika räumte ab, brachte aber dann doch noch eine Flasche vom guten Meersburger Wein und schenkte ein.

„Ich möchte mit euch Männern auf große Entscheidungen mit ebenso großer Tragweite und auf eine baldige Rückkehr in deine alte Heimat trinken. Vinz, ich denke immer gerne den Dingen etwas voraus, ich weiß, es wird eine schöne Zeit werden, auch für uns. Und vor allem, lieber Schwager, ich habe nicht das Gefühl, dass du bei deinem beruflichen Entschluss irgendwelche Kompromisse machen müsstest, ich meine damit auch finanzielle Abstriche. Das mit deiner beruflichen Aufgabe wird man hinbekommen, verlasse dich da voll auf deinen Bruder.“

Es schien, als ob in diesem Augenblick die Gläser ganz besonders hell erklängen, freudig, zuversichtlich, erlöst und überzeugt. Ein guter Abend ging seinem Ende entgegen. Vinzenz war sehr entspannt, fast ärgerte er sich, dass er den Weg nach Meersburg nicht schon früher gesucht hatte. Ja, dachte er, das hätte keine fünf Jahre dauern müssen.

Er würde gleich morgen Jule anrufen und ihr von dem heutigen Gespräch erzählen und ihr die

Direktnummer von Adalbert geben. Und er würde Jule sagen, dass er am Samstag wiederkäme und dass er an diesem Abend lange bleiben würde, sehr lange, solange bis es dann wieder Tag wäre.

Vinzenz hatte Jule informiert, sie würde Adalbert anrufen, sie möchte das alles schnell hinter sich bringen. Wenn Florian am Donnerstag zurückkäme, sollte er schon einen Brief vom Anwalt vorliegen haben, dann würde sie mit ihm auch persönlich sprechen. Jule war erleichtert, sie merkte, es ging voran und Vinzenz stand dazu.

„Heute Abend komme ich zu Dir, so gegen 19.00 Uhr. Aber ich sage dir gleich, ich würde gerne wieder bleiben, wenn du es willst. Wir könnten dann den Sonntag auch zusammen sein und etwas unternehmen, was meinst du?“

„Mein Gott, Vinz, natürlich möchte ich das. Und die Idee mit dem Sonntag finde ich toll, das Wetter scheint stabil zu bleiben, es sind so schöne Tage jetzt Ende August. Ich freue mich jetzt schon, also bis später.“

Vinzenz würde es Jule heute Abend sagen, nämlich dass er sich entschieden habe, sich definitiv von Weissach zu lösen, und dass er über seinen Bruder eine alternative Position vermittelt bekäme. Wenn Florian am Donnerstag zurückkäme, möchte er schon wieder abgereist sein, also etwa am Donnerstagvormittag, stellte er sich vor. Aber er würde in den nächsten Monaten ohnehin des Öfteren nach Meersburg kommen, da könnten sich dann auch bereits die ersten Vorstellungsgespräche ergeben.

Vinzenz saß an diesem Nachmittag mit Anika und Adalbert im Garten. Beide Männer besprachen nochmals Vinzenz berufliche Situation und vereinbarten, dass Vinzenz seinem Bruder seine bisherige Vita zusammenstellen und ihm in die Kanzlei schicken solle. Adalbert würde sich bis dahin noch einmal die Suchmandate der beiden Unternehmen ansehen und würde dann jeweils neutrale Vorgespräche mit den dortigen Verantwortlichen führen.

Dann nahm aber Adalbert plötzlich das Telefon in die Hand, Vinzenz gab ihm die Mobilnummer von Jule und er rief dort an. Jule war sofort am Apparat und Adalbert erklärte ihr, dass er lieber gleich mit ihr einen Termin vereinbaren wolle und legte ihn auch sofort für kommenden Montag um 11.00 Uhr in der Kanzlei fest. Sein Partner Max Vöhringer würde auch mit dabei sein, der dann den Scheidungsfall übernehmen könne.

„Dann ist alles klar, liebe Jule, wir sehen uns dann am Montag. Ich will dir nur sagen, wie erleichtert ich bin, dass sich das mit euch beiden jetzt so entwickelt hat, auch Anika ist froh darüber, ich soll dich herzlich grüßen von ihr. Wir werden gemeinsam gute Zeiten haben, da sind wir uns sicher. Weißt du Jule, Vinzenz ist mein Bruder und uns verband immer viel. Wenn alles so kommt, wie es derzeit geplant ist, wäre er wieder in meiner Nähe, der Familienverbund wäre wieder zusammen. Ich kann mir das alles sehr schön vorstellen. Und auch das sage ich dir, du wärst uns sehr willkommen in unserem Familienverbund. Also dann bis

Montag."

Anika hatte mitgehört, die Worte ihres Mannes trafen genau ihre eigenen Empfindungen. Zwei Familien Weiler und dann noch die Vöhringers, das könnte eine Festung werden. Sie konnte es sich nicht verkneifen und sah Vinzenz schmunzelnd ins Gesicht:

„Wann sehen wir uns wieder, lieber Schwager? Ich schätze nicht vor Sonntagabend, oder kann es auch Montag werden? Du hast ja unseren Hausschlüssel, fühle dich vollkommen unabhängig. Unser Haus ist auch dein Haus, jetzt kommt es auf dich an, sei frei und entscheide selbst, so, wie es sich halt ergibt, du verstehst."

Natürlich verstand Vinzenz den Hinweis, auch er lächelte zufrieden, die Dinge entwickelten sich gut, sehr gut sogar. Jetzt hieß es dranbleiben.

❧

Als er in die Weinstube eintrat, war schon ziemlich viel Betrieb. Jule bediente und Melly stand hinter der Theke, sie sah Vinzenz zuerst und kam auf ihn zu und umarmte ihn herzlich. Vinzenz war etwas verlegen, er hatte eine kleine Sporttasche in der Hand und wusste nicht, wo er sie ablegen sollte. Jule kam dazu und nahm sie ihm spontan ab und küsste Vinzenz auf den Mund.

„Fein, dass du da bist, ich nehme dein Gepäck in die Küche, ich habe Melly schon eingeweiht. Entspanne dich, deinen Platz habe ich freigehalten, einen Wein für dich?"

Am Stammtisch saßen schon vier junge Frauen, er

grüßte und setzte sich dazu. Vinzenz meinte, dass er die Damen kenne, sie waren im Alter von Jule und lachten ihm zu.

„Sie sind sicher der Vinzenz Weiler, wir sind alte Freundinnen von Jule und machen heute unseren Mädelstag. Wir kennen sie noch aus den guten alten Tagen, ich bin die Irene, das ist die Suse, das ist die Marianne und das ist die Heide. Schön, dass wir Sie wieder einmal in Meersburg sehen. Es sind schöne Sommertage hier am See, bald gibt's den neuen Wein. Prosit, Herr Nachbar."

Sie rückten an dem großen Tisch enger zusammen, Jule grinste herüber, Vinzenz war sich sicher, dass sie das organisiert hatte.

Man unterhielt sich über alle möglichen Themen, aber das Kapitel Florian Haas wurde ausgelassen. Vinzenz wurde auch nicht nach dem Grund seines Besuches gefragt, das hielten die Mädels für tabu. Der Wein schmeckte den Damen gut, Vinzenz hielt sich zurück, es ging erst auf acht Uhr zu und der Abend konnte noch lang werden.

„Haben Sie eigentlich inzwischen Familie oder sind Sie noch auf dem freien Markt?"

Heide, die der Wein schon ein wenig beseelt hatte, war neugierig und die anderen warteten auch auf seine Antwort.

„Nein, meine Tauben, ich bin noch zu haben, mal schauen, wer mich noch will, man kommt ja schon langsam in ein bestimmtes Alter, da wird der Markt enger."

Vinzenz wollte einen Scherz machen, aber er war sich fast sicher, dass die Damen über ihn informiert waren.

„Da wüssten wir schon eine, die sie gleich nehmen würde, das ginge ratz-fatz."

Diese Weiber, Jule hatte sicher gepetzt, die wussten mehr, als sie zugaben. Vorsicht jetzt, er schaute zu Melly hinüber, als bräuchte er Begleitschutz. Aber Melly winkte nur zurück. Zum Glück ging die Türe auf und Hannes Gutemann kam ins Lokal. Er begrüßte einige Bekannte und setzte sich dann zu Vinzenz und den Mädels an den Tisch.

„Grüß dich, Vinzenz, nett dass du da bist, der andere ist ja weg."

☙

Manchmal waren die Meersburger schon sehr direkt, dachte Vinzenz. „Der andere", wie verächtlich das der Hannes ausgesprochen hatte. Mit „diesem anderen" dürfte es noch einige Schwierigkeiten geben, so einfach würde der sich nicht abspeisen lassen. Nur gut, dass Max Vöhringer Jule zur Seite stehen wird. Diese Scheidung dürfte ein Stadtgespräch abgeben und natürlich die nunmehrige Vinzenz Rückkehr noch dazu.

Hannes griff aber das Thema nicht weiter auf, wofür Vinzenz dankbar war, man prostete sich zu und als es auf zehn Uhr zuging, bezahlten die Damen und verabschiedeten sich, nicht ohne noch zu erwähnen:

„Ade, Herr Weiler, man sieht sich doch hoffentlich

in Zukunft öfters? Bleiben Sie gesund und heiter und lassen Sie ihre Ziele nicht aus den Augen."

Hannes schüttelte den Kopf und sah Vinzenz an.

„Das sind freche Weiber, da haben die Männer zuhause auch nicht viel zu sagen. Die kommen alle vier Wochen hierher und bequatschen alles, gar alles, da kommt keiner davon. Weiber auf einem Haufen sind gefährlich, Zwetschgenauflauf sag ich nur. Prost, Vinzenz."

Natürlich blieb Vinzenz bis das Lokal leer war, Hannes war schon gegangen und Melly hatte alles abgeräumt und ging jetzt auch, sie schloss die Eingangstür noch ab und winkte Vinzenz zu.

„Gute Nacht, ihr beiden, einen schönen Sonntag euch, das Wetter wird schön bleiben."

Jule kam an den Tisch und brachte sich ein Glas Wein mit.

„So, lieber Vinz, jetzt habe ich Zeit für dich, samstags ist halt immer am meisten los, ich bin froh, wenn so gegen elf Uhr Schluss ist. Weintrinker sind da disziplinierter als Biertrinker. Prost, mein Schatz, ich muss erst abschalten, nachher dusche ich noch, ich bin verschwitzt."

Sie unterhielten sich noch darüber, dass Jule am Montag den Termin in der Kanzlei habe und dass sie das Thema voranbringen werde. Wenn Florian am Donnerstag zurückkäme, sollte er das Schreiben der Kanzlei schon auf dem Tisch haben. Dann gäbe es sicher noch ein schwieriges Gespräch zwischen ihr und Florian, da war sich Jule sehr sicher, aber das müsste eben sein. Auch dass sie aus dem gemeinsamen Schlafzimmer ausgezogen sei, würde sie ihm klarmachen, am besten wäre es, wenn er ganz ausziehen würde.

„Weißt du, Vinz, ich kann es mir nicht vorstellen, dass Florian noch bei uns im Haus wohnen bleibt, wenn erst die Scheidung beantragt ist und die Gerichtstermine dann anstehen, er wird ja auch einen Anwalt einschalten."

„O Gott, Jule, das wird für dich keine leichte Zeit, aber es gibt kein Zurück mehr. Wenn er erst ausgezogen wäre, könnten wir uns auch leichter treffen. Diese Zeit müssen wir gemeinsam überstehen."

Sie tranken aus, Jule löschte das Licht, dann gingen sie über den Hinterhof ins Wohnhaus. Jule hielt Vinzenz fest an der Hand, auf der Treppe küssten sie sich. Im Zimmer zog sich Jule aus und ging ins Bad, Vinzenz hörte die Dusche, er legte sich seine Sachen für morgen auf einen der Sessel und huschte schnell ins Bett. Jule kam nackt aus dem Bad und schlüpfte zu Vinzenz in das enge Bett.

„Komm zu mir, mein Vinz, seit Donnerstag habe ich schon darauf gewartet, küss mich, küss mich fest, Vinzenz, morgen schlafen wir aus."

Sie liebten sich lange und mit großer Zärtlichkeit, dann fielen beide in einen tiefen und entspannten Schlaf. Auf ihren Gesichtern lag ein friedvoller Ausdruck, es konnte aber auch das Glück sein.

Das Glück der seltenen Momente. In Zukunft würde es mehr davon geben.

Che sarà, sarà. Was sein wird, wird sein.

ೞ

Der Sonntag begann mit einem gemütlichen Frühstück, diesmal in der Küche der Wohnung der Gutemanns, die Stimmung der beiden war sehr ausgeglichen, man wollte sich heute viel Zeit lassen.

Dann schlug Vinzenz vor, den Sonntag in Konstanz zu verbringen, er bat Jule darauf zu achten, dass man in Meersburg beide nicht zu oft zusammen sehen sollte. Wenn es zur Scheidung käme, wäre es sehr hinderlich, wenn einer der Trennungspartner eine neue Beziehung hätte, die schon öffentlich bekannt wäre. Das könnte die Schuldfrage erheblich beeinflussen.

Also gingen beide hinunter zum See in Richtung Fähre und fuhren mit dem nächsten Schiff nach Konstanz. Konstanz sei, so sagen es einige Spötter, direkt vergleichbar mit Hongkong. Hongkong hat vor sich das Wasser und hinter sich die Chinesen, Konstanz hat vor sich auch das Wasser und hinter sich die Schweizer.

Vinzenz und Jule schlenderten durch Konstanz, saßen an der Promenade, nahmen in einem Café einen Cappuccino, ein Eis und zum Schluss noch einen Weißwein, dieses mal von der Konstanzer Winzergenossenschaft. Es war ein ruhiger Tag, sie sprachen darüber, wie Jule mit Florian umgehen würde und ob sich Hannes mit einmischen müsse, falls Florian rabiat werden sollte. Man musste jetzt einfach sehen, was kommt.

Dann nahmen sie die letzte Fähre und gingen in der Dämmerung in die Oberstadt. Um nicht erkannt zu werden, nahmen sie den steilen Steig beim Italiener und waren dann auch schon oben beim Neuen Schloss.

Ein entspannter Tag ging zu Ende, er hatte beide ermüdet, sie waren deshalb schon bald im Bett, in dem engen Bett, das nur für eine Person gereicht hatte. Sie kuschelten sich zufrieden aneinander, Sex wollte an diesem Abend keiner der beiden, es genügte, dass sie Haut an Haut lagen und sich gegenseitig spüren konnten. So schliefen sie in den Montag hinein. Einmal ging das Handy von Jule, sie sah kurz drauf, es war Florian, abnehmen wollte sie nicht.

☙

Das Frühstück am Montag verlief in einer glücklichen Stimmung, Jule holte noch schnell frische Semmeln vom Bäcker um die Ecke. Vinzenz erklärte, dass er am Donnerstag zurückfahren wolle, er wolle nicht von Florian gesehen werden, wenn dieser am selben Tag gegen Nachmittag zurück sein würde. Jule verstand das.

„Rufe mich bitte an, sobald du dein Gespräch mit Florian hattest. Wenn du heute deinen Termin in der Kanzlei hast, mach es bitte auch Max Vöhringer klar, dass sein Schreiben mit der Aufforderung zur Scheidung bis Donnerstag hier vorliegen muss. Das ist dann auch die Basis für dein Gespräch mit Florian, er muss mitbekommen, dass es dazu keinen Ausweg gibt. Ich nehme an, dass er einsehen wird, dass ein Auszug aus eurer Wohnung zwangsläufig sein muss. Wenn er Sachen mitnehmen will, würde ich großzügig sein, soll er sie doch haben."

„Ich bin nachher um 11.00 Uhr in der Kanzlei, du wirst ins Haus deines Bruders gehen wollen, die Anika wird schon auf dich warten, sie will doch immer alles genau wissen, aber sag ihr nicht zu viel, du verstehst?"

Sie gingen gemeinsam aus dem Haus, Vinzenz ging zu Fuß zurück, Jule nahm ihr Auto, da die Kanzlei etwas am Rande der Stadt liegt.

„Also, ich rufe dich an, halte mir den Daumen, dass Max Vöhringer die Sache richtig anpackt. Wann sehe ich dich denn wieder, Vinz?"

„Ich möchte heute noch abwarten, bis mein Bruder aus der Kanzlei zurück ist, ich möchte mit ihm einiges besprechen, dann werde ich am Dienstag, ich meine morgen, wieder bei dir sein. Wir hätten dann noch den Dienstag und den Mittwoch, sofern ich am Donnerstag wieder fahren möchte. An beiden Abenden möchte ich gerne bei dir bleiben, danach müssen wir eine Pause einlegen. Aber wir werden ständig in Kontakt stehen, da kann jetzt jeden Tag etwas Neues passieren. Das gehört nun mal zu diesem Spiel."

Sie verabschiedeten sich, Jule sah Vinzenz ins Gesicht, eine gewisse Spannung war bei ihr zu erkennen, aber auch Vinzenz wusste, dass jetzt die schwierige Zeit beginnen würde. Auch er hoffte, dass sie gut für beide ausgehen möge.

ꟲ

Als Vinzenz im Haus seines Bruders die Haustür

öffnete und eintrat, lief ihm Anika schon entgegen, sie hatte ihn schon durch den Hof kommen sehen.

„Hallo, mein Schwager auf Freiersfüßen", sie lachte über das ganze Gesicht, „nimm es nicht so ernst, ich bin nur neugierig, mein Guter. Wie war denn dein Wochenende? In deinem Zustand kann das doch nur positiv gewesen sein. Erzähle mir ja nichts anderes."

„Anika, es war ein Wochenende, das wir gebraucht haben. Viele Einzelheiten waren zu besprechen, da braucht man Ruhe und Zeit, das geht so nebenher in der Weinstube nicht. Vor allem der Umgang mit diesem Florian beschäftigt Jule sehr, sie ist gerade auf dem Weg in die Kanzlei. Max Vöhringer wird das weitere Vorgehen mit ihr besprechen und dem Florian in einem offiziellen Schreiben mitteilen, dass Jule die Kanzlei beauftragt hat, die Scheidung in die Wege zu leiten. Erst dann wird man sehen, wie Florian reagiert. Dem ist leider alles zuzutrauen, diesem Psychopathen."

Anika brachte Vinzenz ein Glas Wasser und er erzählte ihr über den Verlauf des Samstagabends. Dass Jules freche Freundinnen da waren und dass der Hannes Gutemann noch dazugekommen war. Dass er bei Jule geschlafen hatte, brauchte er nicht zu erwähnen, das war für eine so lebenserfahrene Frau wie Anika ohnehin klar. Aber den Abstecher nach Konstanz erwähnte Vinzenz und begründete ihn dann mit dem Umstand, dass beide nicht so oft gemeinsam in Meersburg gesehen werden sollten.

„Es wäre für Jule sehr nachteilig, wenn unser Verhältnis bekannt würde. Dann wäre Jule diejenige, die die Ehe formell gebrochen hätte, das würde diesem

Florian in die Karten spielen."

Anika verstand das alles, Kaffee mochte Vinzenz keinen. Er entdeckte im Schatten des Gartens einen Liegestuhl und legte sich hinein. Es dauerte keine zehn Minuten und Vinzenz schlief ein, er schnarchte etwas, Anika vernahm die Geräusche und schmunzelte. Sie wusste es, Liebe fordert ihren Tribut, vor allem dann, wenn man das nicht gewöhnt war.

„Schlaf dich aus, mein lieber Vinzenz, wir reden heute Abend weiter, wenn Adalbert wieder da ist."

☙

Adalbert hatte bei Anika angerufen, er komme erst gegen halb neun Uhr nachhause, habe aber dann schon gegessen. Er sei mit einem Klienten bei einem Abendtermin. Anika machte den Kindern Spaghetti mit Ragout und, weil Vinzenz keine eigenen Wünsche hatte, bekam auch er eine Portion. Zusammen mit den Jungs saßen sie am Esstisch, Anika reichte ein Joghurt, es gefiel ihr, wie gut sich Vinzenz mit seinen Neffen unterhielt. Er vermied eine Kindersprache und redete mit ihnen fast wie mit Erwachsenen, einfach aber sachlich. Ihm schien, dass das die Kinder anspreche. Sie fragten ihn viel und so war es bereits neun Uhr, als Adalbert endlich da war.

„Entschuldigung, es hat sich verzögert, wir waren noch im Wilden Mann und das Essen hat dieses Mal gedauert. Seid ihr schon fertig? Ich habe zum Essen nur Wasser getrunken, jetzt würde mir ein Glas Wein schmecken."

Die Kinder waren mit dem Essen fertig und verließen den Esstisch. Mit dem Wein stießen die drei an, draußen wurde es dämmerig, es ging auf Ende August zu.

„Also, Vinzenz, Jule war heute bei uns, du bist informiert. Wir haben das Mandat besprochen und angenommen. Max wird Florian einen Brief schreiben und ihm mitteilen, dass wir von Jule beauftragt sind, die Scheidung auf den Weg zu bringen. Max wird Florian einen Termin vorschlagen, in dem ein guter Weg vorgezeigt wird, also einer ohne rechtliche Streitigkeiten, kein Rosenkrieg, sachliche Trennung und das Übliche halt".

„Ja, ich weiß, Adalbert, Jule wird mit Florian bei seiner Rückkehr am Donnerstag ein Gespräch führen, das Schreiben der Kanzlei gibt dazu die Basis her. Dann können wir nur hoffen, dass Florian nicht durchdreht und Vernunft walten lässt. Leider ist er nicht berechenbar".

„Wann siehst du die Jule wieder?" fragte Adalbert.

„Morgen, am Dienstag, und dann eventuell noch einmal am Mittwoch, dann möchte ich am Donnerstagvormittag zurückfahren. Ich kann nicht hier in Meersburg sein, wenn dieser Florian da ist. Ich muss mich deswegen mit Besuchen bei Jule zurücknehmen. Jetzt kommt eine schwierige Zeit, aber die wird auch vorübergehen."

„Übrigens, Vinzenz, ich erreiche derzeit meine Ansprechpartner bezüglich der Nachfolgersuche, du weißt schon, nicht. Es ist noch Ferienzeit und ich brauche in beiden Fällen die Vorsitzenden der Aufsichtsräte, das gelingt mir erst im Laufe des Septembers. Warte ab, bis ich erste Infos habe, hast du bei Porsche eine normale Kündigungsfrist?“

„Sechs Monate zum Quartal, glaube ich, ich werde aber sofort nachsehen, wenn ich in Weissach bin. Da ist zwar eine Sperrklausel drin wegen eines Wettbewerbsverbotes, wenn ich aber in der neuen Position nicht für einen Wettbewerber arbeite, ist diese hinfällig.“

Adalbert hatte verstanden. Die Kinder kamen und sagten „gute Nacht“, Lars umarmte Vinzenz und wollte wissen, wie lange er noch bleiben würde. Vinzenz beruhigte ihn damit, dass er in Zukunft öfter hier sein werde.

„Und beim nächsten Mal bringe ich euch allen eine original Porsche-Schirmmütze mit, die kann man nicht kaufen, die bekommt ihr nur von mir.“

Mit leuchtenden Augen zogen die drei ab, Anika lachte, Porschekappen würden sie kriegen, da wird Lars in seiner Klasse der King sein.

Es blitzte draußen, der Donner kam mit einiger Verzögerung, das Gewitter war noch nicht in unmittelbarer Nähe. Aber nach dreißig Minuten war es da und ein typisches Bodenseeunwetter zog über den See. Die Wärme der letzten Tage hatte es aufgebaut. Adalbert schaute in den Garten, die Bäume bogen sich im Sturm, das sind sie gewohnt, das halten sie aus. Arg lange dauern diese Gewitter ohnehin nie, so auch an diesem Abend. Starker Regen trommelte gegen die großen Fenster, auf der Terrasse sprangen die Regentropfen auf und nieder. Eine große Menge an Wasser ergoss sich über Meersburg, aber nach einer guten Stunde ließ der Regen nach und das Gewitter ebenso. Danach war die Luft rein und frisch. Jetzt konnte man die Fenster öffnen und die Luft hereinlassen, danach schlief es sich gut.

Gewitter bringen Kühlung und Erfrischung, so wünschte es sich Vinzenz auch für sich und für seine Jule im privaten Bereich. Gewitter reinigten die Atmosphäre, einmal alles runter und dann war es vorbei. Die Natur machte es uns vor.

ೞ

Gleich am Morgen versuchte Vinzenz Jule anzurufen, denn er hatte es sich anders überlegt, er möchte nur noch am Dienstag in die Weinstube kommen. Wenn er auch noch am Mittwoch sich dort sehen lassen würde, wäre das wahrscheinlich zu auffällig, die Leute reden gerne.

„Guten Morgen, Jule, wie geht es dir heute? Wie war dein Gespräch mit Vöhringer? Von meinem Bruder habe ich erfahren, dass man das Mandat annimmt und dich betreuen wird."

„Hallo, lieber Vinz, es war ein gutes Gespräch, allerdings hat mich Max Vöhringer auf einige Dinge hingewiesen, die zu beachten sind. Das sind alles formale Dinge, man darf in dieser Phase keine Fehler machen, sonst wirkt sich das negativ auf das Verfahren aus. Florian wird sicher auch einen Anwalt nehmen und dann beginnt das Hauen und Stechen. Ich war gestern etwas eingebremst und habe Dich daher nicht mehr angerufen. Das Hauptproblem stellt das sogenannte Trennungsjahr dar. Laut Max muss dieses Trennungsjahr unbedingt eingehalten und auch nachgewiesen werden. Ich werde deshalb noch heute umziehen und mir das Gästezimmer in der Wohnung meiner Eltern nehmen. Den Umzug datiere ich dann zurück auf letzten Mittwoch, außerdem wird Max dem Florian eine Frist zum Auszug aus unserer bisherigen Wohnung stellen. Max ist der Meinung, dass man die Scheidung offiziell etwa drei bis vier Monate vor Ablauf des Trennungsjahres einreichen kann. Davor sollten aber schon die Einzelheiten verhandelt sein. Wann kommst du denn nochmals, bevor du zurückfährst?"

„Es ist so, liebe Jule, dass mir diese Umstände mein Bruder bereits erläutert hat. Deswegen werde ich heute, Dienstag, bei dir sein, das möchte ich auf jeden Fall und dann werde ich wahrscheinlich schon am Mittwoch nach Weissach zurückfahren."

Vinzenz machte eine kleine Pause, aber Jule brachte keinen Einwand.

„Es kommt für uns eine nicht ganz einfache Zeit. Bei dir steht das Gespräch mit Florian an und bei mir wird im September eine berufliche Entscheidung fallen müssen. Wir gehen aber unseren gemeinsamen Weg entschlossen weiter, die Zeit bis zur Scheidung halten wir durch, ich liebe dich, Jule."

„Ich dich auch, Vinz. Komm bitte heute Abend, du kannst nochmal bei mir übernachten, das geht alles. Heute Nachmittag ziehe ich zu meinen Eltern in das Gästezimmer, da steht übrigens ein Doppelbett. Ich werde diese schwierige Zeit schon überstehen, wir haben ja ein Ziel, für das es sich lohnt zu warten. Bis heute Abend, Vinz."

Vinz beendete das Gespräch und ging zu Anika in die Küche. Er erklärte ihr nochmals die Umstände und was Max in dem Gespräch mit Jule ihr empfohlen hatte. Er werde heute nochmal zu Jule gehen und dann morgen, wenn er von Jule zurück wäre, würde er packen und wieder nach Weissach zurückfahren.

Anika, verstand die Umstände, das waren eben die Parameter der Lösung, die gaben im Augenblick den Takt vor. Anika beneidete Jule nicht, das könnte ein unangenehmes Gespräch mit diesem Florian werden, der war schlecht einzuschätzen. Sie versprach Vinzenz, dass sie sich ein wenig um Jule kümmern werde, aber die Eltern seien ja auch noch um Jule herum. Jule stehe nicht alleine da.

❧

Um sechs Uhr war Vinzenz in der „Schönen Fischerin", Jule kam ihm sofort entgegen und küsste ihn innig. Sie umarmte ihn fest und lange, es waren noch keine Gäste da. Beide sahen sich an, ihnen war die Situation bewusst.

„Lieber Vinz, setz dich, es wird für lange Zeit unser letztes Zusammensein sein. Ich habe mir schon überlegt, dass ich dich an den Sonntagen auch besuchen könnte, das müssen wir noch besprechen. Willst du etwas essen? Deinen Wein bringe ich dir gleich."

Essen wollte Vinzenz lieber später und dann auch nur eine Kleinigkeit. Jule brachte ihm ein Glas Wein und er stieß mit Jule an, die ersten Gäste kamen gerade ins Lokal, es war Feierabend.

Zu seiner Überraschung erschien gegen acht Uhr auch noch Max Vöhringer und setzte sich sofort zu Vinzenz an den Stammtisch. Es war Vinzenz sehr recht, dass er noch vor seiner Abreise mit Max sprechen konnte.

„Hallo, Max, gut, dass ich dich noch sehe, bevor ich zurückfahre. Jule hat mir schon von dem Gespräch mit dir erzählt. Dieses Trennungsjahr macht uns schon zu schaffen, das wird noch eine schwierige Zeit werden."

„Es muss sein, Vinzenz. Die erste Hürde wird das Gespräch zwischen Jule und Florian sein. Mein Schreiben ist heute bereits raus, es wird morgen Florian zugestellt werden. Danach wird man sehen, wie sich dieser Florian verhält."

Vinzenz und Max aßen dann doch noch etwas, Jule hatte frische Weißwürste und Brezeln, das reichte beiden. Max ging um zehn Uhr und wünschte Vinzenz viel Erfolg bei allem, was noch kommen würde, er zwinkerte Vinzenz wohlwollend zu. Das berufliche Thema würden Max und Adalbert Anfang September angehen, wenn deren Ansprechpartner wieder zurück wären.

☙

Von den Gästen kannte Vinzenz einige, sie prosteten ihm zu und fragten, wie lange er noch in Meersburg bliebe. „Aha, morgen geht es zurück, alles Gute". Jule versuchte, sich vor den Gästen Vinzenz gegenüber zurückzuhalten. Als sich endlich gegen halb zwölf Uhr das Lokal leerte, schloss Jule ab, holte sich auch einen

Wein und setzte sich zu Vinzenz.

„Zum Wohl, mein Schatz, geht es dir gut? Dass Max nochmals vorbeigeschaut hat, war gut, denke ich. Jetzt ist es allen klar, wie es weitergehen kann. Ich habe auch heute Nachmittag mit meinen Eltern gesprochen, mein Vater wird auch noch mit Florian reden, der kann nicht mehr länger hier im Haus wohnen. Es wird alles nicht einfach, aber ich bin froh, dass eine Entscheidung jetzt da ist."

Jule legte ihre Hand auf die von Vinzenz. Sie holte nochmal Wein für beide und sie genossen diese ruhigen Minuten. Jule lehnte sich eng an Vinzenz, beide schwiegen vor sich hin, es würde für lange Zeit das letzte Mal sein, dass sie gemeinsam in der „Schönen Fischerin" sitzen würden.

„Komm, Vinz, wir gehen nach oben, noch mal zu mir, ich räume jetzt doch erst morgen das Zimmer. Es ist unser Abschied auf unbestimmte Zeit, Vinz. Was mache ich nur ohne dich?"

Jule räumte heute nicht auf, sie sagte, Melly habe ihr angeboten, das morgen in der Früh zu machen. Dann gingen sie über den Hinterhof ins Haus. Jule ging wie immer voraus, Vinzenz kannte das Zimmer mit dem engen Bett. Jule wollte noch duschen und schlug vor, dass Vinzenz doch auch mit ihr duschen sollte. Sie standen beide nackt in der Dusche und seiften sich gegenseitig ein, dabei streichelten sie sich mehr, als dass sie sich einseiften. Jule spürte die Erregung bei Vinzenz, sie trockneten sich gegenseitig ab, aber nur flüchtig, es zog sie ins Bett. Dann lagen sie eng aneinander gepresst, ihr Atem war laut vernehmbar. Beiden war in diesem Augenblick klar, dass das für längere Zeit das letzte Mal sein würde.

Nach ihrem Höhepunkt blieben sie noch einige Zeit in derselben Stellung, Vinzenz war noch in Jule und beide genossen das langsam ausklingende Gefühl. Als sie sich dann voneinander lösten, küssten sie sich lange und immer wieder. Ihre Hände fanden sich und hielten sich fest. Festhalten, aneinander festhalten und nicht mehr loslassen, egal was auch noch kommen mag.

Es war still im Zimmer, reden wollte jetzt keiner der beiden, es war alles gesagt.

Kapitel 10

Ein erster Hinweis

Kommissar Walter Steinmeier sitzt in seinem Büro auf dem Polizeirevier in Meersburg, er hat sich vom Automaten einen Kaffee geholt, er hat heute Dienstaufsicht und hält die Stellung zusammen mit seinem jungen Kollegen Schmied. Er vernimmt den Türsummer und entsperrt den Eingang, die Eingangstür zur Polizeistation öffnet sich und ein sportlich aussehendes älteres Paar betritt den Raum.

„Grüß Gott, Herr Kommissar, können wir Sie kurz sprechen?“

Beide Personen treten näher, sie sind zum ersten Mal auf dem Revier.

„Ja, gerne, klar, kommen Sie doch an den Schalter, ich komme vor zu Ihnen, was kann ich für Sie tun?“

Es ist Nachmittag kurz vor drei Uhr. Walter Steinmeier steht auf, geht zu dem Schaltertresen, stellt sich vor, und gibt den beiden die Hand.

„Haasis mein Name, guten Tag. Wissen Sie, Herr Kommissar, wir sind langjährige Bodenseeler und haben in Hagnau seit vielen Jahren eine Ferienwohnung. Oft spazieren wir auf dem Uferweg nach Meersburg, da ist es schön ruhig und auch kein Verkehr, manchmal ein paar Radfahrer, da muss man dann schon aufpassen, man kann heutzutage diese Räder kaum mehr hören. Aber kommen wir zum

Grund unseres Hierseins. Wir hatten auch von diesem seltsamen Verschwinden der beiden Frauen aus der Weinstube Gutemann gehört. Das ist ja wirklich sehr sonderbar. Wir kehren oft dort ein und kennen die Familie Gutemann seit Jahren. Also, wie gesagt, deswegen sind wir hier, passen Sie kurz auf."

Der Mann stellt sich vor als Werner Haasis aus Albstadt-Ebingen, die Dame sei seine Ehefrau Gudrun. Ob sie sich ausweisen müssen, nein, noch nicht, auch gut.

„Also, wir haben uns heute mal mit dem Taxi von Hagnau nach Meersburg fahren lassen und haben dann an der Uferpromenade zu Mittag gegessen. Danach haben wir noch auf der Haltnau einen Kaffee getrunken. Danach wollten wir wieder gemütlich zurücklaufen, es ist ja so ein schöner Tag heute."

Herr Haasis macht eine kleine Pause, mit seinem linken Arm lehnt er auf dem Tresen.

„Sie kennen sicher den Fußweg direkt am See entlang, hinter der Haltnau fängt er an und geht in Richtung Hagnau. Von der Haltnau bis zu unserer Ferienwohnung sind es gerade mal fünf Kilometer. Meine Frau hatte noch etwas altes Brot dabei, für den Fall, dass wir Schwäne sehen und tatsächlich ist uns eine Schwanenfamilie am Ufer gefolgt. Stellen Sie sich vor, ein Schwanenelternpaar und fünf kleine Jungschwäne, eine wunderschöne Idylle, richtig putzig. Das war ein richtiger Glücksfall für uns."

Steinmeier wird etwas ungeduldig, er räuspert sich.

„Entschuldigen Sie, Herr Haasis, aber Sie sind hier

auf einer Polizeistation, mit Schwänen haben wir hier nicht viel zu tun, genau genommen, gar nichts. Gibt es noch etwas Wichtigeres, was ich auch zu Protokoll nehmen könnte?"

„Aber natürlich, Herr Kommissar. Also, wir wollten das Brot den Schwänen zuwerfen und mussten deswegen näher an das Ufer herantreten. Dort geht es ziemlich steil hinunter, man muss aufpassen, sonst rutscht man an dieser Stelle runter. Und wie wir näher ans Wasser herangehen, sehen wir direkt unter uns tiefe Reifenspuren im Kies."

Werner Haasis zeigt mit beiden Händen an, wie tief die Spuren waren, die er gesehen hat. Noch zweifelt Steinmeier etwas.

„Reifenspuren, wie haben Sie das denn erkannt?"

„Nun gut, wir haben das angenommen, man kennt ja solche Spuren. Die haben sich tief in den Kies hineingegraben. Da musste also ein großes Gewicht im Spiel gewesen sein und der Abstand der Spuren dürfte für ein Auto passen. Wir meinen, dass da ein Auto in den See gefahren ist. Ein Auto haben wir allerdings nicht erkennen können. Vielleicht ist das aber eine Spur bei der Suche nach den beiden Frauen, verstehen Sie?"

Steinmeier versteht sehr wohl und notiert sich alles, auch die Namen und die Anschrift des Ehepaares Haasis und wie man sie denn erreichen könnte. Er will nochmals eine genaue Beschreibung von der Stelle, wo die beiden die Reifenspuren gesehen hatten.

Steinmeier bedankt sich bei dem Ehepaar Haasis herzlich, darauf hatte er die ganze Woche schon gewartet. Und von der Stelle, von der das Ehepaar eben gesprochen hatte, war ihm nicht bekannt, dass dort in letzter Zeit ein Fahrzeug in den See gefahren wäre. Die Spuren müssen also neueren Datums sein. Das wird seinen Chef, Eustachius Sturm, sicher interessieren.

Sollte er das Ehepaar Haasis nochmals brauchen, hätte er jetzt ihre Telefonnummer. Steinmeier ist sichtlich zufrieden und sieht zu seinem Stellvertreter Schmied hinüber und nickt ihm zu.

„Prima, ganz prima, das waren endlich mal aufmerksame Leute, aber ich habe es schon immer gesagt: auf unsere Älbler ist halt Verlass. Respekt."

Als das Ehepaar Haasis das Polizeirevier verlassen hat, ruft er in Friedrichshafen an, erreicht aber den Kollegen Sturm nicht. Steinmeier berichtet der Assistentin von Sturm, Frau Wallner, von dem Hinweis eines Ehepaares Haasis und der großen Wichtigkeit. Frau Wallner verspricht ihm, den Hauptkommissar Sturm sofort zu unterrichten, er solle sich bereithalten.

ଓଃ

Eustachius Sturm ist zuhause, es ist Samstagnachmittag, seine Frau Mechthild ist gerade vom Nachbarn nebenan zurückgekommen, beide sitzen am Esstisch, Eustachius Sturm sieht durch das große Fenster hinaus in den Garten. Die Bäume haben bereits begonnen, sich herbstlich zu verfärben. Das gibt immer selten schöne Farbkompositionen, beide lieben die wechselnden Farbstimmungen im Herbst.

„Mechthild, ich sage es dir, der Herbst kommt so langsam um die Ecke, das gibt wie immer noch verdammt viel Arbeit im Garten. Die Bäume haben dieses Jahr mehr Laub als sonst. Ich glaube, dieses Jahr hole ich mir eine Hilfe, es wird langsam etwas viel für mich. Das ganze Laub muss weg und die Pflanzen müssen auch noch überwintert werden. Was meinst du, Mechthild?"

„Mach das, Stachi, immer im Herbst macht der große Garten besonders viel Arbeit und du wirst auch nicht jünger. Und außerdem wirst du in den nächsten Wochen in diesem neuen Fall Gutemann ziemlich beansprucht sein, das wird dich zeitlich fordern, da wird dir nicht mehr viel Zeit für den Garten bleiben. Wie steht es denn mit dem Fortgang, habt ihr schon neue Anhaltspunkte?"

Mechthild sieht ihren Stachi von der Seite aus an, er dürfte ein wenig zugenommen haben. Er sitzt ja auch zu viel im Auto und an seinem Schreibtisch. Dieser neue Fall wird ihn hoffentlich in Bewegung bringen, das wird ihm guttun.

„Nein, Mechthild. Leider keine Anhaltspunkte, gar keine. Wir tappen noch völlig im Dunkeln. Beide Frauen sind wie vom Erdboden verschwunden und der Golf ebenso. Das kann ich nicht verstehen, verstehst denn du das? Es sind inzwischen seit Sonntag bis heute sieben Tage vergangen. Die beiden Frauen lösen sich doch nicht einfach in Luft auf. Auch wenn ein Verbrechen vorliegen sollte, müssen die beiden Frauen doch irgendwo sein. Vielleicht werden sie versteckt, aber wo? So etwas fällt doch auf und auch noch das Auto.

Ich mach mir täglich Gedanken darüber und komme auf keinen Ansatzpunkt."

Seine Frau Mechthild beginnt zu schmunzeln, selten sieht sie ihren Mann in einem solch zweifelnden Zustand, das kennt sie nicht an ihm. Stillstand verträgt er nicht, ihr Stachi, er braucht immer Lösungen. Sie versucht, mit ihrer weiblichen Logik die Sache anzugehen. Weibliche Logik hat immer kurze Wege, Männer denken eher lange Wege, manchmal auch Umwege.

„Nehmen wir doch einmal an, Stachi, es wäre wirklich ein Verbrechen geschehen, aber dann muss es auch einen Täter geben, klar? Aber hinter jedem Täter steckt auch ein Motiv, das herauszufinden, wäre der erste Schritt. Es gibt logische Motive und unlogische. Die logischen Motive ergeben sich fast immer aus dem unmittelbaren Umfeld der Opfer, da kommt man in den meisten Fällen schnell voran."

Sie macht eine kleine Pause, sie spürt die Unruhe ihres Mannes. Aber auch ihr wäre viel daran gelegen, dass der Fall Gutemann bald aufgeklärt werden könnte.

„Bei den unlogischen Motiven ist es dagegen wesentlich schwieriger, das kann dann plötzlich allesmögliche bedeuten. Und da gibt es zwangsläufig einen deutlich größeren Kreis von Tatverdächtigen. Nicht selten spielt da der Zufall eine wichtige Rolle, er ist in vielen Fällen der Auslöser zur Lösungsfindung. Aber das kann eine Zeit dauern, da wird man als Kommissar jeden Tag nervöser."

Eustachius Sturm hört seiner Frau interessiert zu, ihre weibliche Logik ist wie immer sehr analytisch.

Nicht, dass er diesen Fall völlig anders sieht, aber Meinungen von Dritten sind ihm wichtig.

„Und dann wäre der nächste Punkt natürlich der, wohin sind die Frauen und das Auto gebracht worden, und zwar so, dass es bisher trotz intensiver Suche nicht möglich war, etwas finden zu können? Damit hätten wir es mit einem sehr cleveren Täter zu tun, der es der Polizei schwer machen will. Aber, lieber Stachi, clevere Täter sind nicht klug. Da gibt es zwei verschiedene Kategorien. Clevere Menschen haben eine intellektuell kurze Dünung, kluge Menschen eine lange. Das ist deine Chance, gehe zunächst von einem cleveren Täter aus und suche nach dem Fehler."

Mechthild doziert, wie wenn sie auf einem ihrer Seminare wäre.

„Sämtliche Cleverles haben diese kurze Denke, ich sage immer Dünung dazu, und damit verbunden auch immer eine gewisse Hektik, das ist deren Schwachpunkt und zugleich dein Ansatz. Die Klugen dünen lang und wirken damit souverän, da wird viel mehr langfristig angedacht und organisiert. Ohne den berühmten Kommissar Zufall kommt man da kaum weiter."

Mechthild sieht ihrem Stachi ins Gesicht, er sieht sie mit großen Augen an, auf seiner Stirn bilden sich Falten.

„Und dann sage ich dir noch eines, Stachi, es gibt bei uns ein großes Versteck, ein riesengroßes Versteck, das auch nicht gerade zum ersten Mal dafür benutzt worden wäre, verstehst du meine Gedanken?"

Sturm wandert mit seinem Blick in den Garten und nickt mit dem Kopf.

„Du meinst wieder einmal den See? Unseren schönen Bodensee? Ja, da sind schon viele Beweise vermeintlich versteckt worden, clever eben, die meisten wurden aber gefunden, besonders lange hat dieses Versteck selten gehalten."

Das Telefon läutet, Mechthild geht ran.

„Mechtild Sturm am Apparat. Grüße Sie, Frau Wallner. Meinen Mann wollen Sie? Aha, er soll bei dem Kollegen in Meersburg anrufen, der habe Neuigkeiten? Gut, richte ich ihm aus."

Mechthild sieht zu ihrem Mann hinüber, der ist in Erwartung eines wichtigen Hinweises bereits aufgestanden. Mit großen Augen sieht er in Richtung seiner Frau, eine Vorahnung kommt in ihm hoch. Wenn die Kollegen in Meersburg ihn am Samstagnachmittag verlangen, liegt etwas vor.

„Hast du gehört, Stachi, du sollst deinen Kollegen in Meersburg, den Steinmeier, anrufen, er hat nach dir verlangt, es sei wohl dringend, er habe wichtige Neuigkeiten. Vielleicht tut sich was in deinem Fall."

Sturm holt sein Handy heraus und wählt die Nummer der Polizeistation Meersburg. Es ist Samstagnachmittag gegen halb vier Uhr.

☙

„Sturm am Apparat, hallo, Herr Kollege Steinmeier, man hat mir gesagt, dass Sie mich sprechen wollen.

Hat sich bei Ihnen etwas Neues ergeben, an der Zeit wäre es ja so langsam, ich höre."

Steinmeier berichtet nun genau, was das Ehepaar Haasis zu Protokoll gegeben hatte und wo die Stelle am See sei. Sturm ist erleichtert, endlich ist die Warterei vorbei und vielleicht ist es sogar eine Spur in dem Fall Gutemann.

„Kollege Steinmeier, ich nehme zwei Kollegen von der Spurensicherung mit und fahre sofort los. Bitte kommen Sie auch an die besagte Stelle, wir müssen ins Handeln kommen, auch wenn es Samstagnachmittag ist. Ich kann keinen einzigen Hinweis unbeachtet lassen, bitte aber noch keine Presse, unseren Fotografen von mir aus, aber noch keine Presse. Bis gleich."

Steinmeier informiert seinen Stellvertreter Schmied in der Station davon, dass er wegfahren müsse zu einem Lokaltermin, aber wohin und warum, sagt er nicht, das will er noch für sich behalten. Dann fährt er bis zur Haltnau, parkt dort hinter dem Haus sein Polizeifahrzeug, damit es nicht so auffällt und geht zu Fuß in Richtung Uferweg. Er findet die Stelle, exakt da, wie sie von dem Ehepaar beschrieben worden war und sieht auch sofort die Reifenspuren, sie haben sich tief in den nassen Kies hineingegraben.

„So sieht es immer aus", spricht er vor sich hin, „immer wenn ein Auto in den See gefahren ist, das habe ich schon ein paar Mal in anderen Fällen erlebt, das könnte durchaus eine Spur sein."

Wie Steinmeier aufschaut, sieht er auf dem Uferweg schon zwei Polizeiautos hintereinander heranfahren, der Weg ist für zwei Fahrzeuge zu schmal. Sie kommen aus Richtung Hagnau, er winkt ihnen zu und sie halten direkt vor ihm.

Kriminalhauptkommissar Eustachius Sturm kommt auf ihn zu, gibt Steinmeier die Hand und geht mit ihm zu der Stelle am Ufer, auch er erkennt sofort die Spuren.

„Treffer, Herr Kollege, das sind typische Autospuren, da ist ein Wagen in den See gefahren oder auch geschoben worden. Aber von hier aus kann ich kein Fahrzeug entdecken, auch keinen Schatten im Wasser, hier ist es schon erheblich steiler als noch vorne an der Haltnau. Wir müssen die Tauchergruppe anfordern, es ist noch länger hell."

Er sieht seinen Kollegen von der Spurensicherung, kurz Spusi, an.

„Was meinen Sie, Herr Merk, das sind doch Reifenspuren, die da in den See führen. Auch, wenn es Samstag ist, ich brauche sofort unsere Spezialisten."

Tilmann Merk nickt zustimmend. Auch ihm ist der Ernst der Situation bewusst. Merk greift zu seinem Handy.

Von jetzt an läuft ein generalstabsmäßiger Ablaufplan an, Samstag hin oder her, Sturm und sein Kollege Merk machen Tempo. Teilweise erreichen sie die Mitarbeiter nur privat, aber alle werden mobilisiert, sie werden in wenigen Minuten vor Ort sein. Dann kann es losgehen.

„Dann hat also meine Mechthild doch richtig gelegen mit ihrer Vermutung von dem See als dem großen und unauffälligen Versteck. Frauen haben doch einen guten Spürsinn für schwierige Situationen."

Der von Mechthild erwähnten Unterschied zwischen clever und klug beschäftigt ihn noch immer. Aber jetzt muss er zuerst dem Verdacht nachgehen. Aber noch war es nur ein Verdacht, wenngleich auch einer, der den Fall weiterbringen könnte.

Kriminalhauptkommissar Eustachius Sturm hängt am Telefon und fordert Fahrzeuge, Gerätschaften und Personal an. Über den Notdienst am Samstag organisiert Merk Einsatzfahrzeuge, Notarzt und die Tauchergruppe. Alle sind informiert und teilweise auch schon unterwegs. Die Fahrzeuge parken zunächst auf dem Parkplatz der Haltnau und kommen zu Fuß zu der beschriebenen Stelle. Ein Abschleppfahrzeug kommt auf dem Uferweg aus Richtung Hagnau. Dass das natürlich nicht ohne Auffälligkeiten abläuft ist klar, und so sammeln sich bald Zuschauer an dem Ort. Neben dem Polizeifotografen ist auch schon die örtliche Presse da, irgendjemand muss wieder gepetzt haben.

Aus Vorsicht, und um nicht zu voreilig zu sein, hat Steinmeier den Hannes Gutemann noch nicht informiert, das kann er immer noch tun. Erst muss jetzt überhaupt ein Fahrzeug gefunden und dann auch geborgen werden. Noch weiß man nicht, ob es der gesuchte Golf von Melly Gutemann auch wirklich sein wird.

Kapitel 11

Zurück nach Weissach.

Zum Frühstück gingen Jule und Vinzenz hinunter in die Weinstube. Melly, die gute Seele, hatte schon aufgedeckt, es roch nach frischem Kaffee. Hannes kam, wie wenn es abgesprochees war eine große Harmonie im Raum zu spüren. Daneben aber zugleich auch eine Bedrücktheit, denn Vinzenz würde heute zurückfahren und Florian würde morgen wieder da sein.

„Vinzenz, ich werde Jule beistehen", Melly sah zu ihrem Hannes hinüber, „und der Hannes wird auch eingreifen, sobald es zu lauten Streitereien kommen sollte. Dann sind wir immerhin zu dritt, da wird er sich wohl überlegen, was er tut."

Hannes Gutemann nickte zustimmend, er meinte, dass da nichts passieren würde, er würde die Augen offenhalten. Auch Vinzenz meint, dass er auch laufend anrufen und sich informieren würde.

„Ich werde am Donnerstag auf euren Anruf warten, ich muss wissen, wie das Gespräch zwischen Jule und Florian verlaufen ist, lasst mich nicht zu lange warten. Und, Jule, informiere auch gleich den Max, das ist wichtig, vielleicht muss er sogar eingreifen."

Gegen elf Uhr wollte sich Vinzenz dann auf den Weg machen, es war ein Abschied, der nicht ohne Tränen abging. Jule und Melly heulten in ihre Taschentücher hinein und selbst der Hannes hatte nasse Augen, als er Vinzenz umarmte. Natürlich ging es Vinzenz ebenso ans Herz, Jule küsste ihn nochmals lange und innig, dann winkten alle, als Vinzenz das Lokal verließ. Draußen drehte er sich nochmals um, Jule, Melly und Hannes waren vor die Tür gekommen und winkten immer noch. Es war ein Abschied, zwar nur einer auf Zeit, aber eben doch ein Abschied.

Aber noch wusste keiner der vier, dass es wirklich ein Abschied für immer sein würde. Zumindest für zwei von ihnen würde es so kommen. Etwas, was sich weit über ihnen befand, hatte das schon so bestimmt. Das Schicksal wollte offensichtlich diese Liebe nicht und es blieb nicht mehr viel Zeit.

☙

Wieder bei Anika, bestätigte Vinzenz, dass er gleich heute Nachmittag zurückfahren würde. Es gebe für ihn keinen Sinn, jetzt noch zu bleiben. Er erzählte Anika von dem gemeinsamen Frühstück und dem belastenden Abschied und, dass morgen eine erste Vorentscheidung fallen würde. Diese Rückkehr Florians lag Vinzenz schwer im Magen, Anika verstand ihn nur zu gut.

„Ihr werdet sicher morgen gegen Abend telefonieren, bitte, Vinzenz, unterrichte mich auch und natürlich Adalbert und Max. Im Übrigen kannst du immer, wenn du es willst, bei uns zu Gast sein, du bist für uns keine Last und unser Haus steht dir immer offen. Auch unsere drei Jungs würden sich freuen, wenn sie dich öfter hier sehen würden, ich glaube, du hast das auch selbst gespürt."

Vinzenz bedankte sich, es hatte ihm in diesen

Tagen gut getan, dass er das Gefühl bekommen hatte, hier gerne gesehen zu sein und jederzeit kommen zu können, wann immer es denn sein sollte. Er ging in sein Gästezimmer und packte seine Sachen, sie waren schnell im Porsche verstaut. Er setzte sich noch zu Anika auf die Terrasse, das Wetter war sommerlich, ein paar Wolken waren zu sehen und es war angenehm warm. Essen mochte Vinzenz jetzt nichts, aber eine Tasse Kaffee nahm er noch gerne an.

„Weißt du, Anika, ich bin jetzt gerade eine gute Woche hier und ich fahre vollkommen umgedreht wieder zurück. Noch während der Anreise war ich nur daran interessiert, ob und wie sich die Spannung zwischen Jule und mir befrieden könnte. Ich wollte nur meinen in fünf Jahren nicht verarbeiteten Ballast abwerfen und mit mir und der Jule ins Reine kommen."

„Und jetzt?" fragte Anika und zog die Augenbrauen hoch.

„Jetzt habe ich nicht nur eine Befriedung erreicht, sondern weit darüber hinaus auch eine verloren geglaubte Liebe wiedergefunden. Und, Anika, glaube mir, ich habe noch mehr wiedergefunden, und das sage ich vollkommen bewusst. Ich habe zum Leben zurückgefunden, zu einem lebenswerten Leben, zu den wirklich wichtigen Dingen und Gefühlen. Heimat hat die Fremde besiegt, der Karrierewillen hat gegen die Liebe verloren, Nähe und Vertrautheit haben die Fremde und die Unsicherheit aus dem Feld geschlagen."

Anika hört ihrem Schwager zu, er steht im Raum und sieht durch das Fenster in den Garten.

„Weißt du, ich bin aufgewacht in diesen Tagen und mit dieser Erkenntnis kehre ich zurück. Morgen wird mir Weissach bereits fremd vorkommen und in den kommenden Wochen und Monaten werde ich immer auf dem Sprung sein. Alles ist klar, alles hat sich für mich ins Positive gewendet."

Anika konnte nicht anders als ihren Schwager zu umarmen, sie küsste ihn auf beide Wangen, sie verstanden sich gut.

„Richte doch Adalbert die besten Grüße und natürlich auch meinen Dank aus und sage ihm auch meine letzten Worte, es wäre mir wichtig, dass auch er meinen Wandel versteht. Wo sind denn die Jungs, sehe ich sie nochmals, bevor ich fahre?"

„Ich glaube nicht, die Zwillinge sind bei Nachbarskindern und Lars ist mit dem Rad zum Baden ins Schwimmbad gefahren, aber ich grüße alle herzlich von dir. Fährst du jetzt schon?"

„Ja, Anika, danke für den Kaffee, ich möchte jetzt los, der Verkehr ist noch ruhig, da komme ich gut durch. Ich bedanke mich besonders bei dir. Du warst in diesen wichtigen Tagen eine gute Zuhörerin und eine noch bessere Ratgeberin, ich glaube, ich werde deinen Rat noch ein paarmal brauchen. Bleibe gesund, mache es gut."

Anika ging mit zum Auto und als Vinzenz losfuhr, winkte er durch das geöffnete Seitenfester noch Anika zu bis er aus dem Hof gefahren war. Dann ging Anika zum Haus zurück. Vieles ging ihr durch den Kopf, sie hatte so ein seltsames Gefühl, dass da noch etwas kommen würde, allerdings etwas, wovon noch keiner der Beteiligten irgendetwas ahnte. Anika sollte Recht behalten.

☙

Wieder in Weissach ging Vinzenz in seine Wohnung und lüftete, aber die Luft, die von draußen in das Zimmer drang, war eine andere als die in Meersburg. So wie die Menschen in Meersburg anders waren, war auch die Luft hier anders. Künstlicher, weniger natürlich, oder bildete er sich das nur ein? Er hatte noch Urlaub und würde erst wieder am Montag im Werk sein. Bis dahin würde sich viel ereignet haben, bereits morgen gegen Abend würde ein erstes Zwischenergebnis vorliegen.

Er packte seinen Koffer und die Tasche aus. Zwischen den Wäschestücken entdeckte er ein Foto von Jule, lachend sieht man sie vor dem Lokal stehen, eine schöne Frau. Dieses Foto musste ihm Jule in die Tasche geschmuggelt haben, ohne dass er es mitbekommen hatte. Auf der Rückseite entdeckte er eine Widmung: „Verlass mich nie mehr, Vinz, ich liebe Dich." Er legte es behutsam auf seinen Schreibtisch.

„Jule behalte die Nerven, halte durch, ich bin bei dir."

Vinzenz ging früh schlafen und stand am nächsten Morgen auch früh auf. Es war Donnerstag, der so wichtige Donnerstag. Er fuhr um elf Uhr zum Einkaufen, der Kühlschrank gab nicht mehr viel her, dann tankte er seinen Porsche auf und weil es wieder an der Zeit war, ging er noch zu seinem Friseur.

Enzo, sein Friseur, freute sich wie immer, wenn der Boss oder der Fastboss von Porsche zu ihm kam. Enzo war Italiener, genauer gesagt Sizilianer, ein Siciliano durch und durch. Schnelle Autos, leidenschaftlicher Fußball und temperamentvolle Frauen, das lag ihm im Blut, danach kam lange nichts. Machos haben es manchmal wirklich leicht, dachte sich Vinzenz, die nehmen nicht immer alles so ernst. Ob Enzo der Figaro glücklich war? Zumindest tat er so.

„Weißt du Vincenzo, ich verkaufe keine Frisuren, ich verkaufe Freundschaft, das ist mein Geschäft, capisci?"

So ein Gespräch lockerte Vinzenz etwas auf, noch einen Espresso bei Enzo, der war im Preis enthalten, dann fuhr er wieder zu seiner Wohnung. Es war jetzt halb zwei Uhr, was wohl Jule gerade mache?

Kapitel 12

Achim

In Wangen im Allgäu fährt Achim von Fabeck gerade in seine Tierarztpraxis, es ist kurz vor neun Uhr, er hat sich ein wenig verspätet. Seine Assistentin Birgit Keller ist schon da, im Wartezimmer sitzt eine Kundin mit ihrem Hund, einem Labrador. Um 11.00 Uhr hat er seinen wöchentlichen jour fixe, seinen festen Außerhaustermin im örtlichen Reitverein.

Achim von Fabeck ist der Stiefsohn von Eustachius Sturm und der leibliche Sohn seiner Mutter, Mechthild Sturm, einer verwitweten von Fabeck. Sein Vater, Dr. Hans-Christian von Fabeck, war vor zwanzig Jahren bei einem ominösen Jagdunfall ums Leben gekommen und seine Frau war daher schon früh zur Witwe geworden. Dr. von Fabeck war von Beruf ebenfalls Tierarzt gewesen mit einer eigenen Praxis in Tettnang.

Kommissar Sturm hatte seinerzeit die Untersuchung des Todesfalles übernommen und dabei Mechthild von Fabeck kennengelernt. Es stellte sich heraus, dass Dr. Hans-Christian von Fabeck das Opfer seines eigenen Fehlers geworden war, die Kugel stammte aus seinem Gewehr, das Geschoß drang ihm von unten in den Mundraum, er war sofort tot. Der Schuss musste sich beim Abstellen des Gewehres auf dem Boden gelöst haben, einen anderen Schluss ließen die Untersuchungsergebnisse nicht zu.

Die Trauer, aber mehr noch der plötzliche und

unsinnige Tod ihres Mannes, hatten Mechthild sehr belastet. Der kleine Achim war von jetzt auf nachher ohne einen Vater, Mechthild stand vor großen persönlichen Schwierigkeiten. Da war es ihr durchaus recht, wann immer wieder dieser Kommissar Sturm im Rahmen seiner Ermittlungen vorbeischaute und das Gespräch mit ihr suchte.

Damals schon hatte Mechthild über den Vornamen von Sturm schmunzeln müssen. Mit der Zeit kamen sich beide menschlich näher und nach zwei Jahren war dann die Heirat die logische Folge gewesen. Sturm zog nach Tettnang in das Haus der Fabecks und Achim bekam wieder einen Vater, was Mechthild sehr wichtig war. Sturm nahm die Vaterschaft ernst und kümmerte sich sehr um den damals elfjährigen Achim. Eigene Kinder bekamen sie keine, es hatte sich einfach nicht ergeben, und als sie es eines Tages selbst bemerkt hatten, war es dafür wohl schon zu spät, zumindest hatte es Mechthild einmal so kommentiert.

„Guten Morgen, Chef, Ihre Frau Mutter hatte vorhin schon angerufen, wollen Sie zurückrufen? Dann versuche ich, Sie zu verbinden."

Birgit wusste von den Familienverhältnissen ihres Chefs und, dass die Eltern in Tettnang lebten und dass sein Stiefvater Kriminalkommissar war. Persönlich kennengelernt hatte sie die beiden bislang noch nicht, Frau Sturm kannte sie nur vom Telefon her.

ꟲ

Achim fällt in diesem Moment ein, dass er schon

länger seine Eltern nicht mehr gesehen hatte, und plötzlich war es ihm nach einem Treffen mit ihnen. Wie er in sein Untersuchungszimmer geht, schaut er im Vorbeigehen auf den Wandkalender nach möglichen freien Terminen.

„Ja, bitte, versuchen Sie, meine Mutter zu erreichen, vielleicht ist sie noch zuhause."

Mechthild Sturm, seine Mutter, ist als Richterin am Landgericht in Ravensburg tätig. Achim hat beide Eltern schon längere Zeit nicht mehr gesehen, der Aufbau seiner Tierarztpraxis nimmt ihn in Anspruch. Birgit ruft durch die offene Tür Achim von Fabeck zu.

„Hallo, Chef, ich habe Ihre Mutter in der Leitung, ich stelle durch."

Achim zieht sich den Stuhl heran uns setzt sich, er möchte sich für das Gespräch Zeit nehmen.

„Achim hier, hallo, Mam, du wolltest mich vorhin sprechen, ich hatte mich etwas verspätet, hatte noch einen Anruf von einem Bauern, dessen Kuh kalbt morgen. Ich hoffe, es geht euch beiden gut."

Sie unterhalten sich eine Weile über belanglose Themen, aber dann kommt seine Mutter damit heraus, dass es wohl wieder an der Zeit wäre, sich zu sehen.

„Du hast vollkommen Recht, Mam, kommt doch mal nach Wangen, so weit ist es doch nicht. Dann können wir wieder mal zum Fidelisbäck gehen und den bekannten Leberkäs essen, der hat doch dem Dad immer so gut geschmeckt. Ich weiß noch gut, beim letzten Mal, war er fast nicht mehr zu bremsen."

„Ich richte es deinem Dad gerne aus. Wenn er Fidelisbäck und Leberkäse hört, kommt er sicherlich. Aber vergiss nicht, auch bei uns ist es gerade jetzt noch wunderschön. Du kannst doch mal am Wochenende, wenn du keinen Notdienst hast, zu uns kommen. Wir könnten dann auch an den See fahren, es ist ja alles nicht weit. Ich möchte halt nicht, Achim, dass wir uns aus den Augen verlieren."

Wangen im Allgäu war mal gerade rund zwanzig Kilometer von Tettnang entfernt, bei normalem Verkehr fährt man die Strecke in etwa fünfundzwanzig Minuten. Aber die geringe Entfernung war es nicht, welche die gegenseitigen Besuche verhindert hatte, es waren einfach die beruflichen Anforderungen bei allen.

ᘓ

Achim von Fabeck hatte vor gut zwei Jahren erst seine Tierpraxis in Wangen eröffnet, was natürlich bedeutet, dass er sich noch im Aufbau befindet. Neben allgemeinen Behandlungen für Haustiere hat er sich spezialisiert auf Großtiere, vornehmlich auf Rinder und Pferde. Pferde sind ohnehin sein großes Hobby, er ist leidenschaftlicher Reiter und hat auch einen wunderschönen Araberhengst im örtlichen Reitverein in Pension. Zum Reiten war er schon als junger Bub über seinen Vater gekommen, der zu seinen Lebzeiten selbst auch Tierarzt und passionierter Reiter gewesen war. Da hatte sich die Tradition fortgesetzt.

Privat ist Achim noch Single, ein gutaussehender Single, sehr natürlich und sportlich, und er kann sich gut und sicher auf einem gehobenen Terrain bewegen. Dadurch erhält er sehr oft Einladungen zu interessanten Veranstaltungen, auch zu solchen aus der Adelswelt, die er auch gerne annimmt. Auf eine Promotion hatte er verzichtet, aber seinen Adelsnamen trägt er ganz gern.

Er steht seit kurzem in den Anfängen einer Beziehung zu einer um ein Jahr jüngeren Kollegin, Sybille Landauer, die eine Praxis in Ravensburg von einem älteren Kollegen übernommen hat und jetzt weiterführt. Beide haben große Sympathien füreinander, aber erst die Zukunft wird es zeigen, ob sich daraus eine feste Bindung ergeben könnte. Seinen Eltern hat er davon noch nichts gesagt, seine Mutter ist, was seine bisherigen Liebschaften betraf, immer mehr als zurückhaltend gewesen. Mütter sind eben oft zu besorgt, aber nicht alle Liebschaften hatte sie zum Glück mitbekommen. Manchmal hat eine räumliche Entfernung auch ihre Vorteile.

In den letzten Monaten hatte sich Achim meistens an den freien Sonntagen mit seiner Kollegin und neuen Freundin, Sybille Landauer, getroffen. Wenn nun seine Eltern auf Besuch kommen wollten, werden die wahrscheinlich auch an einem Sonntag erscheinen. Da muss man halt dann sehen, wie man das geregelt bekommt. Vielleicht wäre das sogar eine gute Möglichkeit, seine Sybille mit einzuladen. Diese Idee lässt Achim ins Schmunzeln kommen.

„Mam, es ist wieder mal schön, mit dir zu sprechen. Also dann sehen wir uns demnächst. Und sag meinem Dad, er soll so langsam mal etwas kürzertreten, er hängt sich immer so engagiert in seine Fälle hinein und ich weiß, er schont sich dabei kein bisschen. Er verdrängt sein Alter, glaube ich. Pass ein wenig auf ihn auf und ruf bitte an, wenn ihr kommen wollt, ich muss dann ein wenig organisieren. Mach es gut."

ɞ

Mechthild Sturm muss demnächst mit ihrem Mann reden. Da hat ihr Sohn Achim völlig Recht, Stachi sollte sich etwas zurücknehmen, Arbeit ist auch nicht alles. Schon gar nicht in seinem Alter, übergewichtig ist er auch etwas und sein Blutdruck könnte besser sein. Ihr gefällt aber, dass Achim sich Gedanken um seinen Stiefvater macht.

Ihr erster Mann war bei der Erziehung seines Sohnes eher sehr streng gewesen. Da war oft von Zucht und Ordnung die Rede und Mechthild hatte sich nur selten eingemischt, und auch nur wenn sie es für richtig gehalten hatte. Dann gab es aber immer Streit mit ihrem Mann, der da ziemlich kompromisslos gewesen war. Diese Art der Erziehung war schon zu einem Knackpunkt in ihrer Ehe geworden, Mechthild hatte zeitweise darunter gelitten.

Mit seinem Stiefvater Eustachius erlebte dann Achim genau das Gegenteil. Sturm versuchte erst nicht, sich zu intensiv in die Erziehung einzumischen, und überließ diese fast ausschließlich Mechthild. Dadurch entwickelte sich dann eine schöne und belastungsfreie Beziehung zwischen Achim und seinem Stiefvater.

Diese Verbindung hielt auch, als Achim aus dem

Haus war und in München studierte. Mechthild weiß, dass Achim immer noch mitten im Ausbau seiner beruflichen Tätigkeit steht, während ihr Mann Eustachius sich schon im Zieleinlauf der Endzeit seiner Polizeiarbeit befindet. Ihr Stachi verdrängt dieses Thema, aber Mechthild sieht das so.

Sie spürt auch, dass sie ihn nach und nach etwas einbremsen muss, Stachi wird das von sich aus gar nicht können oder auch nicht wollen. Da muss sie schon selbst auf ihren Mann einwirken und das wird nicht einfach sein, denn ihr Stachi ist ein richtiger Sturkopf in dieser Beziehung. Es ist ihr sehr wohl bewusst, dass ihr Mann so gut wie keine Hobbys hat und sein Beruf ihm alles ist, was er hat. Gerade deswegen ist eine Berufsaufgabe von langer Hand vorzubereiten.

Ja, sie wird mit ihm reden, weiter hinausschieben bringt nichts, denkt Mechthild. Sie möchte dafür aber einen passenden Moment für so ein Gespräch abwarten. Dieser Moment wird sich auch bald ergeben.

Kapitel 13

Der Kampf beginnt

Jule hatte sich hingesetzt, sie hatte weiche Knie. Der Brief von der Kanzlei Weiler & Vöhringer war gestern angekommen, Jule hatte ihn mitten auf den Esstisch gelegt, sodass Florian ihn sofort würde erkennen können. Am Ende eines Wochenseminars war meist schon nach dem letzten Mittagessen Schluss. Von Lech bis Meersburg waren es rund 150 km, man fuhr normalerweise zwei Stunden. Florian könnte also etwa zwischen drei und vier Uhr hier sein, demzufolge also in gut einer Stunde.

Jule war nervös, so alleine dasitzen und nur warten, konnte sie jetzt nicht. Sie hatte auch Vinzenz nach seiner Abfahrt nicht mehr angerufen, sie wollte nicht, dass er am Telefon hätte mitbekommen können, dass sie so angespannt war. Ihre Eltern waren zuhause, sie waren vor ein paar Minuten in den Hof gefahren. Sie beschloss, unten einen kurzen Besuch zu machen, der könnte sie ablenken.

Die Fenster in der Stube bei ihren Eltern waren geöffnet, man würde sofort ein hereinfahrendes Auto hören können. Sie redeten belangloses, unwichtiges Zeug, aber alle waren im Kopf beschäftigt mit der Rückkehr von Florian. Jule sah auf die Uhr: halb vier Uhr, sie ging in der Stube hin und her, dort, wo sie stand, konnte sie in den Innenhof schauen.

Dann, endlich, es war kurz nach vier Uhr, fuhr

Florians Auto in den Hof. Es war der Einser BMW, den er sich vor einem Jahr selbst gekauft hatte, Jule fuhr einen Mini vom selben Autohaus, beide wollten eigene Autos haben und unabhängig sein. Melly hatte einen älteren Golf und Hannes einen Mercedes C-Klasse. Neben dem Büro von Hannes hatte das Gebäude noch drei Garagen, ein Auto, meistens der Golf von Melly, parkte im Freien.

Man hörte Florian nach oben gehen, Jule ging ihm nach und begegnete ihm in der Wohnstube. Er hatte den Brief schon entdeckt und wollte ihn gerade öffnen.

„Hallo, Florian, gut, dass du da bist, es gibt Neuigkeiten. Warte mit dem Brief, ich möchte zuvor mit dir sprechen."

Florian sah Jule mit ernstem Gesicht an, er ahnte, dass sich etwas gegen ihn zusammengebraut hatte. Dieser Vinzenz war sicher nicht ohne Absicht nach Meersburg gekommen und er selbst war jetzt eine Woche weg gewesen. Er schaute auf den Umschlag des Briefes und erkannte den Absender.

„Ein Brief vom Anwalt, wohl von deinem Anwalt, ich weiß schon, was der will, das heißt, was du willst. Es ist jetzt wohl so weit? Hat sich dieser Vinzenz wieder an dich herangemacht, an meine Frau. Und deinen Eltern, diesen falschen Fuffzigern, hat das wohl gefallen, alles wie früher, was?"

Florian wurde lauter. Jule versuchte zu erklären.

„Du hast es richtig erkannt, Florian, ich will, dass unsere kaputte Ehe beendet wird. Das ist besser für mich und auch besser für dich, ich möchte und kann so nicht mehr weiterleben. Die Kanzlei ist von mir beauftragt worden, die Scheidung in die Wege zu leiten, du wirst auch ausziehen müssen. Ich habe unsere gemeinsame Wohnung bereits verlassen und schlafe, seit du weggefahren bist, im Gästezimmer unten bei meinen Eltern."

„Du hast das also alles schon eingefädelt, du Schlampe". Florian schrie laut und kam auf Jule zu.

„Hinter meinem Rücken machst du so etwas? Ich werde dir zeigen, was man mit einer Frau macht, die ihren Mann betrügt."

Florian packte Jule am Handgelenk, er tat ihr weh, sie schrie auf. In diesem Augenblick stürzte Hannes durch die angelehnte Wohnungstür herein, er hatte mit Melly auf der Treppe die Unterredung mitgehört.

„Unterstehe dich, du liederlicher Fagot, und tu meiner Jule irgendetwas an, ich breche dir den Hals. Wehe, wenn ihr was geschieht. Lies den Brief und schau dich nach einer anderen Wohnung um, wir wollen dich in diesem Haus nicht mehr länger sehen, verstehst du, es ist aus, aus, basta."

„Es ist aus, Florian, ja, das ist meine eigene Entscheidung. Unsere Ehe ist hinüber, es ist schon lange keine Liebe mehr zwischen uns, immer nur Hass oder Abneigung. Das geht jetzt schon ein Jahr so und hat mit dem Besuch von Vinzenz nichts zu tun. Ich mache dir einen Vorschlag, wir machen einen gemeinsamen Termin in der Kanzlei und besprechen im Beisein des Anwaltes, wie eine Trennung gehen kann, was meinst du?"

„Wenn ich überhaupt zu diesem Anwalt gehe, dann

ohne dich. Ich werde ab sofort ohnehin alles ohne dich machen. Und zu dir, Hannes, und gleich auch zu deiner Melly: ich warne euch, haltet euch da raus, das ist nicht eure Angelegenheit und aus dem Haus ausziehen werde ich so schnell ich irgendwie kann. Hier, bei euch Falschspielern, hält mich nichts mehr und jetzt geht, alle, ich will meine Ruhe haben und das Schreiben lesen. Wenn du von mir etwas willst, Jule, dann wirst du mich hier finden, in dein Scheißlokal gehe ich ab sofort keinen Schritt mehr.“

Mit dem rechten Fuß stieß Florian einen im Wege stehenden Stuhl beiseite, der flog mit einem lauten Knall an die Kommode, dann setzte sich Florian, sein Gesicht war stark gerötet, an den Tisch und öffnete das Schreiben.

„Haut ab, haut endlich ab, ich will euch nicht mehr sehen, Pack verdammtes, falsches deutsches Pack, raus.“

Jule hielt ihren Vater mit beiden Händen fest, bevor er sich auf Florian stürzen konnte, dann gingen beide, Jule schloß ihr Zimmer und zwei weitere ab und steckte die Schlüssel ein. Für Florian blieb damit nur noch die Wohnküche mit Stube, das Schlafzimmer und das Bad.

Sie gingen nach unten, Melly stand an der Treppe und hatte alles mitgehört. Drinnen setzten sie sich, Jule heulte, aber eher aus Wut, die Uneinsichtigkeit von Florian und seine Aggressivität waren schon beängstigend.

Melly und Jule machten sich auf den Weg hinüber in die Weinstube, sie mussten aufschließen, es war schon halb fünf Uhr. Hannes war noch in seiner Wohnung geblieben, er wollte beobachten, wie sich Florian verhalten würde.

Der Krieg war eröffnet, die Lunte brannte, zu viel Gift war im Spiel und niemand wusste in diesem Moment, wie es weitergehen würde. Das Dumme an der Sache war, dass alle auf Florian schauten, Florian Haas war zum zentralen Mittelpunkt der Auseinandersetzung geworden. Was wird er tun, wie wird es weitergehen?

Hannes Gutemann erkannte das schlagartig. Die plötzliche Passivität auf Seiten von Jule missfiel ihm.

„Wir können nicht warten, wie sich der Herr aus Österreich entscheiden oder verhalten wird, das Heft des Handelns muss wieder in unserer Hand sein."

Mit diesem Entschluss ging Hannes in die Weinstube, er wollte von dort aus Vinzenz anrufen und gleich auch noch Max Vöhringer. Ob dieser Florian in dem augenblicklichen Zustand wirklich einen Termin bei Max machen würde, war nach dem Auftritt von vorhin ohnehin fraglich.

❦

Oben im zweiten Stock saß Florian mit verzerrtem Gesicht an dem Tisch, der bald nicht mehr sein Tisch sein würde. Er las den Brief des Anwaltes, aber da stand eben auch nur das, was schon gesagt worden war: Scheidung, Auszug, gütliche Einigung, Gesprächsangebot usw.

„Alles sauber eingefädelt, hinter meinem Rücken,

und dann auch noch diese Kanzlei, wo doch der Bruder von diesem Vinzenz ein Partner ist."

Sein Magen verursachte ihm stechende Schmerzen, er nahm die Flasche mit dem Obstler aus dem Kühlschrank und trank einen Schluck, direkt aus der Flasche, das tat ihm gut, dann noch einen und noch einen. Der Alkohol stieg ihm in den Kopf, sein Magen war leer, aber er wollte jetzt nichts essen. Nichts von diesen Gutemanns, diesen hinterhältigen deutschen Partisanen, er würde es ihnen zeigen, da würde ihn niemand zurückhalten können. Morgen wäre er wieder im Büro, dann würde er den Anwalt anrufen und ihm erklären, dass er zu keinem Gespräch kommen würde, der solle gerade machen, was er für richtig hält, das gleiche werde er auch tun.

Florian ging ins Bad und ließ kaltes Wasser über sein Gesicht laufen. Er sah sich im Spiegel an, er hatte schwarze Augenränder und seine Augen waren stark gerötet. Er musste an die frische Luft, draußen war es noch warm. Er nahm vorsorglich einen Pulli mit und ging nach unten. Schon etwas schwankend verließ er den Innenhof durch das Tor und entfernte sich vom Haus. Melly und Jule sahen ihm durch das Fenster der Weinstube nach.

In der frischen Luft ging es Florian besser, jetzt bekam er auch Hunger. An der Steigstraße machte er halt bei seinem Lokal mit der Terrasse und einem seitlichen Blick auf den See, da war er bisweilen. Er bestellte ein Schaschlik mit Pommes und ein Weizenbier, dann noch einen Schnaps, einen Ouzo, später mehrere. Die Bedienung, eine junge Ungarin, kannte ihn.

Immer, wenn er in dieses Lokal kam, betrank er sich und hatte dann Schwierigkeiten die Steigstraße hinaufzukommen. Aber an diesem Tag kam er ihr anders vor, sie beobachtete ihn.

Als er zahlen wollte, machte die Rechnung ein Schaschlik, vier Weizen und fünf Ouzo aus, die Bedienung musste ihm beim Bezahlen helfen, er sah das Geld nicht mehr so recht und, als er aufstehen wollte, konnte er sich gerade noch an dem Tisch festhalten, aber dann verlor er den Halt und fiel der Länge nach auf den Holzboden der Terrasse und blieb regungslos liegen. Der Inhaber des Lokals und die Bedienung versuchten, Florian auf die Beine zu helfen, aber er konnte sich nicht mehr senkrecht halten. Von vorbeigehenden Leuten wurde er erkannt als der Schwiegersohn von Gutemanns. Er selbst bekam das nicht mehr mit.

In der „Schönen Fischerin" läutete das Telefon, Melly nahm ab und man teilte ihr mit, dass ihr Schwiegersohn im Lokal „Winzer-Stube" abzuholen wäre, Melly lehnte das ab, sie sei allein. Eine Stunde später fuhr dann ein Sanitätswagen vor und zwei Sanitäter stützten Florian und brachten ihn nach oben. Sie zogen ihm die Schuhe und die Kleidung aus und legten ihn ins Bett. Völlig schlaff lag er auf dem Rücken und röchelte etwas. Melly sah von der Wohnungstür aus zu, sie schüttelte ungläubig ihren Kopf.

Als sie wieder ins Lokal zu Jule hinunterging, kamen die Sanitäter noch bei Melly und Jule vorbei.

„Er liegt jetzt oben, sehen sie gelegentlich nach ihm. Er hat sich bei uns übergeben, sein Magen dürfte leer sein, wir haben ihm noch ein Mittel gespritzt. Er muss jetzt seinen Rausch ausschlafen, das dauert wahrscheinlich die ganze Nacht. Unsere Pflicht haben wir getan, jetzt wären Sie daran, das ist alles. Wir hoffen, es kommt nicht mehr vor."

Jule ging vorsichtig hoch und sah nach Florian, der lag regungslos auf dem Rücken in dem Ehebett der beiden. Jule schüttelte ungläubig ihren Kopf, sie ließ Florian liegen und ging. Sie ekelte sich vor ihm, auf ihren Armen hatte sich eine Gänsehaut gebildet.

Dann rief sie Vinzenz erneut an und berichtete ihm von dem neuen Vorfall dieses Abends. Sie hatte Vinzenz schon vor drei Stunden informiert über die Auseinandersetzung mit Florian nach dessen Rückkehr. Beide waren durch die heutigen Vorfälle sehr beunruhigt. So wie sich Florian Haas gibt, muss man davon ausgehen, dass er sich einer vernünftigen Regelung verweigert.

ଓ

Am Freitag hörte Jule dann ein Gepolter aus dem oberen Stockwerk, aber sie bekam Florian nicht zu sehen. Um elf Uhr stand der BMW immer noch im Hof, er war also nicht ins Büro gefahren. Dann hörte sie Florian schreien und brüllen, aber sie wusste nicht, dass er gerade mit Max Vöhringer telefonierte.

„Sie sind auch einer von diesen deutschen Arschlöchern, alle habt ihr euch hinter meinem Rücken gegen mich verschworen. Ich habe überhaupt keine Lust, bei Ihnen ein Gespräch zu führen, einen Dreck werde ich tun. Natürlich ziehe ich hier aus, das wird zwar noch etwas dauern, so schnell findet man keine passende Wohnung. Meine Frau ist bereits aus unserer Wohnung ausgezogen, das habe ich alles Ihnen zu verdanken Sie wissen, wie man eine Scheidung strategisch durchzieht, dafür kassiert ihr euer Geld, pfui Teufel, sage ich nur."

Florian knallte den Hörer auf den Apparat, er schwitzte, an seinem Hals rannen Schweißperlen herunter.

„Denen werde ich es zeigen. Noch wohne ich hier und ich werde ausziehen, wann ich es für richtig halte. Das bestimmt nicht diese Hure, soll sie doch zu diesem Vinzenz ziehen und sich durchvögeln lassen, mich hat sie ja immer abgewiesen, das geht schon lange so, aber jetzt ist Schluss, endgültig Schluss. Elendes Pack, ich hasse euch alle."

Er redete sich mehr und mehr in Rage und schrie vor sich hin, das können die da unten gerne hören. Er hatte heftige Kopfschmerzen, ihm war schon klar warum. Aspirin hatte er schon genommen, auch sein Magen schmerzte und seine Knie waren wacklig. Er legte sich wieder hin, im Büro hatte er schon angerufen, er sei krank und komme am Montag wieder. Im Kühlschrank war noch alles da, was er für sich brauchen würde, er müsste also nicht weg. Er könnte in der Wohnung bleiben und er wollte ohnehin keinen von denen sehen. Wenn er einem begegnen sollte, würde er ihn anspucken, den Hannes, die Melly und am meisten die Jule, umbringen sollte man sie, alle, umbringen.

Er lag im Bett und knirschte mit den Zähnen, seine Backenmuskeln verspannten sich zusehends. In ihm stieg ein Hassgefühl auf, dem er nicht mehr Herr werden konnte.

„Umbringen, ja, totmachen, alle, das hätten sie alle verdient, auf jeden Fall die Jule und ihre falsche Mutter, dieses scheinheilige Stück Weib. Der Tod wäre die richtige Antwort darauf."

Er kam von diesem Gedanken nicht mehr los, er verkrampfte bei diesem Thema, Schweißperlen standen auf seiner Oberlippe, obwohl es warm im Zimmer war, fröstelte er.

„Umbringen, totmachen, qualvoll und langsam totmachen, büßen sollen sie, Jule und Melly, beide Weiber, diese hinterfotzigen Weiber."

Es fiel ihm ein alter Film ein, da hatte der Mörder vier Frauen umgebracht. Er hatte die Opfer mit einer Drahtschlinge von hinten stranguliert. Aber das war im Film gewesen, das war gestellt, aber in echt wäre das etwas anderes.

„Beide Weiber strangulieren und im See versenken und alles so aussehen lassen, wie wenn es ein Unfall gewesen wäre. Beide in dem alten Golf von Melly im Bodensee versenken, es müsste nach einem Unfall aussehen."

Florian warf sich auf dem Bett hin und her, dann biss er in die Zudecke wie ein kleines Kind.

„Ich werde sie umbringen, beide Weiber, sie haben das verdient. Ja, das ist dann die Rache, meine eigene Rache, nicht die Scheidung, nein, die Tötung ist der Schlusspunkt."

☙

Dieser Rachegedanke füllte ihn vollkommen aus, von dieser Idee kam er nicht mehr los. Er müsste es schlau anstellen mit der Schlinge, ein ganz dünner Draht, so dünn, dass er noch nicht bricht. Wenn er dünn genug wäre, würde man wahrscheinlich auch keine Spuren mehr am Hals erkennen können. Bei einem Erwürgen mit den Händen entstehen Würgemale, auch bei einem Seil. Er müsste sich schlaumachen, es müsste raffiniert gemacht werden. Im letzten Eck im Weinkeller, dort, wo der Boden nicht mehr gepflastert worden war, wo nur ein sandiger Boden war, meist feucht, da könnte es geschehen. Dieser Kellerteil ist auch nur mit einem Lattenverschlag abgetrennt, er würde morgen dort nachsehen.

Er lag auf dem Bett, Kopf und Magen schmerzten, er versuchte flach zu atmen, aber er war zu aufgebracht. Das Thema hatte ihn erregt, er verspürte eine enorme Lust, das zu tun. Beide Weiber tot, totgemacht durch ihn und dann ab in den See, nachts und keine Beobachter.

Florian stand wieder auf und klappte seinen Laptop auf, machte ihn an und verband ihn mit dem Stromanschluss. Dann googelte er nach „Strangulieren“ und siehe da, eine mehrere Seiten umfassende Abhandlung gab direkte Einblicke in die Wirkung und in das Vorgehen. Die Unterschiede zwischen erhängen und erwürgen wurden erläutert. Alles wurde genau dargestellt, er war fasziniert. Eine Stunde beschäftigte er sich damit, machte sich Notizen und Zeichnungen von Schlingen mit und ohne Schlaufen an den Enden. Er verstaute die Zeichnungen in seiner Aktenmappe, jetzt hatte er den Zugang, großartig, jetzt müsste er sich nur noch einen Zeitplan ausdenken. Das würde er morgen, am Samstag, tun. Er spürte, dass sich sein teuflischer Plan umsetzen lassen könnte.

Dann legte sich Florian wieder ins Bett, er war noch schwach und wackelig, bald würde es dämmern. Sein Magen vertrug noch nichts, einen Schnaps vielleicht. Er stand wieder auf und holte aus dem Kühlschrank den Obstler, die Flasche war noch dreiviertel voll, er nahm einen Schluck. Sofort brannte es ihm im Schlund bis hinunter zum Magen, es wurde ihm schwindelig und heiß. Er legte sich ins Bett und schloss die Augen, bald hatte ihn die Müdigkeit überwältigt. Florian schlief ein, selbst im Schlaf sah er die Bilder, wie er mit einer Drahtschlinge hantierte und probierte. Etwas Übung bräuchte er schon.

Der Hass gegen die da unten trieb ihn voran. Das wird er, nein, das muss er machen, egal, was danach kommt. Darüber sich jetzt Gedanken zu machen, verbot er sich, sein Gehirn blockte das alles ab.

☙

Vinzenz, Jule, Anika mit Adalbert und auch Max Vöhringer, alle waren informiert worden über die Vorkommnisse an Florians Ankunftstag. Es war jetzt klar, dass sich Florian auf kein Entgegenkommen oder auf schlichtende Gespräche einlassen würde. Er verhielt sich feindlich und aggressiv, mit dem Alkohol konnte er offensichtlich nicht umgehen, da würde man aufpassen müssen. Hannes war sich dessen bewusst.

Dass er eine eigene Wohnung suchen wolle, war

derzeit der einzige Lichtblick, dazu würde ihm noch Max Vöhringer ein Einschreiben zukommen lassen, in welchem Max ihm einen Auszugstermin vorgegeben würde. Solange Florian noch im Haus wohnte, wäre alles schwierig, die Situation könnte sich leicht entzünden.

In Meersburg war es durch den Vorfall in der Steigstraße schon zum Stadtgespräch geworden. Jule würde sich angeblich von Florian trennen, er müsse wohl ausziehen, die Scheidung würde schon laufen, so wurde unverhohlen gesprochen. In diesen Tagen wurde Jule natürlich auch im Lokal darauf angesprochen, sie verhielt sich zurückhaltend.

Florian versteckte sich, man sah ihn kaum, sein BMW stand geparkt im Innenhof. Am Samstagabend verließ er das Haus gegen halb zehn Uhr abends. Hannes beobachtete ihn, wie er gegangen und auch dass Florian erst gegen Mitternacht zurückgekommen war. Hannes hörte schwere Schritte auf der Treppe, oben schlug Florian vehement die Türe ins Schloss. Er stellte das Radio laut, die Musik war im ganzen Haus zu hören.

Am Sonntag sah Hannes den Florian nicht aus dem Haus gehen, am Montagmorgen fuhr er mit seinem BMW weg, Hannes nahm an, dass er wieder nach Friedrichshafen ins Büro fahren würde. Es kam ihm alles sehr sonderbar vor. Man müsste unbedingt nochmals Max einschalten, Hannes wollte als Hauseigentümer wissen, was er rechtlich gesehen tun könnte.

☙

Am Sonntag rief Jule bei Vinzenz an. Sie berieten, was man denn weiter unternehmen könnte. Max Vöhringer würde zwar nochmals einen Brief an Florian verschicken, aber es wäre halt nur ein Brief. Derzeit könne es nur ein Ziel geben: Florian müsse möglichst bald die Wohnung verlassen.

„Weißt du, Vinzenz, Florian hat den Kontakt zu uns vollkommen abgebrochen, er geht uns allen aus dem Weg. Niemand weiß so recht, wie es weitergehen kann und, was er im Schilde führt. Solange er noch in der Wohnung lebt, ist alles eine einzige Verkrampfung."

„Ich weiß, Jule, behalte bitte die Nerven, ich telefoniere heute noch mit meinem Bruder, es muss doch irgendeinen Weg geben, an ihn heranzukommen, ohne dass er sofort in die Luft geht und euch wüst beschimpft. Max Vöhringer muss sich an die Polizei wenden, wir müssen ihn in die Enge treiben. Wenn die Polizei ins Haus kommt, wegen Ruhestörung oder so, merkt er, dass er unter Beobachtung steht. Hannes hat völlig Recht, wir müssen wieder das Heft des Handelns in die Hand bekommen. Das werde ich auch noch Adalbert sagen."

„Vinz, du fehlst mir so. Ich könnte am kommenden Sonntag zu dir kommen, wir hätten dann auch noch den Montag, wenn du Urlaub nehmen könntest."

„Schade, Jule, aber am kommenden Samstag und Sonntag ist hier bei uns große Hausmesse, es ist das Jahresevent schlechthin. Es kommen immer unzählige Kunden und viel Prominenz, ich muss da einige unserer technischen Neuerungen vorstellen. Aber behalte die Idee bei dir, in den nächsten Wochen können wir uns das gut einrichten.“

Vinzenz hörte Jule weinen, es ging ihr alles doch sehr an die Nerven, so etwas hatte sie noch nicht erlebt. Sie hatte keine Ahnung, wie es in ihrer Wohnung aussehen könnte. Melly kümmerte sich zwar um ihre Tochter und der Hannes spielte den Beobachter, aber ein normales Leben war das nicht.

„Vinzenz, sprich bitte heute noch mit Adalbert und am besten morgen mit Max, ich halte das nicht mehr lange aus. Ruf mich danach an, es muss etwas geschehen. Mach‘s gut, Vinz, ich liebe dich.“

Jule hatte aufgelegt. Vinzenz war niedergeschlagen, er würde Jule gerne helfen, aber er wusste nicht wie. Dann versuchte er, Adalbert zu erreichen, Lars nahm ab und sagt zu Vinzenz, dass seine Eltern nach Lindau auf eine Vernissage gefahren und erst wieder am Abend zuhause seien. Lars fragte noch, ob Vinzenz schon die Porsche-Mützen organisiert habe.

„Klar, Lars, liegen schon hier, wenn ich komme, bringe ich sie mit.“

Lars frug Vinzenz, wann denn das sein könnte, Vinzenz meinte, dass das wohl bald sein werde, er könne aber jetzt noch nicht sagen wann genau. Vinzenz legt den Hörer behutsam auf und blieb noch einen Moment stehen.

„Ich muss bald zu Jule, in diesem Zustand kann ich sie nicht hängen lassen. Ich werde zwei Tage Urlaub nehmen, so geht das nicht weiter.“

Vinzenz sprach mit sich selbst, er machte sich dabei noch Hoffnungen, dass sich doch alles demnächst regeln lassen könnte. Wenn nur dieser verklemmte Florian bald das Feld räumen würde, die Scheidung liefe dann zeitlich parallel. Da muss die Kanzlei noch nacharbeiten.

Am selben Abend erreichte Vinzenz noch seinen Bruder, sie tauschten sich aus und Adalbert versprach, dass er morgen mit Max reden werde. Er müsse sehen, welche Termine Max morgen schon habe. Je nachdem könne er dann zurückrufen, aber er meinte selbst, dass im Augenblick nicht viel getan werden könne.

Kapitel 14

Eine satanische Planung

Im Gegensatz dazu war Florian voll in Aktion. Jeden Tag holte er sich aus dem Internet ergänzende Hinweise zum Thema „Strangulation". Seine Notizen waren bereits ziemlich umfangreich, er hatte auch weitere Zeichnungen angefertigt. Er wusste inzwischen, wie man die beiden Enden der Drahtschlinge so absichern musste, so, dass die Hände kräftig ziehen konnten, ohne dass der Draht reißen würde.

Man müsse die Schlinge von hinten um den Hals des Opfers legen, und zwar blitzschnell, sodass das Opfer überrascht würde. Dieser Effekt verstärke angeblich die Wirkung nochmals. Die Schlinge müsste am besten waagerecht um den Hals gelegt werden. Wenn dann kräftig zugezogen würde, dauerte es maximal 20 Sekunden, dann wäre das Opfer bereits bewusstlos. Durch das Strangulieren würde die Blutzufuhr zum Gehirn unterbrochen, der Draht stoppe sofort die Durchblutung. Der Tod würde dann allerdings, je nach Konstitution des Opfers, erst nach etwa zwei Minuten eintreten. Alles war recherchiert, er war im Bilde, Google sei Dank.

Nach Feierabend fuhr Florian zum Baumarkt und sah sich verschiedene Drähte an. Die dünnen wären die besten, machten auch wenig Spuren am Hals, nur reißen dürfen sie nicht. Er nahm drei verschiedene Sorten Draht mit und brachte sie in seiner Aktenmappe in die Wohnung. Er schätzte die Länge des Drahtes und machte den ersten Versuch. Die Drahtschlinge müsste so groß sein, dass sie von hinten schnell über den Kopf des Opfers gelegt werden könnte. Die Drahtenden müssten dabei bereits über Kreuz gehalten werden und beide Hände müssten schon in den Drahtschlaufen sein. Nur so könnte man sofort zuziehen, das müsste alles geübt werden.

Sämtliche Zeichnungen und alle kopierten Hinweise bewahrte er in seiner Aktenmappe auf. Er nahm sie täglich mit ins Büro und immer, wenn er unbeobachtet war, verfeinerte er an seinem Schreibtisch konzeptionell die Abläufe. Aber Praxis dafür hatte er noch keine, noch nicht. Danach suchte er aber und der Zufall spielte ihm in die Hände.

ଓ

Max rief bei Vinzenz an, er hatte heute schon mit Adalbert sprechen können. Er schlug vor, dass er nochmals ein Schreiben an Florian abfassen würde. Er würde ihn auffordern, entweder doch noch ein Gespräch in der Kanzlei zu führen oder ihm definitiv mitzuteilen, wie weit seine Bemühungen, eine Wohnung zu finden, gediehen seien und wann ein Auszug stattfinden könnte.

Max hatte nur Bedenken, dass Florian Haas weder reagieren noch sich in die Karten schauen lassen würde. Eine andere Möglichkeit wäre, dass Hannes Gutemann das Mietverhältnis kündigte. Nachteil sei, dass, so wie er unterrichtet war, es keinen Mietvertrag für die Wohnung im zweiten Obergeschoss gebe. Nun könnte man einen solchen noch nachträglich mit Jule abschließen, dann müsste aber Jule ihren Ehemann herauskündigen, alles sehr schwierig und rechtlich heikel.

Wie auch immer, das einzige, was getan werden könne, war auf das Trennungsjahr zu achten, das mit dem Auszug Julse aus der gemeinsamen Wohnung schon begonnen hätte.

„Du hast Recht, Max, aber vielleicht reagiert Florian doch auf dein Schreiben, versuchen sollte man es auf jeden Fall. Du solltest ihn permanent beschäftigen, er muss den Druck spüren und halte mich bitte auf dem Laufenden. Ich telefoniere ohnehin täglich mit Jule. Ich hoffe, sie steht diesen Nervenkrieg durch.“

Ziemlich verfahren alles, dachte sich Vinzenz. Wenn man nur wüsste, was dieser Psychopath vorhat, der spinnt doch vollkommen, so verhält sich doch kein normaler Mensch. Er selbst würde keine Stunde länger in einer Wohnung leben wollen, aus der man ihn loswerden wollte, aus der seine Frau bereits ausgezogen war, wo die Schwiegereltern im Haus wohnten und ihn beobachteten und wo der Anwalt seiner Frau die Scheidung beantragen wird. Das war doch alles verrückt.

Vinzenz überlegte sich, ob er nicht für ein Wochenende in die Nähe von Meersburg fahren und dort ein Zimmer nehmen sollte. Das wäre unauffällig genug und sie wären trotzdem zusammen. Dann könnte Jule zu ihm kommen, Jule würde ein Wiedersehen guttun.

Er erinnerte sich noch an einen guten alten Bekannten, der zusammen mit seiner Frau im Nachbarort

Nussdorf eine nette Frühstückpension hatte, zumindest damals noch vor gut fünf Jahren. Er wird nach der Telefonnummer sehen und dort anrufen, Jule wird er aber vorher fragen, wie sie den Vorschlag fände.

ꕥ

Als der zweite Brief von der Kanzlei ankam, sah ihn Jule im Briefkasten liegen, ließ ihn aber dort stecken. Über den Inhalt war sie von Max bereits informiert worden, es war ein weiterer Versuch, Florian zum Auszug zu bewegen.

Erst gestern war sie ihm begegnet. Jule ging gerade mit einem leeren Korb in Richtung des Kellers, der sich im Hinterhaus befindet. Sie wollte Wein holen und den Kühlschrank nachfüllen, da kam er gerade aus dem Keller nach oben. Jule dachte noch, was der wohl im Keller zu suchen hatte. Dort lagern neben den vielen Weinflaschen für die Weinstube auch diverse Schnäpse, aber Florian hatte keine Flasche in der Hand gehabt. Die Kellertüre war ohnehin nie verschlossen, sodass jeder Zugang hatte, der in den Keller wollte.

Er hatte sie erschrocken angesehen, sie hatte ihn überrascht. Florian ging an ihr wortlos vorbei, er atmete heftig, die Kellertreppe war steil und er musste wohl eilig den Keller verlassen haben. Er verbreitete einen muffigen Geruch.

Jule ging die Treppe hinunter, machte Licht und sah sich um, es fiel ihr aber nichts Besonderes auf. Während sie einige Flaschen in ihren Korb legte, ging sie weiter und kam auch ans Ende des Kellers. Hier hörte der

Pflastersteinboden auf und es verblieb noch eine ungenutzte Ecke, die mit einem Lattenverschlag abgetrennt war, die Tür dazu war leicht geöffnet, sie war nie verschlossen. Hier war nur noch ein dunkler Sandboden vorhanden, der meistens feucht war, da Schwitzwasser von der Wand herunterrann. Ein alter Spaten lehnte an der Wand, sonst war dieser Raum völlig leer.

Jetzt stieg ihr plötzlich ein muffiger Geruch in die Nase, der gleiche Geruch, den sie zuvor an Florian aufgenommen hatte, als dieser an ihr vorbeiging. Modrig, feucht, wie es nur in alten Kellern riechen kann.

Dann hatte sich Florian also hier aufgehalten, hier in diesem abgeteilten Kellerteil, in dieser Ecke, wo kein Fenster war und dadurch auch kein Luftaustausch stattfand. Da entstand so ein muffiger Geruch. Sie dachte nicht weiter darüber nach und wollte auch aus dem Keller schnell wieder heraus, für den Fall, dass Florian zurückkommen würde. Da unten wollte sie ihm nicht begegnen.

Was Jule nicht auffiel, war, dass der Sandboden umgegraben, wieder zugeschüttet und eingeebnet worden war und dass an der Schaufel noch frischer, feuchter Sand haftete. Alles, was sie an Erkenntnis mit nach oben nahm, war lediglich die Vermutung, dass sich Florian da unten mit irgendetwas beschäftigt hatte. Sie würde Melly davon erzählen, früher war doch Florian nie in diesem Keller. Eigenartig, alles sehr eigenartig.

☙

Als Florian an diesem Tag vom Büro nachhause kam, sah er im Briefkasten den Brief, nahm ihn heraus und mit nach oben. Er überlegte, ob er ihn überhaupt öffnen sollte, aber dann riss er ihn hektisch auf und las.

Dr. Max Vöhringer teilte Florian Haas mit, dass er ein Gespräch in der Kanzlei immer noch anbieten würde, es gebe einige Einzelheiten zu besprechen. Andererseits erwarte Dr. Vöhringer von Florian, dass er sich kurzfristig um eine andere Wohnung bemühen solle, und er möchte wissen, wie weit seine Suche schon erste Erfolge zeige. Er gab ihm noch eine Frist von zwei Wochen, das hieß bis zum Monatsende. Danach würde von Florian eine Miete verlangt werden, sofern er noch die Wohnung benutze. Auch eine Kostennote der Kanzlei lag bei, die er begleichen solle.

Florian überlegte. Grundsätzlich wird er hier ausziehen, das war ihm klar, aber sein Mordplan war noch nicht soweit gereift, das würde noch dauern, so lange müsste er auf jeden Fall in der Wohnung bleiben. Erst gestern war er im Keller und hatte sich umgesehen. Er hatte im hinteren Ende des Kellers, wo nur ein leichter Lattenverschlag als Abtrennung vorhanden war, entdeckt, dass es dort keinen gepflasterten Fußboden gab, der hörte einfach vor dem Verschlag auf und dahinter hatte man nur einen natürlichen Sandboden gelassen. Die Türe des Lattenverschlages hatte kein Schloss und war nur angelehnt, das war günstig.

Da ein Spaten an der Wand lehnte, hatte er versucht, den Sandboden aufzugraben, was verhältnismäßig einfach möglich war. Der Sand war sehr locker und feucht, er konnte ein Loch graben mit etwa einem halben Meter und hatte dann das Loch wieder zugefüllt und eingeebnet. Dort könnte man einiges vergraben, da sieht doch keiner nach. Für den nächsten Schritt seines Planes wäre dies sehr geeignet. Jetzt könnte er weitermachen.

Den Anwalt Vöhringer würde er morgen vom Büro aus nun doch anrufen, er musste ihn beruhigen und dabei erklären, dass er auf Wohnungssuche sei, er will ihn noch etwas hinhalten. Dann kam es ihm aber zeitgleich in den Sinn, dass er ja wirklich danach, er meinte, dann, wenn sein teuflischer Plan ausgeführt worden war, ohnehin eine Wohnung bräuchte. Also würde er morgen bei zwei Maklern anrufen und einen Suchauftrag starten. Wenn dann der Anwalt einen Nachweis verlangen würde, könnte er ihm Kopien der Maklerauftäge vorlegen. Gute Idee, passt genau in meine Planung, dachte Florian.

Er machte sich schnell noch zwei belegte Brote, eine fast volle Flasche Bier, der Rest von gestern, trank er noch aus. In seinem Kopf spielte er den Ablauf seines Planes mehrmals durch. Er wusste, dass Hannes Gutemann immer im September mit drei alten Freunden mit ihren Rädern eine Fahrt um den Bodensee machen würde. Schon seit vielen Jahren machte er das, da waren die vier Männer immer vier oder fünf Tage unterwegs. Florian müsste herausfinden, wann diese Fahrt in diesem Jahr stattfinden würde, sie dürfte wohl demnächst sein. Hannes hängte da an seine Bürotür immer einen Papierzettel hin mit dem Hinweis, dass er verreist sei und in dringenden Fällen ein Kollege zur Verfügung stehe.

Das müsste er beobachten, er ging ja jeden Tag an der Türe des Büros vorbei. Vielleicht hätte er noch zwei Wochen bis dahin Zeit, das müsste reichen.

Er sah auf die Uhr, es war gleich elf Uhr, bevor er aber ins Bett ging, trank er noch zwei Obstler zur Beruhigung. Morgen im Büro würde er die Themen angehen, er müsste auch nochmals die Zeichnungen abändern, ihm war inzwischen klar geworden, dass die bisherigen Drahtschlingen zu lang wären. Wenn er sie zuzog gingen seine Hände über Kreuz zu weit auseinander. Das führte dazu, dass seine Kraft schnell nachlassen würde. Wenn die Schlinge kürzer wäre, käme sie beim Zuziehen schneller zur Wirkung.

Wenn die Schlinge aber kürzer wäre, wäre sie kleiner und dann ginge sie nicht mehr so leicht über den Kopf des Opfers. Das alles müsste er noch weiter verfeinern und den Sandboden im Weinkeller hinter dem Lattenverschlag würde er gut verwenden können.

So weit, bis in diese Ecke des Weinkellers kam normalerweise niemand, da war auch nichts gelagert, da könnte er unbeobachtet seine Versuche durchführen. Er wird mehrere Versuche durchführen müssen, bis alles perfekt wäre. Sein satanischer Plan hatte seine eigene Denkweise vollkommen eingenommen.

„Das mache ich so, ganz genau so. Dieser verkommenen Hure und ihrer Hurenmutter werde ich es zeigen. Hintergeht mich hinter meinem Rücken und denkt, sie könne mit ihrem Porschefreund einen Plan machen, wie sie mich loskriegt, alles Idioten. Hier mache ich den Plan, meinen eigenen Plan, einen perfekten Plan."

Florian sprach laut vor sich hin, er verkrampfte dabei und spürte wieder stechende Schmerzen in seinem Magen. Nach zwei weiteren Schnäpsen kroch er ins Bett und zog die Decke über seinen Kopf.

ଔ

Jule hatte im Briefkasten schon von außen gesehen, dass er geleert worden war, also hatte Florian den Brief. Sie war gespannt, ob er reagieren würde, in diesem Fall würde sie von Max sofort informiert. In der Weinstube wurde sie immer wieder darauf angesprochen. Dass Jule die Scheidung beantragt habe und dass Florian zum Auszug aufgefordert worden sei, war zwischenzeitlich zum Stadtgespräch in Meersburg geworden.

Jule hielt sich in ihren Äußerungen zurück, sie kommentierte meistens nur sehr allgemein.

„Ja, es stimmt, die Entscheidung ist gefallen. Wir müssen halt sehen, wie sich alles entwickelt, es ist nicht ganz so einfach, auch für meine Eltern nicht."

Für weitere Auskünfte hatte Jule auch keine Lust, die Leute sollten einfach abwarten, für die Weinstube hatte das ohnehin keine direkten Auswirkungen. Florian ging allen aus dem Weg, er richtete sein Gehen und Kommen zeitlich so ein, dass man sich nicht begegnete.

Vor zwei Tagen hatte sie ihn aus dem Weinkeller kommen sehen, beide waren erschrocken, das Zusammentreffen kam überraschend und plötzlich zustande. Florian sah schlecht aus, blass und schmächtig, seine Augen lagen tief in ihren Höhlen. Er sah krank aus oder zumindest mitgenommen, aber sie hatte für ihn kein Mitgefühl, jetzt schon gar nicht mehr.

Das Telefon ging und Vinzenz war am Apparat.

„Hallo, Vinz, schön dich zu hören, wie geht es dir, bist wohl voll eingebunden in die Vorbereitungen für eure Hausmesse?“

„Ja, Jule, so ist es, aber wie geht es dir, gibt es etwas Neues?“

„Ja, der Brief von Max ist gekommen, Florian hat ihn zu sich in die Wohnung genommen, aber was er nun macht, weiß ich auch nicht. Sollte er reagieren und mit Max Kontakt aufnehmen, erfahre ich das sofort. Gestern bin ich zufällig Florian im Treppenhaus begegnet, er kam vom Keller, was er da gemacht hat, möchte ich gerne wissen. Er sah verdammt mitgenommen aus, richtig krank, er trinkt wohl immer noch zu viel.“

„Hatte er irgendwas zu dir gesagt? Pass mir nur gut auf, der ist nicht berechenbar.“

„Er ging mit einem stieren Blick an mir vorbei, kein Wort, kein Gruß, nichts. Es wird Zeit, dass der aus dem Haus kommt.“

Vinzenz erzählte von seiner Idee, über ein Wochenende zu ihr zu kommen und ein Zimmer zu nehmen. Er fragte Jule, ob sie die Pension in Nussdorf kenne, die das Ehepaar damals geführt habe, von dem er wiederum den Mann gut kenne. Jule hielt das für eine gute Idee, er müsste nur am Sonntag und am Montag da sein, dann hätten beide zwei Tage für sich.

„Du, Vinz, mir fällt der Name gerade ein: es ist die

Pension Seeblick in Nussdorf, klein aber fein, das habe ich schon gehört. Das wäre eine schöne Möglichkeit, da wären wir auch ungestört und müssten auf niemand Rücksicht nehmen. Wenn du das einrichten könntest, wäre es toll. Versuche es nach deiner Messe, wenn es bei dir geht. Melde dich wieder, dann besprechen wir das. Sobald ich von Max etwas höre, rufe ich dich an. Mach's gut, Vinz, ich habe dich lieb, du fehlst mir."

Auch Vinzenz vermisste seine Jule, er müsste in der Pension mal anrufen. Wenn man dort gut untergebracht wäre, könnte man das öfters machen und Nussdorf war ein liebenswerter Ort, direkt am See, kurz vor Birnau, mit einem wunderschönen Naturfreibad, mit direktem Zugang zum See. Da war er mit seiner Jule in früheren Jahren sehr oft gewesen, sonntagelang hatten sie dort auf einer Decke unter den schattigen großen Bäumen gelegen und hatten ein gesundes Picknick dabei. Über eine breite Steintreppe, konnte man direkt in den See gehen. Wenn er erst wieder in der alten Heimat wäre, würde er das mit Jule nachholen.

Bei diesem Gedanken spürte Vinzenz einen Anflug von Heimweh, wenn das nur alles schneller gehen könnte. Er hatte seinen Entschluss, von Weissach wegzugehen, voll verinnerlicht, er war sehr gespannt, wann ihm Adalbert einen Kontakt mit dem möglichen neuen Arbeitgeber verschaffen würde.

Wenn dieses Thema gut abgeschlossen werden könnte, wäre der Weg nach Meersburg frei, bis dahin wäre dieser Florian sicher schon weg. Da vertraute er voll und ganz Max Vöhringer, der wird das schon machen.

Seine beiden Schicksalsfragen lagen beide in den Händen der Kanzlei Weiler & Vöhringer. Sowohl die Scheidung als auch seine berufliche Zukunft, beides musste vorangebracht werden. Jetzt, wo sämtliche Entscheidungen gefallen waren, überkam ihn eine Ungeduld, das war ihm alles zu zäh. Beruflich war Vinzenz immer ein Entscheider, der dann schnell in die Umsetzung kam. Passives Zuwarten war ihm zuwider, aber die Umstände zwangen ihn dazu.

৫ও

Max Vöhringer war sichtlich überrascht, als Florian Haas bei ihm anrief. Am Display hatte er sofort erkannt, dass der Anruf aus Friedrichshafen kam, auch die Hausnummer von ZF erkannte er, er hatte viel mit ZF zu tun.

„Guten Tag, Herr Vöhringer, hier spricht Haas, Florian Haas, Sie wissen Bescheid."

„Hallo, Herr Haas, ja, ich bin im Bilde. Sie haben mein Schreiben erhalten, was können Sie mir heute schon sagen?"

„Ich wollte Ihnen nur sagen, dass ich mich um eine Wohnung bemühe, die sollte natürlich in Friedrichshafen sein, wegen meines Arbeitsplatzes. Ich habe zwei Makler beauftragt nach einer passenden Wohnung zu suchen, das braucht aber schon noch etwas Zeit."

Max war sehr verwundert, Florian Haas verhielt sich ziemlich normal, kein Aufbrausen, keine Ausfälligkeiten. Was führte er im Schilde?

„Herr Haas, das nehme ich gerne zur Kenntnis, nur wenn es noch länger mit der neuen Wohnung dauern sollte, ist Ihrerseits ab nächstem Monat eine Miete zu bezahlen. Da komme ich noch auf Sie gesondert zu, ich möchte nur eine Vereinbarung mit Ihnen treffen, zu einem Mietvertrag wird es nicht kommen."

„Sie müssen wissen, was Sie tun, ich gehe meinen eigenen Weg und mit den Gutemanns will ich nichts mehr zu tun haben. Jule, dieses falsche Weib, ist für mich gestorben, sie existiert für mich nicht mehr, das können Sie ihr sagen, auf Wiedersehen."

Florian hatte bereits aufgelegt, jetzt zum Schluss des Telefonates wäre er fast wieder aggressiv geworden, stellte Max fest. Aber immerhin, er hatte sich gemeldet und er sucht eine Wohnung, das wären die nächsten Schritte. Max war mit dem Ergebnis des Telefonats nicht unzufrieden, er nahm den Hörer und wählte Jules Nummer.

„Hallo, Jule, es gibt die ersten Neuigkeiten: Florian hat sich soeben bei mir gemeldet, es war ein zwar kurzes Telefonat, aber ich habe deutlich gespürt, dass er sich zurückgenommen hat, also keine Beleidigungen oder ähnliches."

„Konntest du mit ihm etwas klären, wegen der Wohnung und so."

„Also, Jule, er hat mir mitgeteilt, dass er ausziehen will und zwei Makler beauftragt hat, ihm eine passende Wohnung zu suchen. Er will nach Friedrichshafen ziehen wegen seines Arbeitsplatzes, das verstehe ich. Er meinte nur, dass das noch etwas dauern könnte. Aber ich habe ihn dann darauf hingewiesen, dass er ab dem nächsten Monat Miete zahlen muss, da werde ich noch auf ihn schriftlich zukommen, er hat das wohl so akzeptiert."

„Und sonst, hat er etwas über mich gesagt?"

„Nur so viel, dass er sowohl dich als auch deine Eltern nicht mehr sehen will, du bist für ihn wohl schon gestorben, wie er es formuliert hatte. Und ich soll dir das auch sagen. In diesem Moment klang er plötzlich wieder feindlich und wurde hektisch, aber er hat danach das Gespräch von sich aus beendet und aufgelegt."

„Na gut, immerhin hat er auf dein Schreiben reagiert. Ich habe es Vinzenz schon erzählt, dass ich Florian vorgestern im Treppenhaus begegnet bin, er kam aus dem Keller und ging wortlos an mir vorbei. Aber er sah schlecht aus, eingefallen und ungepflegt, richtig krank, ich glaube, er trinkt zu viel, vor allem Schnäpse. Und ich weiß von früher, dass er dann immer aggressiv wurde, das waren die Momente, wo ich mich vor ihm gefürchtet hatte."

„Er muss selbst wissen, wie er mit sich umgeht, ich kann da gar nichts machen, Jule. Geh ihm aus dem Weg, da müssen wir jetzt durch. Rufst du Vinzenz an und informierst ihn, ansonsten würde ich das tun."

„Danke, Max, ich rufe ihn an, später gegen Abend, da hat er mehr Zeit. Übrigens, mich sprechen immer wieder Leute in der Weinstube an und fragen, ob das stimmen würde mit meiner Scheidung, das spricht man wohl in Meersburg, du kennst ja die Leute."

„Ja, ich wurde auch schon angesprochen, gab aber keine Antwort darauf ab, das darf ich auch nicht. So ganz ausweichen kannst du deinen Gästen gegenüber auch nicht, aber du kannst schon bestätigen, dass es stimmt, dass die Scheidung läuft. Aber lass dich nicht auf Einzelheiten ein, das wird immer alles herumgetragen, und lass den Vinzenz aus dem Spiel. Halt die Ohren steif, Jule, ich komme heute noch auf einen Schoppen bei dir vorbei, bis dann."

Max war ein feiner Kerl, Jule kannte ihn schon lange. Wenn er heute noch vorbeischauen sollte, dann könnte ich ihm auch von dem Telefonat mit Vinzenz berichten.

☙

Die Weinstube war an diesem Abend gut besucht, Jule bediente alleine, das schaffte sie und wenn es mehr werden sollte, würde sie drüben bei Melly anrufen, die würde dann mit aushelfen. So hatten beide das abgesprochen, Hannes mischte sich da nicht hinein, Weibersache.

Auf leisen Sohlen ging Florian die Stufen hinunter, es war halb acht Uhr, er hatte eine Kleinigkeit schon gegessen, danach einen Obstler oder auch zwei getrunken, so genau wusste er es nicht mehr, er war zu sehr angespannt. Er würde heute noch den nächsten Schritt tun, einen Jutesack hatte er in der linken Hand, als er das Hinterhaus verließ.

Sein Weg führte in die Steigstraße hinunter, dahin wo einige Lokale waren. Hinter deren Küchen, bei den Küchenabfällen, lungerten stets Katzen herum und suchten sich die Reste. In Meersburg gab es viele Katzen, viele wilde, die waren besonders scharf auf Reste von Fischessen, Felchen oder Krätzer. Infolge des immer geringer werdenden Fischfangs boten die Lokale auch Fische aus anderen Regionen an, so zum Beispiel Zander oder Forellen. Die Gäste wollten am Bodensee einfach gerne Fische essen, Süßwasserfisce, mit Butterkartoffeln und Salat, das gab es hier überall.

Florian versuchte in der Dämmerung unerkannt an einem Lokal vorbeizugehen, um nach hinten zu kommen, zwei Katzen schlichen um ihn herum. Als eine Katze sich an sein Bein anschmiegte, konnte er nicht anders, er packte sie voll am Hals, hob sie hoch und steckte sie kurzer Hand in den Jutesack. Das Tier wehrte sich und schrie, aber er drückte es mit aller Kraft in den Sack und hielt ihn oben zu. In dem Sack versuchte die Katze sich zu befreien, aber er drückte sie an die Mauer und wartete, bis es im Sack ruhiger wurde.

Dann schlich er sich hinter einigen Häusern zurück ins Haus, er konnte erkennen, dass sich Jule allein im Lokal befand. Die Lichter im ersten Stock brannten, Melly und Hannes waren also zuhause. Er drückte leise die Haustüre weiter auf und ging mit dem Sack die Treppe hinunter in den Keller, die Katze hatte sich beruhigt.

Florian ging auf leisen Sohlen an den Regalen entlang nach hinten, wo der Pflasterboden aufhörte, öffnete die Lattentüre zum Lattenverschlag, ging hinein und schloss von innen die Lattentür. Er hatte eine Taschenlampe dabei, der Lichtkegel reichte ihm, an der Wand lehnte noch der Spaten, die Katze begann wieder zu strampeln.

Aus seiner Hosentasche holte er etwas Katzentrockenfutter heraus und streute es auf den Sand vor seinen Füßen, dann griff er in den Sack, erwischte die Katze, sie kratzte ihn heftig am Unterarm und er hielt sie in die Luft. Er setzte sie vor das Katzenfutter und lockerte den Griff etwas und tatsächlich begann die Katze zu fressen.

Florian war hochgradig erregt, er schwitzte im Gesicht, sein Magen stach, aber er musste jetzt weitermachen. Er hatte sich schon beim Weggehen die Drahtschlinge um seinen Hals gehängt und unter dem Pulli versteckt. Jetzt holte er sie heraus und richtete sich auf. Beide Hände, so hatte er es mehrfach aufgezeichnet, fassten über Kreuz verschränkt in die Schlaufen, so hielt er jetzt die Schlinge vor sich hin. Die Katze fraß noch und in diesem Augenblick warf er die Schlinge dem Tier von hinten über den Hals und zog zu.

Er zog zu, so fest er nur konnte, die Katze machte einige Zuckungen, sie hing in der Luft und versuchte, irgendwo Halt zu bekommen. Florian versuchte, sie von sich weg zu halten, um nicht verletzt zu werden und tatsächlich, so, wie es in den Abhandlungen beschrieben war, das Tier bewegte sich nach einigen Sekunden nicht mehr. Er hielt weiter die Schlinge geschlossen, seine Oberarme wurden müde und schmerzten. Er kniete sich hin, die Katze lag jetzt in der Schlinge am Boden und nach etwa zwei Minuten ließ er nach. Die

Schlinge öffnete sich und die Katze fiel heraus und lag nun regungslos am Boden.

Den Beschreibungen nach musste das Tier jetzt tot sein. Er nahm den Spaten von der Wand und fing an, ein Loch in den weichen Sandboden zu graben. Er wartete noch eine kurze Zeit, im Haus war alles still, dann warf er das tote Tier in das Loch und schaufelte es zu. Mit dem Spaten machte er den Sandboden wieder eben, lehnte den Spaten an die Wand und ging langsam mit dem Jutesack, in den er die Drahtschlinge gelegt hatte, zur Treppe.

Im Hauseingang angekommen, erkannte er, dass er allein im Erdgeschoss war und ging leise die Treppe hinauf, die Stufen knarrten etwas. In der Wohnung fiel dann die ganze Anspannung von ihm ab, niemand hatte ihn gesehen. Das mit der Schlinge hatte grundsätzlich geklappt, aber die Strangulation hatte viel Kraft gekostet, das müsste er irgendwie noch besser hinbekommen. Aber den ersten Test hatte er hinter sich, er ging ins Bad und wusch sich die Hände, auf die Kratzer an seinem Unterarm gab er etwas Creme.

Er sah in den Spiegel und erschrak bei seinem Anblick. Hass schaute ihn da aus seinem Spiegel an, an seinen Nasenflügeln hatten sich an beiden Seiten zwei tiefe Falten bis zu den Mundwinkeln gebildet, jetzt im Licht des Badezimmerlichts wirkten sie besonders tief.

Sein Gesicht war deutlich gealtert. Er war gerade einmal 33 Jahre alt, wirkte aber um Jahre älter, er fühlte sich auch krank, ihm zitterten die Knie. Er ging in die Stube und holte den Schnaps aus dem Kühlschrank. Er bräuchte sicher noch ein paar Katzen, er müsste noch einige Versuche machen, er wollte ganz sicher sein. Er würde sich noch eine Melone kaufen, die etwa die Kopfgröße der beiden Weiber hätte, und dann versuchen, mit einem einzigen Schwung die Schlinge über die Melone zu ziehen. Die Drahtschlinge müsste noch kürzer sein, dann bekäme er mehr Zug auf die Enden.

Die Obstler kippte er unkontrolliert hinunter, er wurde zusehends müde und schwankte in das Schlafzimmer.

„Weiber sind wie Katzen, die haben mehrere Leben, aber gegen mich wird ihnen das nichts nützen", das Schicksal der beiden Weiber war für ihn bereits besiegelt. Noch drei Obstler, dann warf er sich in voller Montur ins Bett.

„Bald werde ich dieses Scheißbett nicht mehr benutzen müssen, dann lasse ich alles hinter mir, alles."

ℭ

Vinzenz rief in Nussdorf in der Pension Seeblick an und, als er sich mit Namen meldete, erkannte ihn die Dame am Leitungsende.

„Hallo, Vinzenz, du bist es doch, Vinzenz Weiler? Wir kennen uns doch und mit meinem Mann, dem Heiner, warst du doch lange Zeit befreundet. Wie geht es dir? Du bist doch weggezogen in Richtung Stuttgart?"

„Ja. Hallo, Birgit, nett dich zu hören, geht es euch gut? Du hast recht, ich bin vor gut fünf Jahren nach Weissach gezogen, arbeite dort bei Porsche. Manchmal habe ich auch Heimweh", er untertreibt, „und ich wollte wieder einmal zwei Tage Richtung Heimat kommen."

„Heißt das, dass du ein Quartier brauchst, wann willst du denn kommen?"

„Das ist so, ich könnte immer am Samstag anfahren und am Montag wieder zurückfahren, das wäre für mich ein verlängertes Wochenende. Ich bräuchte ein Doppelzimmer, da meine Freundin mitkäme. Birgit, hör zu, das übernächste Wochenende, das wäre dann der Samstag, der 1. September, könnte ich kommen, geht das?"

„Oh, das tut mir leid, wir sind ausgebucht und zwar noch bis Mitte September. Weißt du, Vinzenz, es sind dann alle Ferien zu Ende, dann wird es wieder leichter. Ab Mitte September könnte ich dir etwas anbieten. Du kannst gerne auch bei anderen Hotels anfragen, aber da ist es genauso. Aber ich kann mir deine Telefonnummer notieren, wenn ein Gast absagt, würde ich dich sofort anrufen."

"Ich danke dir, Birgit, dann werde ich meinen Besuch um zwei Wochen verschieben, ich melde mich dann wieder, sag deinem Heiner viele Grüße von mir, es kann gut sein, dass ich bald wieder zuhause bin, es tut sich beruflich was bei mir."

„Alles klar, Vinzenz, ich höre von dir, Grüße an Jule."

Vinzenz wird wohl sein Wiedersehen mit Jule verschieben müssen, aber es wären ja auch nur zwei Wochen. Er würde gerne bei Birgit und Heiner übernachten, das waren früher gute Bekannte und sehr nette

Leute. Birgit hatte damals das elterliche Haus nach dem Tod ihrer Eltern zusammen mit Heiner umbauen lassen und eine Frühstückspension eröffnet. Heiner kam aus Sipplingen, dem Nachbarort, und arbeitete als Kapitän auf einem Schiff der Bodenseeflotte, zumindest damals. Der war jetzt auch schon Mitte vierzig, wie die Zeit vergeht.

Tempus fugit, sagt der Lateiner.

☙

Jule setzte sich mit Melly und dem Hannes an den Stammtisch der Schönen Fischerin, sie hatte das Lokal gerade geöffnet, noch waren keine Gäste da. Sie wollte mit ihren Eltern eine Kleinigkeit vespern, Melly hatte etwas Wurst, roten Pressack, Radieschen, Tomaten, Butter und ein Stück Bergkäse hingestellt. Hannes liebte den Pressack zusammen mit einem Bauernbrot und natürlich sein Glas mit dem halbtrockenen Müller-Thurgau von der Winzergenossenschaft Meersburg.

„Hört mal zu, Mädels, ich war gestern noch bei Ludwig und bei Klaus, wir haben unsere diesjährige Bodenseetour festgelegt. Der Willi fährt auch wieder mit, dann wären wir wieder zu viert, das gibt immer zwei Doppelzimmer bei den Übernachtungen."

„Wollt ihr die große Tour machen, dann bist du ja drei bis vier Tage weg, Hannes."

Melly machte sich ein wenig Sorgen, wenn kein Mann im Hause wäre und man nicht weiß, wie sich der Florian verhalten würde.

„Ich weiß, Melly, dass ihr da alleine im Haus seid, deswegen frage ich auch. Wir wollen dieses Jahr die große Tour fahren, das wollen die anderen drei auf jeden Fall. Also von Meersburg über Bregenz, dann Rohrschach bis Konstanz und dann nach Stein am Rhein und unten rüber zurück über Radolfszell und Überlingen. Das wären dann so rund 250 Kilometer, wir möchten uns schon Zeit lassen, also könnten es schon vier Tage werden."

„Wann wollt ihr denn fahren?" fragte Jule.

Dass diese Radtour gerade in die Zeit hineinfallen würde, wo Florian noch im Haus lebte, gefiel ihr auch nicht.

„Wir wollen Anfang September fahren, der erste September ist ein Samstag, wir starten immer an einem Samstag, also haben wir uns den Samstag, den 8. September, ausgedacht, dann wären wir wieder am Dienstag in Meersburg. Wenn das Wetter unterwegs kippt und schlecht werden würde, könnten wir verkürzen und die Fähre in Konstanz nehmen."

Jule rechnete nach, sie hatte von Vinzenz schon erfahren, dass er erst ab Mitte September, also vielleicht am 15. September eine Übernachtung wird buchen können, da wäre dann der Hannes schon wieder da und Melly wäre dann nicht mehr allein. Das ginge, sie will Vinzenz auf jeden Fall in Nussdorf treffen, darauf freute sie sich schon sehr.

„Wir kriegen das schon hin, Paps, es sei denn, dass sich bis dahin etwas Überraschendes tut. Dann müssten wir uns nochmals zusammensetzen. Ich möchte schon, dass du mit deinen alten Freunden diese Tour machst, es war ja jedes Jahr schön für euch und irgendwann werdet ihr auch kürzertreten und nur noch kürzere Fahrten machen können."

„Du meinst, ihr schafft das. Melly, du auch? Ich muss ja für die Weinstube nichts vorbereiten und für meine Versicherungskunden würde ich ein Schild an die Bürotür hängen, so wie jedes Jahr. Dann kann ich also meinen Radlerfreunden Bescheid geben, die warten schon auf meine Antwort. Ich danke euch sehr."

Hätte Hannes Gutemann auch nur in Ansätzen geahnt, was sich da hinter den Rücken der drei gerade zusammenbraut, er hätte niemals so entschieden. Aber nach dem Anruf von Max mit der Information, dass sich Florian an die gestellten Auflagen halten würde, hatte sich die Anspannung bei ihm etwas gelockert.

Melly räumte ab, die ersten Gäste betraten das Lokal, Hannes gönnte sich noch einen Wein, das würde wieder eine schöne Herrenpartie werden, wie all die Jahre zuvor. Noch waren die Freunde gesund und auch körperlich in der Lage, die 250 Kilometer in vier Tagen zu schaffen. Wer weiß, wie lange sie das noch werden machen können. Und dieser Florian hatte sich offensichtlich beruhigt und hatte sich allem Anschein nach in sein Schicksal ergeben, gut so.

Aber es sollte anders kommen, vollkommen anders.

☙

Florian hatte noch einen Burger bei McDonald in Friedrichshafen gegessen, zuvor hatte er sich eine mittelgroße Wassermelone gekauft. Jetzt war er in der Wohnung und hatte eine neue Drahtschlinge vor sich liegen. Sie war kleiner, an den beiden Enden hatte er die Schlaufen geformt und die Endstücke des Drahtes um den Hauptdraht sehr eng und straff gewickelt. Die Schlaufen hielten, auch bei festem Zug. Mit beiden Händen kam er gut und schnell in die Schlaufen und, wenn er jetzt die Hände überkreuzte, hatte er vor sich die Drahtschlinge. Er versuchte jetzt mehrere Male, damit schnell über die Melone zu kommen, auch das ging und dabei musste er nicht mehr so extrem die Arme spreizen, jetzt reichte es aus, wenn er die Schlinge normal zusammenzog.

Die Schlinge hatte er aus einem noch dünneren Draht gemacht, gerade noch so dünn, dass er der Zugbelastung standhielt und nicht riss, das hatte er an der Stuhllehne ausprobiert. Er hatte zu diesem Zweck, den Draht um das Rückenteil der Lehne geschlagen und immer wieder kräftig zugezogen.

Das Holz der Lehne war bereits etwas eingesägt, aber der Draht hatte der Belastung standgehalten. Denn je dünner der Draht war, dachte Florian, desto mehr schnitt er zwar in die Haut am Hals der Opfer ein, er durfte nur nicht die Haut verletzen. Er war überzeugt, dass man bei einem sehr dünnen Draht am Hals keine Strangulierungsspuren erkennen könnte. Vor allem dann nicht, wenn die Leichen schon einige Tage im Wasser gelegen hätten. Wasserleichen haben immer diese aufgedunsenen Körper, das kennt er von den Krimis im Fernsehen. Man wird sie nicht gleich finden, da können schon Tage vergehen, vielleicht auch Wochen.

ଓଃ

Heute hatte ihm bereits ein Makler zwei Wohnungen angeboten, gar nicht so übel. Am Rande von Friedrichshafen gelegen, mit kleinen Einbauküchen und Bädern mit Duschen, wie das eben alleinstehende Mieter brauchen. Er würde mit dem Makler einen Besichtigungstermin vereinbaren, eine der Wohnungen war bereits frei, die zweite würde jetzt zum Monatsultimo frei. Da fiel ihm ein, dass dieser Anwalt Vöhringer im angekündigt hatte, dass er ab dem nächsten Monat eine Miete wird zahlen müssen. Egal, der würde sich schon melden, er hatte jetzt Wichtigeres zu tun. Er würde dafür an Jule kein Haushaltsgeld mehr zahlen, diese Schlampe sieht von mir keinen Cent mehr, giftete Florian vor sich hin.

Morgen wäre Freitag, da bliebe ihm das Wochenende, er hatte Angst, dass ihm die Zeit weglaufen könnte. Er müsste noch weitere Versuche machen, dazu bräuchte er weitere Katzen, und zwar mehrere, er wusste auch schon, wo und wie er sie einfangen könnte. Der Jutesack war zu auffällig, er hatte im Büro einen alten Pilotenkoffer entdeckt, der schloss gut ab, ließ ausreichend Luft hinein und war durch die rechteckige Form auch praktisch und vor allem unauffällig.

Florian war mit sich zufrieden, er fühlte sich wie der Herr über Leben und Tod. Er würde den Tod bringen, ihm und nur ihm würde es vorbehalten sein, den Zeitpunkt und den Ort zu bestimmen, wann es geschehen sollte.

Er würde die beiden Leichen in Mellys altem Golf wegbringen. Hannes wäre zu diesem Zeitpunkt auf seiner Radtour, der dürfte jetzt bald, so wie jedes Jahr, seinen Zettel mit seiner Abwesenheitsdauer an die Bürotür heften.

Und dann würde der See alle verschlingen. Gleich hinter der Haltnau, wenn man von Hagnau die schmale Straße in Richtung Meersburg lief, da würde er eine geeignete Stelle noch auskundschaften, wo es sofort in den See ging und das Ufer steil genug wäre. Aber da musste er noch hin, er müsste die Stelle genau festlegen, wahrscheinlich kurz bevor die Straße gesperrt war. Es sollte so aussehen, wie wenn Melly, sie wird auf der Fahrerseite sitzen, dieser Sperre hätte ausweichen wollen und dabei auf der schrägen Wiese die Gewalt über das Auto verloren hätte und direkt in den See gerutscht wäre. Er würde daher mit dem Golf über Hagnau kommen müssen, das war auch besser, da würde man ihn nicht erkennen.

Alles eine Sache der Planung und Ausführung. Strategie, Konzept, Umsetzung, das hatte er im letzten Seminar in Lech gelernt. Seminare dienen stets der Weiterbildung und Bildung war wichtig, zumindest hatte dies der Seminarleiter so erklärt.

☙

Der August war nun vorbei, der September war da. Die Badesaison ging ihrem Ende entgegen, die Schulen hatten wieder begonnen, das Leben normalisierte sich zusehends. Die Lokale an der Uferpromenade waren deutlich weniger gefüllt. Wenn es noch einen sonnigen September geben könnte, wäre das ein reizvoller Ausklang der diesjährigen Saison.

Die Sommersaison in diesem Jahr war ohnehin eine gute gewesen, das Wetter war in den letzten Wochen stabil und verlässlich, die Hotels waren ausgebucht und die Lokale gut besucht gewesen. Jetzt kamen noch die Nachzügler, die ohne schulpflichtige Kinder, meistens etwas ältere Leute, es ging ruhiger zu.

Bei Max Vöhringer lag die Akte Haas gegen Haas auf dem Tisch, er hatte eine Wiedervorlage für Anfang September vorgegeben. Florian Haas war immer noch in dem Gutemann-Haus und er musste ihm schreiben. Dieser Haas muss mehr Druck bekommen.

Das Schreiben würde zum Inhalt haben, dass Max einen aktuellen Stand hinsichtlich der Wohnungssuche von Florian Haas haben möchte.

Darüber hinaus würde er ab September eine Monatsmiete für die inzwischen von ihm genutzte Wohnung verlangen. Er wird Florian eine Duldungsmiete von monatlich 600,00 Euro abverlangen, das wäre für Meersburg und für die Wohnungsgröße als günstig einzustufen, Nebenkosten kämen noch dazu. Viel wichtiger für Max wäre aber ein verbindlicher Auszugstermin, er stellte sich dabei einen Termin Ende September vor. Er würde deswegen auch Florian anbieten, nachträglich auf die Septembermiete zu verzichten, sofern ein Auszug bis Ende dieses Monats erfolgen könnte.

Das hatte Max Vöhringer so mit Hannes Gutemann

besprochen, Jule musste er dabei herauslassen, da Hannes Gutemann der Hauseigentümer war. Er hatte den Hannes noch gestern am Telefon erreicht und dabei erfahren, dass er am kommenden Samstag mit seinen drei Freunden wieder auf die jährliche Radtour rund um den Bodensee gehen würde. Bei diesem Telefonat hatte auch Hannes Gutemann seine Bedenken angemeldet, beide Frauen allein im Haus zu lassen, aber Max hatte ihn beruhigt, er war der Meinung, dass Florian Haas keine unbedachten Dinge unternehmen würde.

Das Schreiben der Kanzlei verließ noch am 30. August das Haus, Florian würde es am 1. September im Briefkasten vorfinden. Dann erwartete Max Vöhringer noch in der folgenden Woche eine Antwort von ihm.

Max Vöhringer wird aber noch darauf warten müssen, Florian hatte sich inzwischen völlig andere Prioritäten gesetzt. Todbringende Prioritäten.

☙

Am Abend telefonierte Jule mit Vinzenz. In der Weinstube war nicht sonderlich viel los, es war schon halb zehn Uhr und Jule hatte große Sehnsucht nach ihrem Vinzenz.

„Vinz, ich freue mich schon so auf das Wiedersehen. Aber jetzt geht erstmal der Hannes am Samstag auf seine jährliche Radtour, da sind wir dann alleine im Haus, aber wir sind der Meinung, dass sich Florian in dieser Zeit zurückhalten wird. Max hat ihm geschrieben und verlangt eine Auskunft hinsichtlich des Auszugstermins. Seit dem letzten Kontakt im Treppenhaus habe ich Florian nicht mehr getroffen, er verhält sich schon eigenartig, weicht ständig aus, er geht und kommt so, dass die Wahrscheinlichkeit einer Begegnung gleich null ist."

„Auch ich habe mit Max telefoniert, er meint, er könnte Florian „aushungern", wie er es formuliert, er will ihm immer weniger Spielraum lassen, bis er aufgibt und geht. Das wäre für uns dann endlich der Moment, wo wir uns wieder in deiner Wohnung treffen könnten. Bis ich mich beruflich entschieden habe und dann Weissach verlasse, wäre das unser Nest, das wäre meine Zuflucht zu dir nach Meersburg. Zuvor werde ich gleich morgen für den 15. September ein Zimmer bei Birgit buchen, dann ist das auch fest."

„Ja, Vinz, mach das, da machen wir uns zwei schöne Tage. Wenn du willst, kannst du ja schon an dem Samstag in der Weinstube abends bei mir vorbeikommen, das würde mich freuen."

„O.k., Jule, das können wir uns alles noch überlegen, auf jeden Fall komme ich an diesem Wochenende an den See. Und wenn es sich einrichten lässt, könnte ich über Adalbert schon ein Vorgespräch hinsichtlich meiner künftigen beruflichen Tätigkeit terminieren, auch der Bereich muss vorangebracht werden."

Vinzenz war zufrieden, es waren nur noch zwei Wochen bis zu dem vereinbarten Wochenende und beruflich, da vertraute er seinem Bruder, wird sich auch etwas tun. Was Weissach betraf, hatte sich Vinzenz zwischenzeitlich seine eigene Meinung gebildet. Dort stand er ständig unter dem Druck der Öffentlichkeit und vor allem der Fachpresse. Hier wollte sich Porsche immer von der besten Seite zeigen, da durfte gar nichts schief gehen, alles nur Marketing und Image. Und dann noch die diversen Bereiche der Antriebstechnik. Da Benzinmotoren, dort Hybridtechnik und seit Neuem der Elektroantrieb. Alles war in der Weiterentwicklung und im Test und immer musste es auf Porscheniveau sein, immer das Beste und das Sportlichste.

Davon möchte sich Vinzenz etwas abnabeln. Entwicklung, ja, aber ohne den Öffentlichkeitsrummel, das war ihm inzwischen zu aufgesetzt. Da würde er bei seiner künftigen Aufgabe genau hinsehen, einem solchen Verschleiß will er sich nicht mehr ausgesetzt sehen.

„Gute Nacht, Jule, alles wird gut, grüß mir deine Eltern, wir sehen uns bald."

Nein, sagte der Schicksalsengel, nein, ihr seht euch gar nicht mehr. Es wird anders kommen, vollkommen anders, er weiß sogar schon wie. Engel sind höhere Wesen mit Begabungen, die uns einfachen Erdenmenschen nicht gegeben sind. Über der Zukunft von Vinzenz und Jule hingen Wolken, dunkle Wolken, Winde zogen auf.

ೞ

Florian hatte das Schreiben von Max vor sich liegen, es lag neben der Wassermelone, die schon einige Schürfflecken von dem dünnen Draht der Schlinge abbekommen hatte. Den Ablauf seines Planes hatte er nochmals leicht geändert, es war jetzt alles festgeschrieben und der Plan lag in der untersten Schublade seines Schreibtisches bei ZF, da sieht niemand rein. Das Schreiben der Kanzlei würde er zunächst nicht beantworten, vielleicht nächste Woche, jetzt hatte er etwas Wichtigeres zu tun.

Es war Dienstag und er hatte in den letzten Tagen drei weitere Katzen erdrosselt, er ging schon routiniert vor. Wichtig waren für ihn die Zeitabläufe. Er zählte die Sekunden stets leise mit, es reichten schon zehn Sekunden, bis die Katze schlaff wurde und ohnmächtig in der Schlinge hing. Aber er musste sicher sein und bis dann der Tod eingetreten war, dauerte es immer noch eine Minute. Aus den Abhandlungen wusste er, dass das beim Menschen zwei Minuten im Schnitt dauern würde. Zwei Minuten kräftiges Ziehen war ein Kraftakt, da lag noch seine Schwachstelle, er war zwar zäh, aber bei einer Dauerbelastung ermüdete er schnell.

Heute würde er noch weitere Katze hinrichten, er müsste dazu noch aus dem Haus gehen, unerkannt, und würde sich die Tiere suchen. Dieses Mal würde er auch eine kräftigere Katze nehmen, mit dickem Hals und insgesamt schwerer, er muss sich herantasten an die Endstufe der Vernichtung.

„Wenn ich erst die Weiber in der Schlinge habe, darf es kein Entrinnen geben, das muss perfekt sein."

Sein Wahn und seine Rachegedanken hatten ihn in Gänze erreicht, selbst in seinem Büro beschäftigte er sich nur noch mit diesem Thema. Einige Kollegen schüttelten die Köpfe, Florian Haas war noch zurückhaltender und komischer geworden und mied den Kontakt zum Team vollständig. Keiner blickte bei ihm durch.

Sein Vorgesetzter beobachtete Florian schon seit der letzten Seminarwoche in Lech, er sah die Entwicklung seines Mitarbeiters mit großer Sorge. In der Seminarwoche wurde nicht nur Wissen vermittelt, darüber hinaus hatten Trainer die Aufgabe, den Teamgedanken weiter zu entwickeln. Florian machte dabei in allen Übungen und Spielen eine schlechte Figur. Die Trainer hatten am Ende der Seminarwoche mit Florians Abteilungsleiter ein Gespräch mit dem Ergebnis, dass Florian grundsätzlich als nicht teamfähig eingestuft wurde, seine soziale Kompetenz sei kaum ausgeprägt, seine Öffnungsbereitschaft minimal.

Man wird mit ihm ein offenes Gespräch führen müssen, dachte sein Vorgesetzter, er würde sich aber vorher noch mit dem Betriebsratsvorsitzenden abstimmen, der auch in Lech mit dabei war und die schwache Beurteilung Florians kannte.

ꕤ

Am Donnerstag sah Florian endlich das Papier an Hannes Gutemanns Bürotür. Hannes wird am Samstag zu seiner Radtour starten, jetzt wird es eng. Die fette Katze hatte er fangen können, sie hatte einige Sekunden länger in der Schlinge gehangen, bis die Bewusstlosigkeit eingetreten war, danach hat er noch drei weitere Tiere im Keller erdrosselt, alles zwar keine Menschen, aber immer der gleiche Ablauf. Die Schlinge funktionierte, seine Kräfte dürften ausreichen. Bis zum Samstag hatte er noch zwei Tage Zeit, die müsste er nutzen. Für die kommende Woche würde er morgen in der Firma Urlaub beantragen, er plante nach der Tat eventuell wegzufahren.

Dann überlegte er es sich mit dem Anwaltsbrief noch einmal und rief nun doch noch an. Man müsste sich jetzt unauffällig geben, dachte er, alles sollte normal aussehen.

„Hallo, Herr Dr. Vöhringer, hier ist Florian Haas. Ich wollte Ihnen nur mitteilen, dass ich gestern eine Wohnung bereits angesehen habe und dass ich sie wahrscheinlich auch nehmen werde. Ich könnte also Ende September schon ausgezogen sein. Wenn Sie sich das mit der Monatsmiete nochmals überlegen, sonst zahle ich doppelte Miete."

„O.k., Herr Haas, ich nehme das mal so zur Kenntnis. Dann vereinbaren wir jetzt, dass die Miete für September nicht berechnet wird, sofern sie bis Ende des Monats ausgezogen sind, ist das so o.k.?"

„Ja, das wäre gut, ich melde mich wieder."

Max war damit zufrieden, lieber bringen wir ihn schon in diesem Monat freiwillig aus der Wohnung und aus der Nähe Jules weg und verzichten dafür auf die eine Miete. Das ergibt mehr Sinn, dachte er. Ich werde das Jule berichten, vielleicht gehe ich auch heute noch zu ihr, es war Donnerstag, das würde gut passen.

Was Max Vöhringer nicht wusste, war, dass Florian Haas, während Max in der Weinstube saß und Jule informierte, nochmals zwei Katzen einfing und im Keller hinrichtete. Er ging nun schon sehr routiniert vor und bei ihm trat nun eine gewisse Sicherheit ein, so dass er jetzt so weit war und aus seiner Sicht der Tag seiner großen Rache kommen konnte.

Später, von der Wohnung aus, beobachtete er, was genau geschah, wenn Jule im Lokal Schluss machte. Wenn viel los war, war auch immer noch Melly dabei und samstags war immer viel los. Wie er feststellte, räumten beide noch zusammen ab, aber dann ging Jule als erste über den Innenhof ins Hintergebäude. Im Hof brannte noch eine Außenlampe, mit einer Zeitschaltuhr gekoppelt. Später dann verließ Melly die Weinstube und schloss ab. Zwischen Jule und Melly lagen fast immer fünf bis sechs Minuten, das würde ihm genügen. Er musste beide im Eingang zum Treppenhaus erwischen. Wenn er sie in den Keller locken würde, müsste er beide wieder nach oben bringen, das würde er nicht schaffen.

Mellys alter VW-Golf stand immer vor der letzten Garage, sie brauchte ihn selten. Florian war bekannt, dass der Autoschlüssel immer an dem Schlüsselbrett in der Küche der Weinstube hing, da würde er ihn dann holen, auch das würde passen.

Die Urlaubsgäste im vorderen Gästehaus hatten in den Zimmern alle ihre Fenster zum Schlossplatz hin, zum Innenhof sind lediglich die Flure zu den Zimmern. Es waren meistens Stammgäste, ältere Herrschaften, die schon zeitig schlafen gingen. Er hatte es in den letzten Wochen überprüft, da waren ab elf Uhr abends die Lichter schon aus.

Wo er sich noch gar nicht sicher war, war die Frage, ob er nach vollbrachter Tat ein paar Tage wegfahren sollte, denn das könnte auch wie eine Flucht aussehen und er wollte ja jedem Anfangsverdacht aus dem Wege gehen. Wenn er aber bliebe, käme er unmittelbar mit

Hannes Gutemann in Konflikt, wenn dieser von der Radtour zurückkäme und er die beiden Frauen nicht mehr vorfinden würde. Käme Hannes beispielsweise am Dienstag zurück, wäre bereits an diesem Tag die Weinstube ohne Angabe von Gründen geschlossen geblieben.

Das müsste er noch einmal überdenken, das wäre noch der einzige offene Punkt. Er versuchte, heute keinen Alkohol zu trinken, er musste nüchtern bleiben, jetzt wo es auf die Zielgerade zuging. Auf der Ziellinie zum Tod.

ↈ

Max Vöhringer hatte immer donnerstags seinen Herrenabend, da traf er sich mit einem kleinen Freundeskreis im Gasthaus Bären, so auch an diesem Donnerstag. Gegen halb zehn Uhr löste sich die Runde auf und Max ging noch die wenigen Meter bis zur Schönen Fischerin, er wollte noch mit Jule reden.

In der Weinstube war noch reger Betrieb, Jule bediente und Melly stand hinter dem Tresen, am Stammtisch erkannte er den Hannes Gutemann und setzte sich zu ihm.

„Hallo, Hannes, gut siehst du aus. Du musst in deinem Büro ein Südfenster haben, so sonnenverwöhnt schaust du aus. Ich habe gehört, dass du übermorgen auf deine jährliche Radtour gehst, ist alles vorbereitet?"

„Hallo, Max, ja, ich habe alles vorbereitet, es wird schon gut gehen, wenn ich nicht da bin. Gibt es etwas Neues von dem Herrn Haas?"

Jule kam an den Tisch und gab Max Vöhringer die Hand.

„Grüß dich, Max, darf es noch ein Wein sein? Müller Thurgau halbtrocken, wie immer? Bringe ihn gleich."

„Wenn du ein paar Minuten Zeit hast, ich möchte euch den neuesten Stand in Sachen Florian Haas erzählen. Keine Sorge, es sieht gut aus."

Jule stellte Max das Glas mit dem Wein hin und setzte sich kurz dazu, die Gäste waren gerade alle bedient.

„Also, Jule, ich hatte ja den Florian nochmals angeschrieben und von ihm einen aktuellen Bericht bezüglich eines Auszuges gefordert. Und ich war überrascht, dass er heute schon zurückgerufen hat. Er hat mir erklärt, dass er wahrscheinlich eine Wohnung in Friedrichshafen gefunden hat, die auch frei wäre, und dass er sich in der kommenden Woche entscheiden wird."

„Was meinst du, Max, wann er ausziehen wird?" Jule war auf die Antwort gespannt.

„Er sagte mir, dass er dann noch im September, also noch in diesem Monat, ausziehen würde. Dabei hat er mich gebeten, doch die angekündigte Miete für den September zu überdenken, er muss auch noch den Makler bezahlen und hat auch Umzugskosten."

„Weißt du, Max", Hannes schaltet sich ein, er war schließlich der Hauseigentümer, „wenn er in diesem Monat ausziehen würde, wäre mir die Miete egal, Hauptsache er wäre draußen, verstehst du, dann wäre Ruhe im Haus und Jule könnte wieder in ihre Wohnung zurück."

„Also, das habe ich ihm auch zugesagt. Wenn er noch im September auszieht, werden wir keine Miete mehr verlangen. Ich sehe das genauso."

Jule zeigte sich erleichtert. Dass das nun doch so schnell gehen würde, hatte sie nicht erwartet, da hatte sie mit Florian schon andere, schlimmere Erfahrungen machen müssen.

„Ich traue dem Braten noch nicht ganz, der Kerl ist hinterhältig, so zahm kenne ich ihn nicht. Aber immerhin, diese Aussage ist besser als gar keine oder eine widerwärtige. Gerade im Hinblick, dass der Hannes ein paar Tage weg ist, beruhigt das etwas, danke dir sehr, Max, dass du noch vorbeigekommen bist."

Jule musste wieder in den Service, Max wollte bezahlen, aber Hannes lud ihn ein.

„Eine gute Nachricht ist immer was wert, du bist heute mein Gast, Max. Gute Nacht und danke für deinen Besuch."

Als Max die Weinstube verließ, zeigte die Uhr halb elf, einige Gäste wollten bezahlen, es war eine allgemeine Aufbruchsstimmung da. Hannes war jetzt beruhigt, das war eine gute Nachricht gewesen. Der Florian wird doch noch einsichtig, dachte er, da wird die Radtour ohne Belastungen losgehen können.

Als Hannes aufstand und über den Hof ins Hinterhaus ging, wurde er von Florian aus dem zweiten Stock beobachtet. Florian stand im dunklen Zimmer, damit er nicht erkannt werden konnte, in der linken Hand hatte er seine abgenommene Armbanduhr und zählte die Minuten. Auch an diesem Abend war es wie in den letzten Tagen. Erst kam Jule aus dem Lokal und ging über den Hof ins Hinterhaus, die Türe war im Sommer immer nur angelehnt, von dem Hoflicht fiel ein schmaler Strahl ins Treppenhaus. Um die Treppenbeleuchtung anzumachen, musste man noch zwei Schritte machen, dann konnte man den Schalter erreichen. Das waren für Florian die entscheidenden Sekunden. Bis dann Melly abschloss und zum Hinterhaus hinüberging, dauerte es heute elf Minuten, Florian notierte es. So viele Minuten bräuchte er zwar nicht, aber es war gut so.

Im Keller war er auch schon gewesen. Zwei weitere Katzen sind ihm in die Hände gelaufen und mussten mit ihrem Leben bezahlen. Er hatte inzwischen ein zweites Loch hinter dem Lattenverschlag ausgraben müssen, das zweite Katzengrab in dem feuchten Sandboden. Der Sandboden war glatt eingeebnet, er hatte alle Spuren verwischt. Er hatte auch heute drei Versuchsdrahtschlingen und den restlichen Draht mit vergraben, er hatte jetzt noch eine Schlinge, die eine, die er für die Tat bräuchte. Sie war die Endstufe seiner Versuchsreihe, die Königin der Drahtschlingen, seine Königin. Er wird sie als Andenken aufbewahren, als Erinnerung und als den Beweis für seinen großen Tag der Rache.

Samstag wird es endlich so weit sein, morgen wird er keinen Katzenversuch mehr machen, er wusste jetzt alles.

Jule, Melly und auch der Hannes aber wussten und ahnten von nichts. Max Vöhringer konnte sie heute beruhigen, morgen würde Jule ihren Vinzenz anrufen, dem wird die Nachricht von Max gefallen.

Florian hatte alles im Griff, im Griff des Satans.

ଓ

Florian Haas war am Freitag nochmals im Büro, er verspürte eine innere Unruhe. In der wöchentlichen Bürobesprechung immer am Freitag, war er nicht bei der Sache gewesen, seine Gedanken waren weit weg. Unkonzentriert und verstört wirkte er auf seine Kollegen, seine Antworten waren fahrig, sein Abteilungsleiter Schmidinger beobachtete ihn mit einem nachdenklichen Gesicht.

Florian hatte für die kommende Woche Urlaub beantragt, Schmidinger hoffte, dass er sich in dieser Woche etwas erholen könnte, das geplante Gespräch würde er dann nach dieser Urlaubswoche mit ihm führen. Noch wusste Schmidinger aber nicht, dass es dazu nicht mehr kommen würde.

Nach dem Freitagsteamgespräch arbeitete Florian noch die wichtigsten Terminsachen ab, für die eine Woche Urlaub wollte er keine Übergabe an einen Kollegen machen. Auch die Skizzen für die Drahtschlingen und auch die Aufzeichnungen und die zahlreichen Downloadkopien zum Thema „Tod durch Strangulation" legte er unter zwei alte Ordner, die nicht gebraucht wurden. Dies alles legte er in die unterste Schublade in seinem Schreibtisch auf der linken Seite, da sieht ohnehin niemand hinein. Nach der Tat, wenn sich alles beruhigt hätte, würde er dann diese Dinge vernichten. Nach seinem Urlaub könnte er dies dann in Ruhe tun.

Als er am Nachmittag seinen Schreibtisch aufräumte und sich zum Gehen bereit machte, nahm er noch die beiden Schnapsflaschen mit, die er in der zweiten Schublade versteckt hatte. Bodenseeobstler, 42 %, bekannte Brennerei, eine Flasche war noch voll, die zweite schon halb leer. Er sah sich um, ob er eventuell beobachtet würde, und nahm dann einen kräftigen Schluck aus der Pulle. Der Obstler brannte Florian die Speiseröhre hinunter bis zu seinem Magen, er musste aufstoßen und der Alkohol kam ihm in die Nase. Er bückte sich hinter seinen Schreibtisch und trank nochmals aus der Flasche. Beide Flaschen steckte er zwischen diversen Papieren in seine Aktentasche, so dass sie nicht klirren konnten, wenn er ginge. Florian blickte sich noch kurz in dem Großraumbüro um, auch die anderen räumten zusammen.

Als er sich ins Wochenende verabschiedete, spürte er bereits den Alkohol. Er winkte dem Team zu, er wollte keine Hand geben, es sollte niemand den Schnaps riechen. Aber sein Gang war schon leicht schwankend, er musste sich am Schreibtisch festhalten und ging sehr langsam.

„Schönen Urlaub, gute Erholung“, hörte er noch, dann war er auf dem Gang. Bis zu seinem Auto begegnete er niemandem, dann setzte er sich erst einmal ins Fahrzeug und atmete tief durch, ein entscheidendes Wochenende erwartete ihn.

☙

Jule hatte noch in der Donnerstagnacht mit Vinzenz sprechen können, sie hatte ihn über die Nachricht von Max informiert. Vinzenz fand das eine gute Nachricht und einen Fingerzeig, wie es weitergehen könnte. Schon für nächstes Wochenende konnte er gestern in Nussdorf in der Pension Seeblick ein Doppelzimmer reservieren.

„Ich freue mich schon sehr auf unser Wiedersehen. Und stell dir vor, das Zimmer habe ich nur bekommen, weil ein Ehepaar aus familiären Gründen eine Woche früher abreisen wird. Die Birgit hat mich sofort informiert, Glück gehabt, Jule."

„Ja, Glück für uns. Wenn ich mir überlege, dass es dann nur noch zwei Wochen sind, bis meine Wohnung leer sein wird, dann kommen wir unserem Ziel immer näher. In den kommenden Wochen werde ich natürlich einiges zu entsorgen haben. Alles was mit Florian zusammenhängt kommt raus, da dürfte nicht mehr viel übrigbleiben. Aber das möchte ich mit dir machen und wahrscheinlich werde ich auch in der Wohnung bei der Gelegenheit einiges renovieren lassen, gerade das Bad und auch die Küche, ein neues Schlafzimmer kaufen wir dann gemeinsam, Vinz, es ist dann unser Schlafzimmer."

☙

Beide planten ihre Zukunft und fühlten sich im Aufbruch. Wenn Vinzenz wieder am Bodensee arbeiten sollte, würde er sicherlich zuerst zu seiner Jule in die Wohnung ziehen, langfristig gesehen schwebte ihm aber schon ein Haus vor, er hatte ja schließlich auch Kinder geplant und Kinder bräuchten Platz und einen Garten und Nachbarn mit Kindern usw.

„Mach es gut, Jule, ich rufe dich morgen nochmals an, nach dem Teammeeting so gegen Abend, dann habe ich etwas Zeit. Am Wochenende ist dann die Hausmesse, da bin ich voll eingespannt, jeder will von mir etwas wissen. Der Samstag ist der erste Tag, das ist die Hauptveranstaltung, das Fernsehen ist komplett da, mehrere Sender. Der Sonntag beginnt erst um elf Uhr und läuft gegen fünf Uhr aus, da ist die Teststrecke im Halbstundentakt belegt, da raucht der Gummi auf dem Asphalt. Ich habe einige Kunden, mit denen ich ein paar scharfe Runden drehen werde, da bin ich auch nicht erreichbar."

Vinzenz war schon ein interessanter Bursche, sie konnte sich ihn gut vorstellen, wenn er im Gespräch mit seinen Kunden die neuesten technischen Entwicklungen erklärte. Das lag ihm, da gewann er auch immer viele Sympathien, hoffentlich gibt ihm seine neue berufliche Aufgabe auch die Möglichkeit, sich ähnlich beweisen zu können.

„Gute Nacht, lieber Vinzenz. Schlaf ruhig, alles wird gut".

Jule legte sichtlich zufrieden den Hörer auf. Sie war jetzt doch voller Hoffnung, dass sich alle zum Guten wenden wird.

Kapitel 15

Die Bergung

Wie ein Lauffeuer spricht es sich herum, dass die Polizei gerade dabei wäre, ein Fahrzeug hinter der Haltnau aus dem See zu bergen. Da hat natürlich auch das Ehepaar Haasis kräftig dazu beigetragen, beide haben es vorgezogen noch in Meersburg zu bleiben, sind inzwischen auch vor Ort und stehen jetzt im Mittelpunkt der Gespräche, die Lokalzeitung macht gerade ein Interview mit ihnen. Gudrun Haasis hat noch schnell auf der Toilette der Haltnau ihre Frisur überprüft und nachgestylt.

Am See sind jetzt die Taucher schon dabei, in ihre Taucheranzüge zu schlüpfen, für diese Tätigkeiten in der Tiefe ist eine Sauerstoffflasche vorgeschrieben, auch Helmlampen und Handlampen mit großer Leuchtkraft kommen zum Einsatz. Sturm hat voll das Kommando übernommen, seine Leute schlagen Eisenstäbe in den Boden und sichern mit rotweißen Bändern den Bereich am Ufer ab. Sie versuchen die schnell steigende Anzahl der Zuschauer auf Distanz zu halten.

Auskünfte werden noch keine erteilt, man weiß auch noch zu wenig. Drei Taucher verschwinden im Wasser, alle Beteiligten sind äußerst angespannt. Tilmann Merk steht direkt am Wasser und beobachtet den Fortgang des Geschehens. Nach drei Minuten taucht ein Taucher wieder auf und gibt mit der Hand ein Zeichen. Daumen nach oben bedeutet: Ja, wir haben etwas entdeckt. Er schwimmt in Richtung Ufer, Sturm steht jetzt auch schon auf dem Kies und wartet auf die Information.

„Herr Hauptkommissar, wir haben ein Fahrzeug entdeckt. Es ist ein VW Golf. Ich war nahe an dem Auto dran und konnte hineinsehen, da sind zwei weibliche Personen auf den Vordersitzen. Das Fahrzeug muss herausgezogen werden."

Das ist es, natürlich, endlich. Eustachius Sturm ist überzeugt, dass es das gesuchte Fahrzeug ist und dass die zwei weiblichen Personen auf den Vordersitzen Melly und ihre Tochter Jule sind, es kann gar nicht anders sein. Die Verantwortlichen beraten, wie weiter verfahren werden soll. Dann kommt auch der Leiter des Technischen Dienstes an. Ein Kran, meint dieser, der ein mit Wasser gefülltes Auto herausheben könnte, stünde zwar zur Verfügung und wäre auch zu organisieren, hätte aber an dem steilen Ufer keinen Halt.

„Der kippt uns da weg, wir können überhaupt kein Gegengewicht aufbauen, es ist viel zu gefährlich, wir haben da keinen stabilen Untergrund. Was wir aber machen können, wäre, ein Abschleppfahrzeug möglichst dicht ans Ufer zu fahren und versuchen, mit einem Stahlseil an das gesunkene Auto zu kommen."

Man entschließt sich also, ein inzwischen bereitstehendes Abschleppfahrzeug dicht am Ufer abzustellen und es abzusichern. Das große Fahrzeug wird durch die Absperrung gelassen und, so weit es geht, an das Wasser herangefahren. Das Stahlseil wird von der Winde abgerollt und zunächst bis zum Wasser gelegt. Zwei Taucher greifen nach dem großen Haken. Mit der Winde soll dann versucht werden, das Fahrzeug herauszuziehen.

Es kommen immer mehr Menschen, die Polizei hat zu tun, sie zurückzuhalten. Irgendjemand muss den Hannes Gutemann informiert haben und einer seiner Radfreunde hat ihn sofort in seinem Auto mitgenommen und ist zur Haltnau gefahren. Er steht jetzt gerade bei seinem Freund Walter Steinmeier und hält sich an ihm fest, ihm zittern die Beine. Steinmeier ruft eine Beamtin, die ihm aus dem Mannschaftswagen einen Klappstuhl bringt.

ଓ

Der Abschleppwagen mit der Seilwinde wird noch weiter mit großen Metallkeilen blockiert, man braucht einen standsicheren Grund. Zu dem Gewicht des Fahrzeuges unter Wasser muss an Land ein Gegengewicht aufgebaut werden. Noch mehr Seil wird von der Winde gelassen, es ist aber ausreichend lang, solche Längen werden bei ähnlichen Havarien am See immer gebraucht. Die beiden Taucher erhalten jetzt ihr Kommando, sie übernehmen das Seilende mit dem Eisenhaken daran und verschwinden im Wasser, ein Techniker gibt das Seil mit der Hand meterweise frei. Dann stoppt das Seil, die Taucher haben wohl das Fahrzeug erreicht. Ein Taucher kommt nach oben und gibt das Zeichen, langsam das Seil einzuholen.

Jetzt wissen die Zuschauer, dass der entscheidende Augenblick gekommen ist, die Blitzlichter der Fotografen machen die Szene noch gespenstischer. Hannes

Gutemann atmet schwer, er war doch noch vor ein paar Tagen sehr sportlich auf seinem Rad gesessen und jetzt fühlt er sich total schwach, sein ganzer Körper zittert. Er hat Angst davor, dass eine furchtbare Erkenntnis in wenigen Minuten ihn ergreifen wird.

Das Seil spannt, aber es bewegt sich langsam. Damit ein Abreißen verhindert wird, schwimmen auf beiden Seiten Taucher nebenher und beobachten den Grund.

Das vorsichtig gezogene Fahrzeug darf sich nicht verhängen. Einen Taucher kann man halb erkennen, er schaut mit dem Helm schon aus dem Wasser, er hat Kontakt mit seinen Kollegen unter Wasser, ein eingespieltes Team. Der Motor des Abschleppwagens dröhnt laut und übertönt die Rufe der Beobachter. Die Winde dreht sich langsam, das Seil hält die Belastung aus, aber da hält der Taucher die rechte Hand nach oben und die Winde stoppt.

Der Taucher informiert Sturm, dass sich das Fahrzeug gerade an einer Bodenkante auf dem Ufergrund verkanntet hätte und man versuche zunächst, mit Stangen die Hinterachse über diese Kante zu bringen. Also ganz langsam anziehen, Stück für Stück. Zweimal ruckt und stockt die Winde, dann hat man wohl die Kante überwunden und das Seil wird weiter langsam eingezogen.

Und dann geht ein Aufschrei durch die Menschenmenge, man erkennt bereits das Dach des Fahrzeuges, wieder wird der Vorgang gestoppt. Hannes Gutemann erkennt als erster das Fahrzeug, es ist Mellys Golf, dann wird er ohnmächtig. Ein Helfer aus dem Notarztwagen kommt mit einer Trage, Hannes Gutemann wird von einem Sanitäter versorgt.

Kriminalhauptkommissar Sturm gibt die Anweisung, dass die Zuschauer weiter zurücktreten sollen, die Bänder der Absperrung werden nochmals verstärkt, denn jetzt taucht das Fahrzeug mehr und mehr aus dem Wasser auf. Als der Golf mit den Scheiben aus dem Wasser ragt, kann man in groben Umrissen zwei Personen erkennen, die nach vorne gekippt auf den Vordersitzen in den Sicherheitsgurten hängen. Die Köpfe beider Frauen hängen nach vorne, bei jeder Bewegung des Fahrzeuges pendeln die Köpfe hin und her. Dann kann die Winde das Auto zumindest so weit herausziehen, dass es auf dem Kiesufer zum Stehen kommt. Wasser läuft aus allen Fugen heraus.

Zwei Sanitäter und der Notarzt stehen neben dem Golf, Hauptkommissar Sturm und Tilmann Merk direkt neben ihnen. Sturm und Merk gehen um das Fahrzeug herum und versuchen beide Türen zu öffnen, was ihnen auch gelingt. Beide öffnen die Türen jeweils nur einen Spalt, damit das Wasser nicht zu stark herausschießt, und jetzt erkennt man die beiden Toten deutlich. Steinmeier springt von der Wiese auf das Kiesufer und er erkennt sofort die beiden Vermissten, er nickt Sturm wortlos zu, Sturm versteht: das sind sie, Melly Gutemann und Jule Haas.

☙

Wo ist eigentlich dieser Florian Haas? Steinmeier sieht sich um, er sieht ihn nicht in der Menge. Jetzt knallen die Blitzlichter, beide Personen hängen noch in den Sicherheitsgurten, man schnallt sie los. Zuerst versucht man die Frau auf dem Beifahrersitz herauszubringen, es ist Jule. Sie wird auf eine Trage gelegt, der Notarzt stellt formell ihren Tod fest, dann deckt man sie zu. Mit Melly geschieht dasselbe.

Die Zuschauer wissen inzwischen, dass man die Gesuchten gefunden hat, auch Hannes Gutemann wird, auf einer Trage liegend, unterrichtet. Der Notarzt will ihn zur Beobachtung ins Krankenhaus mitnehmen, Hannes wehrt sich nicht dagegen.

Die Polizei lässt zunächst den völlig durchnässten Golf stehen, er steht ab jetzt Tilmann Merk und seinen Experten von der Spurensicherung zur Verfügung. Die beiden Toten werden zur Obduktion in das Klinikum Friedrichshafen gebracht, man erhofft sich davon neue Erkenntnisse.

Hauptkommissar Sturm versucht den Leiter der Pathologie, Dr. Aumann, zu erreichen, er hat dessen Mobilnummer. Sturm kündigt Dr. Aumann den Transport in das Klinikum nach Friedrichshafen an. Er bittet ihn, die Obduktion trotz des Wochenendes in die Wege zu leiten. Das öffentliche Interesse sei riesig, man müsse schnelle Ergebnisse liefern. Zeitgleich wird sich Sturm beim Staatsanwalt um eine Erlaubnis für eine gerichtsmedizinische Untersuchung einholen, auch hier muss ihm eine Mobilnummer des Staatsanwaltes helfen. Dr. Aumann sagt ihm das zu, er wird sich sofort ins Klinikum begeben. Er kennt diese Fälle, da kann man nicht bis zum Montag warten.

Unfall oder Absicht? Das wird die Schlagzeilen der Zeitungen in den nächsten Tagen füllen. Man hat zwar die Toten geborgen, aber noch nicht die Todesursache gefunden oder gar einen Täter ermittelt.

Als Polizei, Notarzt, Mannschaftswagen und die Tauchergruppe ihre Arbeit beenden und abfahren, verlaufen sich auch die Zuschauer. Alle drängen jetzt in die Stadt, man bringt Neuigkeiten mit, die Zeugen dieser Bergung sind gefragte Interviewpartner der Reporter.

Das Ehepaar Haasis wird den Weg zurück nach Hagnau zu Fuß nicht mehr wie geplant zurücklegen, sie rufen ein Taxi. In Hagnau sind sie gut bekannt, dieser Vorgang von heute Nachmittag wird auch ihre Freunde in Hagnau interessieren. Für einen Stammtischabend ist das ein ausreichender Gesprächsstoff.

Die Lokalreporter haben bereits ihre Redaktionen verständigt. Nachdem die nächsten Ausgaben erst am Montag erscheinen werden, bleibt noch genug Zeit. Es werden fette Schlagzeilen werden.

Diese müssen derzeit aber noch einen ausführlichen Textteil ersetzen, da man noch keine Ergebnisse aus den noch laufenden Untersuchungen hat. Das wird alles dann in den nächsten Ausgaben erscheinen, aber der Aufreißer für die Story ist für die Presseleute bereits gemacht.

Kapitel 16

Letzte Vorbereitungen

Es war damals ein ruhiges Wochenende in Meersburg gewesen, das Wetter war angenehm. Sobald der Morgennebel sich verzogen hatte, war es sonnig mit kleinen Wolken gewesen. Die Voraussagen zeigten eine stabile Wetterlage, typisch für den Herbst am See. Demnächst würden die Weinbauern mit ihrer Ernte beginnen, bald würde es den neuen Wein geben und den trüben Federweißen mit dem dazugehörenden Zwiebelkuchen. Jede Jahreszeit hatte ihre Bräuche hier am See. Es war schon eine begnadete Gegend, nicht umsonst kamen jedes Jahr so viele Feriengäste an das schwäbische Meer.

Hannes Gutemann richtete seine Sachen zusammen, er hatte zwei Satteltaschen und einen Rucksack, da musste alles hinein, auch die Regenkleidung für die nassen Etappen. Früher hatten die Freunde alle Rennräder mit einer empfindlichen und dünnen Bereifung, heute fuhren sie moderne und robustere Bikes, natürlich mit bester Technik ausgestattet, aber noch keine E-Bikes, das lehnten sie ab, das war etwas für Weicheier. Mit den neuen Bikes saß man aufrechter, was für den Rücken angenehmer war und die Satteltaschen konnten an dem Gepäckträger links und rechts angebracht werden.

Hannes Gutemann hatte sich bereits angezogen, Renndress und Radfahrhose mit dem weichen

Lederzwickel, leichte Schuhe mit dem Klickeinsatz für die Pedale, das war heute Standard. Er ging das Treppenhaus hinunter und holte sich sein durchgechecktes Rad aus der Garage, der BMW von diesem Florian stand dabei etwas im Weg. Wie immer war ausgemacht, dass die Gruppe sich hier bei Gutemanns trifft und von da aus startet. Nach und nach kamen die drei Freunde, allgemeines Umarmen, man fragte sich gegenseitig ab, ob man auch alles eingepackt habe, auch die Personalausweise, denn die Schweiz war Ausland.

Melly und Jule standen im Hof und verabschiedeten das Quartett.

„Gute Fahrt, passt auf euch auf und kommt gesund wieder."

Im zweiten Stock passte auch einer auf. Florian sah gespannt nach unten und, als die Radler abfuhren, atmete er tief durch, das war jetzt seine erste Etappe. Er schwitzte auf der Oberlippe, die Anspannung war bei ihm bereits zu spüren.

Ab diesem Moment waren die beiden Frauen voll und unausweichlich in seiner Hand. Für beide würde er Schicksal spielen. Ein geiler Schauder lief ihm über seinen Rücken. Er, Florian Haas, der Österreicher, der Ungeliebte, nur er allein bestimmte jetzt den Ablauf des Geschehens. Nur noch wenige Stunden, dann würde seine Stunde kommen, noch heute Nacht.

☙

Vinzenz hatte einen arbeitsreichen Samstag hinter sich gebracht, um neunzehn Uhr hatte sich alles verlaufen, es gab später noch eine Veranstaltung in der Messehalle, eine Großparty mit einigen Stars und mit zwei Bands, da würde er zwar dabei sein, aber er würde dort keine Aufgabe haben, das machten jüngere. Vinzenz war mit dem Verlauf des ersten Tages sehr zufrieden, alle Neuentwicklungen konnten gezeigt werden. Die Porschewelt von morgen war eine digitale Vision, fast nicht mehr von dieser Welt, aber das liebten die Fans. Porsche vor allen anderen, Porsche der Visionsführer in der Sportgalaxie.

Was da die Werbeleute und die Mediengurus aus den Informationen gemacht hatten, war schon sensationell, nur Vinzenz erreichten diese Publikationen immer weniger. Das war ihm alles viel zu abgehoben. Wenn man die Probleme dieser Welt sah, hatte man dafür wenig Verständnis, es erschien Vinzenz immer mehr als eine Scheinwelt. In diesen Momenten sehnte er sich nach Meersburg zu der Familie seines Bruders Adalbert und zu seiner Jule. Vielleicht mag auch dort schon etwas Routine in das Familienleben eingetreten sein, aber die Grundsätzlichkeit des Zusammenlebens war gegeben und immer spürbar. Anika überblickte alles, mit ihrer inneren Ruhe war sie der Wall gegen alles Feindliche, das von außen kam. Sie war das Immunsystem ihrer Familie.

Er wählte die Weinstube an und Melly nahm ab.

„Hallo, Vinzenz, hast du heute alles überstanden, warte kurz, ich gebe dir die Jule, der Hannes ist heute Vormittag abgefahren, wir halten die Stellung.“

Vinzenz kann hören, wie Jule zu Melly läuft und den Hörer in die Hand nimmt.

„Hallo, Vinz, es ist ganz schön was los hier, die neuen Pensionsgäste sind angekommen und sitzen alle hier bei mir. Die kennen sich alle inzwischen und freuen sich, wieder in Meersburg zusammenzukommen. Ist bei dir alles gut gelaufen?"

„Ja, Jule, alles bestens, nachher gehe ich noch auf die Abendshow, das wars dann für heute. Morgen ist dann noch der praktische Teil, da bin ich den ganzen Tag auf der Teststrecke. Dir einen schönen Sonntag, dann melde ich mich wieder am Montag und denke daran, ich liebe dich sehr, Jule."

„Ich dich auch, Vinz. Mach's gut und flirte nicht mit den vielen aufgebrezelten Damen, die treten da doch sicher in Schwärmen auf. Gute Nacht, und bis zum nächsten Wochenende, zu unserem Wochenende, Vinz, das werden sicher schöne Tage."

Vinzenz freute sich auch auf das kommende Wochenende in Nussdorf, endlich. Ihm war sehr deutlich geworden, dass er in den letzten fünf Jahren in Weissach vieles versäumt hatte, was seinen privaten Bereich betraf. Nach und nach würde er das aufholen, das hatte er sich fest vorgenommen. Diese Zeit in Weissach kommt ihm immer mehr als eine verlorene Zeit vor. Fünf Jahre hatte er verloren, einfach verloren für seine persönliche Zukunftsplanung.

Aber das Schicksal wird das zu verhindern wissen. Obwohl Vinzenz und Jule es verdient hätten, wird es keine gemeinsame Zukunft für beide geben. Ein verwirrter und racheerfüllter Psychopath hatte sich das in den Kopf gesetzt.

Kapitel 17

Es wird enger

Noch am Samstagabend halten drei Polizeiautos vor der „Schönen Fischerin“, vier Polizisten und Kriminalhauptkommissar Eustachius Sturm gehen in den Innenhof und über die Treppe ins zweite Obergeschoß. Sie läuten und Florian Haas öffnet, er scheint angetrunken zu sein. Kriminalhauptkommissar Sturm spricht Florian an.

„Herr Haas, wir sind hier, um Ihnen mitzuteilen, dass wir sowohl Ihre Frau als auch Frau Melly Gutemann gefunden haben, sie sind beide tot, wir haben sie aus dem See geborgen. Wir müssen mit Ihnen sprechen, kommen Sie bitte am Montag um 9.00 Uhr aufs Revier, hier in Meersburg. Sollten bis dahin weitere Ergebnisse vorliegen, die Sie in Verdacht bringen würden, müssen wir Sie schon früher verhören. Sie hätten dann das Recht, einen Anwalt hinzuzuziehen.“

Florian ist völlig überrascht, er hatte von der Bergungsaktion nichts mitbekommen, es ist jetzt neun Uhr abends, er wollte noch weggehen, drei Schnäpse hatte er sich schon gegönnt, jetzt kommt der Hunger.

„Was soll ich am Montag auf dem Revier? Verstehen Sie? Ich erfahre gerade in diesem Moment von Ihnen, dass die beiden aus dem See geholt worden sind. Ich habe nichts mit dem Tod der beiden zu tun. Ist mir auch vollkommen egal, kapiert? Ich habe eine blöde Scheidung am Hals und werde hier auch ausziehen. Ich habe ganz andere Probleme zu lösen, die Jule ist mir schon lange schnuppe, sie tut eh, was sie will."

Florian verliert etwas die Fassung. Er macht einen Schritt auf Sturm zu und tippt mit seinem Finger an die linke Brust des Kommissars.

„Es ist mir alles scheißegal, verstehen Sie? Sie hat einen anderen, einen früheren, vielleicht ist er sogar der Mörder, wer kann denn das schon wissen."

„Langsam, Herr Haas, wie kommen Sie zu so einer Aussage? Von einem Mörder haben wir bislang noch gar nicht gesprochen. Wir wissen derzeit noch nicht, ob es überhaupt Mord war, es könnte auch ein Unfall gewesen sein, oder wissen Sie mehr? Dann raus damit. Ansonsten brauchen wir Ihre Aussagen, wir brauchen das Protokoll und deswegen bitten wir Sie, am Montag auf dem Revier zu erscheinen, ist das klar? Sollten Sie nicht erscheinen, werden wir Sie holen."

Sturm ist sichtlich verärgert. Der soll ihm nur nicht so kommen, er kann auch anders. Ein Grundverdacht gegen diesen Florian Haas besteht, denn eine Scheidung kann immer ein Motiv sein. Besonders dann, wenn zumindest im Augenblick keine weitere Person bekannt ist, die ein Mordmotiv haben könnte. Sturm und seine Leute gehen nach unten und fahren ab.

Florian ist irritiert. „Was können die den schon gegen mich haben?" Gut, am Montag wird er wohl auf dem Revier eine Aussage machen müssen, aber das wäre ja noch kein Verhör, dazu möchte er noch keinen Anwalt hinzuziehen, das kann er immer noch machen.

Für Montag um 11.00 Uhr hat der Polizeisprecher

eine erste Erklärung angekündigt. Bis dahin wäre man noch auf Spurensuche. Er sagt, man hoffe, bis Montag schon einige Zusammenhänge darstellen zu können.

Hannes Gutemann liegt zur Beobachtung in der Klinik, den Ärzten macht weniger seine körperliche Verfassung Sorge als vielmehr seine Apathie. Er ist nicht ansprechbar und redet wirr vor sich hin. Dass Melly und Jule tot geborgen wurden, weiß er und damit hat er offensichtlich zu kämpfen. Schubweise überfallen ihn heftige Schweißattacken. Die Ärzte beobachten permanent seinen Blutdruck und seinen Puls, man versorgt ihn intravenös über einen Tropf.

Bei Adalbert Weiler geht das Telefon, es ist Samstag, 21.30 Uhr und die Polizei Meersburg ist am Apparat.

„Hallo, Herr Weiler, Walter Steinmeier von der Polizeistation Meersburg, wir kennen uns. Ich muss Sie leider noch zu später Stunde stören, aber ich muss Sie davon in Kenntnis setzen, dass wir heute Abend die beiden gesuchten Frauen, Melly Gutemann und ihre Tochter Jule Haas gefunden haben. Wir haben sie nur noch tot aus dem See bergen können, leider. Das ist natürlich eine schreckliche Nachricht für alle Beteiligten."

Steinmeier macht eine kurze Pause, da er keine Reaktion vernimmt, er hört aber das schwere Atmen seines Gesprächspartners im Telefon

„Ich weiß, dass Ihr Bruder Vinzenz in einer Verbindung zu Jule Haas steht und dass ihre Kanzlei mit dem

Scheidungsverfahren der Eheleute Haas beauftragt ist. Dazu wird es nun nicht mehr kommen müssen.“

Adalbert braucht ein paar Sekunden, bis er sich wieder einfangen kann. Anika blickt zu ihm hinüber, aber wie sie aus Adalberts Gesichtsausdruck erkennen kann, ahnt sie schreckliches.

„Herr Steinmeier, was ist geschehen? Ich werde es später meinem Bruder mitteilen müssen. Anika, hör zu, ich bekomme gerade die Information von der Polizei, dass Jule und ihre Mutter Melly tot geborgen wurden, aus dem See, heute.“

Anika wird blass, großer Gott, sie kommt wie immer sofort zum Punkt.

„Adalbert, war es Mord? Wenn ja, wer war es, vielleicht dieser Florian?“

„Herr Steinmeier, haben Sie gehört? Meine Frau fragt gerade, ob es Mord war und ob es schon einen Verdächtigen gibt, einen hätte ich auf Lager.“

„Herr Weiler, so weit sind wir noch nicht, da arbeiten derzeit die Spurensicherung und die Pathalogie noch daran. Am Montag um 11.00 Uhr ist seitens der Polizei eine Pressekonferenz angesetzt worden, wir rechnen mit einem großen Presseinteresse. Übrigens, Herr Gutemann ist in die Klinik gebracht worden, er hatte einen Zusammenbruch, er war bei der Bergung mit anwesend.“

Und dann erzählt Walter Steinmeier alle Einzelheiten, von dem Hinweis des Zeugenehepaares bis zur Einschaltung der zuständigen Kripo Friedrichshafen, von dem Ablauf der Bergung des Autos und der beiden

Leichen. Adalbert ist völlig fertig, als er sich bei Steinmeier bedankt für die Information. Er legt den Hörer kraftlos auf. Anika weint, und das passiert ganz selten bei ihr. Sie sieht ihren Mann an, er weiß, was sie jetzt denkt und sie fragt Adalbert:

„Mein Gott, Adalbert, wer sagt es Vinzenz? Rufe du den Max an, ich mach das dann mit Vinzenz."

Beide sind jetzt vierzehn Jahre verheiratet und Adalbert weiß, warum er seine Anika immer noch liebt. Es sind solche Augenblicke, wie gerade eben. Augenblicke des sich blind Verstehens und der gegenseitigen spontanen Hilfe. Adalbert hätte Vinzenz so gerne auch eine solche Lebensgefährtin gewünscht und in Jule hätte er sie auch gehabt. Auch Anika hatte Jule gemocht, die hatten eine Wellenlänge, das wären schöne Zeiten geworden.

Er wählt die Privatnummer von Max Vöhringer. Anika wird Vinzenz informieren müssen.

Kapitel 18

Die bestialische Tat

Es war Samstagabend, dieser unheilschwangere Samstagabend. Im zweiten Stock im Hinterhaus brannte Licht, man sollte glauben, dass er zuhause sei. Um zehn Uhr würde er das Licht löschen, dann sähe er im Dunkeln besser in die Nacht. Gegenüber bewegten sich noch ein paar Pensionsgäste auf den Fluren zum Innenhof, später würde es auch hier dunkel sein. Für die Hofbeleuchtung war eine Lampe am Vorderhaus angebracht mit einem Außenschalter mit Zeittakt. Florian Haas hatte eigens mitgestoppt, die Lampe brannte ganze zwei Minuten, das würde für ihn von großer Wichtigkeit sein.

Das Auto von Melly stand unverändert ganz hinten, Florian hatte seinen BMW so geparkt, dass er später mit dem Golf von Melly ohne Schwierigkeiten an den geparkten Autos wird vorbeifahren können. Alles musste funktionieren, es durfte nichts schief gehen. Heute hatte er noch Gummihandschuhe gekauft und anprobiert, sie passten wie angegossen und er kam damit auch leicht in die Schlaufen der Drahtschlinge. Die Schlinge lag schon auf dem Esstisch, seine Königin war bereit zum Einsatz.

Die Idee mit dem Wegfahren nach der Tat hatte er fallen gelassen, er würde einfach hierbleiben und dem Geschehen zusehen. Natürlich würde irgendwann die Polizei auch auf ihn zukommen, aber er würde sich unwissend stellen, man würde ihm nichts nachweisen können. Und dass er ausziehen würde, war ohnehin allen klar und seine Wohnungssuche war bereits erfolgreich, nächste Woche würde er den Mietvertrag unterschreiben. Den Anwalt von Jule hatte er auch informiert. Wenn er wegfahren würde, könnte man das als Flucht auslegen, dann würde man zunächst überall nach ihm fahnden, das musste er verhindern.

Es war gerade zweiundzwanzig Uhr, er löschte das Licht in der Wohnung und ging, ohne das Treppenlicht anzumachen, vorsichtig und leise die Treppe hinunter. Er schlich sich um das Haus, ging zu dem Vorderhaus, er konnte niemand auf der Straße sehen, die Straßenbeleuchtung brannte noch. Florian bewegte sich im Schatten des Hauses und versuchte unerkannt in die Weinstube zu sehen.

Es war noch ziemlich Betrieb, aber er konnte erkennen, dass einige Gäste gerade bezahlten, es waren die Pensionsgäste, die hier übernachteten. Wenn die erst gegangen waren, dürften es noch zwei Paare sein. Die Pensionsgäste bekamen immer das Frühstück in der Weinstube serviert mit Ausnahme des Sonntags, da mussten sie sich ihr Frühstück selbst besorgen oder in eines der vielen Cafés gehen.

Florian lief angespannt wieder zurück und ging hoch in die Wohnung, sein Pulsschlag erhöhte sich, aber Alkohol nahm er jetzt keinen zu sich. Bald würde es so weit sein, bald würde der Augenblick seiner Rache gekommen sein.

☙

Es war kurz vor elf Uhr und Jule war gerade dabei, die letzten Gäste abzukassieren. Als diese dann das Lokal verließen, wünschten sie noch einen schönen Sonntag, sie werden sich noch viele Jahre an diesen Moment erinnern.

Nochmal ging Florian nach unten, von hinten konnte er in die Küche sehen, die Weinstube war bereits abgedunkelt, er lief schnell zurück in die Wohnung. Im Dunkeln zog er sich die Gummihandschuhe an und nahm die Drahtschlinge in die linke Hand. Im Parterre angekommen stellte er sich hinter die Eingangstür, wie immer war diese nur angelehnt, sie war eine Handbreit offen. Die Drahtschlinge legte er sich um den Hals, vom Pullover etwas verdeckt. Verdeckt, aber griffbereit.

Florian hörte die beiden Frauen, wie sie sich in der Küche unterhielten. Melly schickte, wie es zu erwarten war, Jule schon mal voraus, sie selbst käme dann nach. Melly sorgte immer dafür, dass das gebrauchte Geschirr und die Gläser in die Spülmaschine gegeben wurden, spülen konnte man dann morgen oder am Montag.

Florian schwitzte vor Anspannung, seine Beine zitterten leicht. Jetzt hörte er wie die Türe am Hintereingang geöffnet wurde, Jule rief noch zurück: „Bis nachher". Dann ging das automatische Licht im Hof an. Florian wusste, ab jetzt laufen zwei Minuten, er hatte die Schlaufen der Drahtschlinge bereits in beiden Händen, seine Fäuste waren gespannt. Florian versuchte flach und kaum hörbar zu atmen. Er stand versteckt hinter der Eingangstür und hörte, wie Jule über den

Hof ging, direkt auf die Eingangstüre zu. Sie machte einen Schritt nach innen ins Hinterhaus und wollte mit der linken Hand den Lichtschalter für das Treppenhauslicht betätigen.

Florian sah im Lichtkegel des Hoflichtes bereits ihren Rücken, da machte er einen Satz nach vorne, warf blitzschnell Jule die Drahtschlinge von hinten über den Kopf und bevor Jule an den Lichtschalter kommen konnte, zog er die Schlinge mit aller Kraft zu.

Jule erschrak, im letzten Augenblick hatte sie noch ein Geräusch hinter sich gehört, dann war schon die Drahtschlinge an ihrem Hals. Sie versuchte noch verzweifelt mit beiden Händen nach der Schlinge zu greifen, versuchte zu schreien, bekam aber nur ein Gekrächze zustande. Eine Todesangst überkam sie und in diesem letzten Moment wusste sie, dass es Florian war, der hinter ihr stand.

Florian spürte Jules Körper, so nah war er ihr schon lange nicht mehr gewesen, er zog mit aller Kraft an den Enden der Drahtschlinge und plötzlich sackte Jule nach vorne weg und zog ihn mit sich hinunter auf den Boden. Sie ließ ihren Schlüsselbund fallen und Florian schob ihn mit dem Fuß zur Seite. Florian war es nun klar, dass die Bewusstlosigkeit eingetreten war, alles wie im Plan.

Er lag auf ihr, Körper auf Körper und er spürte plötzlich, wie sein Glied in der Hose erigierte, der nahe Tod Jules brachte ihm ein Lustgefühl, dann ging das Licht im Hof aus, zwei Minuten waren um. Aber er musste noch weiter die Schlinge auf Zug halten, er wollte sicher gehen. Und dann hielt er einen Aufschrei zurück, so gut er es gerade noch konnte, er spürte den Samenerguss in seiner Hose, der Orgasmus schüttelte ihn, er keuchte und wimmerte, dann ließen sowohl sein Orgasmus als auch sein Ziehen an den Schlaufen nach. Er lag auf Jules leblosem Körper.

Florian erhob sich und horchte, noch hörte er keine Geräusche aus dem Vorderhaus. Er zog Jule hinter die Eingangstür und lehnte sie an die Mauerwand, die Beine schob er beiseite, den Schlüsselbund steckte er in seine Hosentasche, von außen war nichts zu sehen. Er fasste sich mit der Hand an die Hose, er spürte am Innenschenkel die eklige Feuchtigkeit, da konnte er aber jetzt nichts tun.

Dann ging das Hoflicht erneut an und er hörte, dass Melly sich auf den Weg machte, es lief alles wie geplant. Melly trat ein und wollte, wie zuvor Jule auch, an den Lichtschalter des Treppenlichtes kommen, aber auch sie erreichte ihn nicht. Die Drahtschlinge wurde ihr blitzschnell über den Kopf gezogen und dann spürte Melly den Draht an ihrem Hals.

Der starke Zug machte es ihr unmöglich zu schreien. Auch sie versuchte, die Schlinge von ihrem Hals wegzubekommen, vergeblich. Sekunden bevor sie in die Bewusstlosigkeit fiel, war auch ihr klar geworden, dass das Florian war, der ihr den Tod brachte. Sie kippte seitlich weg und nachdem das Hoflicht automatisch erloschen war, lockerte Florian langsam die Schlinge. Er zerrte die tote Melly ebenfalls zur Seite und legte sie neben ihre Tochter.

Florian war total erschöpft, er rang nach Luft, die Anstrengung war doch größer gewesen als gedacht. Er hielt sich mit seiner linken Hand an der Türe fest und betrachtete sein Werk.

„Das ist meine Rache, das ist mein Tag, ihr Weiber, habt das so gewollt, jetzt habt ihr bekommen, was ihr verdient habt. Ich hasse euch, ich hasse euch."

Dann überfiel ihn ein Weinkrampf, sein ganzer Körper bebte, er kauerte am Boden, direkt neben den Leichen, er war unfähig sich zu erheben, nur langsam fand er zu sich zurück. Eine Übelkeit kam in ihm hoch, er stand schwankend neben der Haustüre und hielt sich fest. Er sog die nächtliche Luft tief in seine Lungen, langsam wurde sein Zustand besser.

☙

Es kam Florian aber keine Sekunde in den Sinn, dass er nunmehr zum zweifachen Mörder geworden war, er fühlte eher eine Gerechtigkeit in sich, er hatte sich zum Richter aufgeschwungen, zum Richter über Leben und Tod dieser beiden Frauen. Aber zum Nachdenken hatte er jetzt keine Zeit, es war noch viel zu tun. Er ging langsam ein paar Schritte, jetzt bräuchte er einen Schnaps oder gleich mehrere, aber er nahm sich zurück.

Auch Melly hatte ihren Schlüsselbund fallen lassen, den steckte er Melly in die Seitentasche ihres Kleides. Mit dem Schlüsselbund von Jule ging er vorsichtig über den Hof, nirgendwo brannte noch Licht. Mit dem Schlüssel öffnete er die Eingangstür zur Küche und ging hinein. Dort, das war Florian gut bekannt, hing am Schlüsselbrett immer der Autoschlüssel des VW

Golf, so auch heute.

Den hängte er ab und nahm ihn mit. Die Türe zum Hof schoss Florian ab und lief direkt zu dem Golf, öffnete ihn und startete den Motor. Er hoffte, dass niemand sich an dem Geräusch stören würde, und fuhr vor bis zur Türe zum Hinterhaus, stellte den Motor ab, ging um den Wagen herum und öffnete die Beifahrertüre.

Zuerst, so war sein Plan, musste Jule hinein. Er zog sie über den Steinboden hinaus bis zum Golf und versuchte, sie in den Wagen zu packen. Er tat sich schwer und als er sie endlich auf dem Sitz hatte, keuchte er heftig und schwitzte am ganzen Körper. Jule hing mehr quer, als dass sie saß, und nun holte er Melly, auch sie wuchtete er in den VW hinein. Er wollte Melly auf Jule legen, da er später Melly an das Steuer setzen wollte. Er musste zwischendurch die Rückenlehne etwas schräger stellen, damit beide Körper Platz hatten, dann endlich hatte er sie so weit. Er legte noch den Sicherheitsgurt um Melly, sie lag nun auf Jule, und befestigte die leblosen Körper.

Dann schloss er leise die Beifahrertüre, ging um das Auto herum und setzte sich auf den Fahrersitz, noch hatte er seine Gummihandschuhe an. Melly musste er nochmals Richtung Beifahrertür schieben, sonst hätte er zu wenig Platz gehabt, dann startete er den Motor und rollte durch das Tor, bis er Sicht auf den beleuchteten Schlossplatz hatte, die Fahrzeugbeleuchtung hatte er noch nicht eingeschaltet. Florian sah auf die Uhr, es war jetzt null Uhr dreißig, da war in der Oberstadt von Meersburg nichts mehr los, die Saison war ohnehin vorbei.

Jetzt konnte er das Licht einschalten und fuhr im Schritttempo in Richtung oberer Ortsausgang und dann auf die Umgehungsstraße, er musste den Weg nach Hagnau einschlagen. Er beschleunigte etwas auf der großen Straße außerhalb der Stadt, die beiden toten Körper wurden hin und her geschüttelt. Dann erreichte er den Punkt, wo er nach rechts abbiegen konnte und ließ den Wagen im Leerlauf hinab zur Seestraße gleiten. Auf der Seestraße gab er wieder etwas mehr Gas und fuhr auf diesem nur für Fußgänger zugelassenen, geteerten Weg in Richtung Meersburg zurück. In dem Fernlicht des Wagens sah er die Umrisse der Haltnau und erkannte auch die Straßensperre am Ende. Hier verlangsamte er das Tempo und hielt genau an der Stelle, die er vor Tagen ausgesucht hatte. Diese schwierige Etappe, wo die Gefahr bestand, dass er hätte erkannt werden können, war geschafft.

Für Florian war diese Stelle besonders geeignet, weil sich die Wiese steil zum See neigte und sich kurz vor dem Wasser nur ein schmaler Kies- und Sandstreifen befand, vielleicht zwei bis drei Meter, danach war man schon im Wasser. Hier kippte das Ufer des Bodensees steil nach unten, das passte. Florian sah sich um, es war kein Mensch zu sehen. Das Wagenlicht hatte er bereits ausgeschaltet, es war heute Vollmond, dessen Licht reichte aus.

☙

Jetzt begann der letzte Abschnitt seines Projektes. Er startete nochmals kurz den Motor und fuhr von dem Teerweg nach links weg auf die schräge Wiese, dort stellte er den Motor wieder ab, ließ den Gang drin und zog die Handbremse an, so gut er es konnte. Er löste den Sicherheitsgurt und Melly rutschte sofort nach vorne, aber er zog sie an ihren Armen zu sich und versuchte, Melly auf den Fahrersitz zu setzen. Das war nochmals Schwerstarbeit für Florian. Mal zog er an ihrem Körper, mal schob er von der Beifahrerseite aus, bis er sie endlich auf dem Fahrersitz so platziert hatte, dass man annehmen könnte, dass sie auch gefahren wäre. Dann rückte er Jule auf dem Beifahrersitz zurecht, das ging einfacher. Er sah ihr dabei unfreiwillig ins Gesicht, sie hatte die Augen noch geöffnet, er ließ sie in diesem Zustand, sie sollte mit offenen Augen in den See gleiten.

Gleich würde die komplette Aktion ihr Ende finden, Florian war völlig erschöpft aber auch zufrieden, Planung ist eben alles und die Ausführung verlief bisher störungsfrei, das soll ihm erst mal einer nachmachen. Er hatte großen Respekt vor sich selbst.

Er drückte die Beifahrertüre zu, das Seitenfenster ließ er einen Spalt offen. Jule hing in dem Sicherheitsgurt, den er ihr noch angeschnallt hatte. Dann ging er um den Wagen herum, die Fahrertüre war noch offen. Er schnallte nun auch noch Melly an und öffnete, wie zuvor auf der Beifahrertüre, das Seitenfenster einen Spalt. Wenn der Golf im Wasser schwimmt und Wasser in das Auto kommt, muss Luft heraus, das beschleunigt den Sinkvorgang.

Und jetzt musste er aufpassen, denn jetzt ging alles sehr schnell: Licht an, Gang raus, Motor starten und die Handbremse lösen, der Wagen begann bereits zu rollen. Florian sprang zurück und konnte gerade noch die Fahrertüre zuschlagen. Der Golf rollte immer schneller dem Wasser entgegen, Florian schob von hinten nach, der Wagen musste mit Schwung über das Kiesbankett kommen.

Dann machte der Golf einen heftigen Satz, als er von dem Rand der Wiese auf den Kiesstrand kippte. Dabei gerieten die vorderen Räder tief in den feuchten Kies, der Wagen kam fast zum Stehen und Florian sprang hinterher und musste kräftig nachschieben. Endlich war das Wasser erreicht, der Golf tauchte mit den Vorderrädern in das Wasser ein und schwamm für einen Moment etwas auf. Florian stand hinter dem Auto, mit den Beinen schon im Wasser, er musste nochmals kräftig schieben, bis das Auto sich vom Boden gelöst hatte und vom Wasser umfasst war. Er schob nochmals kräftig nach, das schwimmende Fahrzeug trieb nach vorne in den See hinein. Dann trat er zurück und sah zufrieden zu, wie der Wagen mit den beiden toten Frauen langsam und unter Blubbern sank. Eine Zeitlang sah man noch das Dach, dann hatte der See das Fahrzeug verschluckt.

ɞ

Es war vollbracht. Florian sah auf seine Armbanduhr: 1.20 Uhr, es war schon Sonntag. Er sah an sich hinunter, die Hose war bis über die Knie nass, das wird trocknen. Er ging langsam Richtung Innenstadt und passte auf, dass er nicht gesehen wurde. Auf der Höhe des Bootshafens entdeckte er eine Abfalltonne, dorthinein warf er die Gummihandschuhe. Als ihm ein Taxi entgegenkam, stellte er sich schnell hinter einen Baum, dann begab er sich auf einen Schleichweg hoch zur Oberstadt und erreichte den Schlossplatz kurz nach zwei Uhr. Vorderhaus und Hinterhaus waren dunkel, er ging ohne Licht zu machen nach oben, schloss die Wohnung auf und setzte sich an den Tisch. Die nasse Hose zog er aus und legte sie noch in die Badewanne.

Die geöffnete Kühlschranktür gab genügend Licht, die angebrochene Flasche mit dem Obstler stand noch im Regal, gierig und wie in Trance trank er Schluck für Schluck, bis sie geleert war, das brauchte er jetzt, jetzt, wo er sein Werk zu Ende gebracht hatte. Beim letzten Schluck kam ihm nochmals das tote Gesicht Jules mit den noch geöffneten Augen in den Sinn, das hatte sie jetzt davon. Sie, die ihn, Florian Haas, betrogen hatte, die sich ihm seit über einem Jahr verweigert hatte. Die ihn nie anerkannt hatte, die mit ihrer verdammten Mutter unter einer Decke gesteckt hatte. Die, die sein ganzes Leben ruiniert hatte.

Er wollte zwar noch ins Bad gehen und sich duschen, seine Unterhose klebte an seinem Körper, der Geruch seines eigenen Spermas war unangenehm, aber das schaffte er nicht mehr. Er schwankte zum Bett, diesem verdammten Scheißbett, ein Ehebett, das nie wirklich ein Ehebett war. Der Alkohol warf ihn um, er ließ sich auf das Bett fallen, sein Zustand riss ihn in einen abgrundtiefen Schlaf.

☙

Vinzenz schlief schon lange. Auf der Party war sehr viel Betrieb gewesen, kaltes Buffet und schöne

Cocktails, natürlich auch jede Menge schöner Frauen, gestylt und geliftet. Sie waren alle die Accessoires ihrer begüterten Männer, alles Porschefahrer, Rolex und Breitling fast an jedem Handgelenk, die Wirtschaft boomte. Man zeigte, was man hatte.

Dieser Teil seiner Tätigkeit war nicht mehr so seine Welt, da verabschiedete er sich gerne auch mal früher. Morgen auf der Teststrecke würde es ihm besser gehen, und dann nur noch eine Woche und er würde wieder zuhause sein können. Zuhause in der realen Welt und endlich würde er wieder bei seiner Jule sein.

Armer Vinzenz, der Traum, den er gerade im Schlaf träumte, wird unerfüllt bleiben. Bisweilen können Schicksalsengel grausam sein und ungerecht noch dazu. Die Nacht von Samstag auf Sonntag war die Schicksalsnacht für Jule und Melly.

Hannes Gutemann schlief auch schon lange, für ihn war es ein schöner Tag und ein gemütlicher Abend mit seinen Freunden gewesen. Die erste Etappe lag nun hinter ihm, morgen Sonntag würde die zweite starten. Die Wetterlage wird gut bleiben, der See wirkte friedlich.

Kapitel 19

Eine schreckliche Nachricht

Anika hat sich einen Stuhl neben das Telefon gestellt, sie muss sich setzen, sie zittert am ganzen Körper, noch wartet sie und überlegt, wie sie es Vinzenz denn wird sagen können. Adalbert informiert gerade seinen Partner Max Vöhringer, aber Männer sind da gefasster. Wenn sie in den nächsten Sekunden Vinzenz am Apparat hat, ist es ihr vollkommen klar, dass für ihn eine Welt zusammenbrechen wird. In all den Gesprächen, die sie mit ihrem Schwager in letzter Zeit geführt hatte, ist ihr diese wiedererwachte Liebe zu seiner Jule mehr als deutlich geworden.

Anika atmet tief durch, dann noch einmal, erst dann wählt sie die Nummer von Vinzenz. Ihr ist auf einmal schlecht, sie überlegt noch, wie sie vielleicht beginnen könnte, da nimmt Vinzenz schon ab.

„Vinzenz Weiler, mit wem spreche ich noch so spät?"

„Lieber Vinzenz, du sprichst mit Anika, mit der Anika, deiner Schwägerin, der es gerade gar nicht gut geht. Ehrlich gesagt, sogar miserabel. Ich weiß, es ist spät, Vinzenz, aber wichtige Nachrichten haben keinen falschen Zeitpunkt, schlechte schon gar nicht."

Vinzenz hört, wie Anika tief atmet, er spürt, wie sie um ihre Fassung ringt, das beunruhigt ihn plötzlich. Die Kühle aus Ratzeburg kämpft, was ist bloß passiert?

„Vinz, Adalbert und ich hatten gerade vor ein paar

Minuten einen Anruf von der Polizei in Meersburg, sie haben Melly und Jule gefunden."

Anika kann sich nicht mehr beherrschen, sie bekommt einen Heulkrampf und Vinzenz ahnt, dass sie mit einer schrecklichen Nachricht kommen wird. Er fasst sich mit der Hand an die Herzgegend, zum ersten Mal verspürt er dort Stiche.

„Vinzenz, Jule und Melly sind tot, verstehst du, tot. Beide wurden heute gegen Abend aus dem See geholt in Mellys Auto, ein Zeugenehepaar hatte am Ufer die Reifenspuren in den See entdeckt und die Polizei informiert. Der Hannes ist im Krankenhaus, er hatte einen Kreislaufkollaps."

Vinzenz fehlt im Moment die Kraft zu reden, seine Kehle ist trocken, der Puls schlägt ihm bis hoch ins Gehirn.

„Anika, sag das noch einmal: Jule ist tot? Und Melly auch? Großer Gott, ertrunken im See, in dem Golf von Melly? Das kann ich nicht glauben, was steckt da nur dahinter?"

„Vinz, mehr wissen wir auch nicht. Adalbert telefoniert gerade in seinem Büro mit Max, der ja die Scheidung bearbeitet. Das ist jetzt natürlich auch Geschichte. Mehr erfahren wir erst auf der Pressekonferenz der Polizei. Mein Gott, Vinz, was machen wir nur? Es ist endgültig, keiner kann die Uhr zurückdrehen, ich würde es gerne tun."

Anika möchte ihrem Schwager in dieser schwierigen Situation gerne helfen, weiß aber nicht wie. Man hat beide tot gefunden, das ist nicht mehr zu ändern, sie hört, wie Vinzenz zu schluchzen beginnt.

„Noch könnte es ein Unfall gewesen sein, wenn nicht, Vinzenz, dann war es Mord, heimtückischer und gemeiner Mord. Aber dann muss es einen Täter geben und ich bin fest davon überzeugt, dass die Polizei ihn finden wird. Nur, auch dann bringt es dir deine Jule nicht mehr zurück. Und bitte, mach dem Hannes später keine Vorwürfe, dass er die Radtour gerade in diesen Tagen gemacht hatte, Vorwürfe von deiner Seite, das würde er nicht überstehen."

Sie sprechen noch einige Zeit miteinander, nur um den anderen zu hören. Anika möchte in diesem Moment Vinzenz nicht völlig alleine lassen, aber sie spürt, dass bei ihr die Kraft schwindet. Dann bedankt sich Vinzenz bei Anika für das Gespräch.

„Ich muss jetzt selbst erst damit fertig werden, das wird eine Zeit dauern. Wie ich das schaffen werde, weiß ich auch noch nicht. Ich möchte zunächst nur wissen, wann Jule und Melly beigesetzt werden, natürlich werde ich kommen. Mein Gott, der arme Hannes, wie wird er es verkraften. Für ihn und für mich wird es leider der letzte Abschied sein, der allerletzte. Ich danke dir trotz allem, ich weiß, dass euer Mitgefühl bei mir ist. Danke auch an Adalbert, eine gute Nacht, Anika."

Als Anika auflegt, kommt Adalbert aus seinem Bürozimmer, er ist kreidebleich. Er nimmt Anika in seine Arme und hält sie fest. Beide fühlen dasselbe, eine tiefe Leere nimmt sie in Beschlag. Auch sie hatten sich auf die kommenden Jahre gefreut, mit Vinzenz und Jule, alle wieder zusammen in der geliebten Heimat, in dem so ruhigen und sonnenverwöhnten Meersburg. Vorbei, aus, das Schicksal hat es anders gewollt.

Anika weint in sich hinein, norddeutsch leise, ihr Gesicht ist wie versteinert, Bitterkeit erfüllt sie, ihr Magen rebelliert. Adalbert spürt, wie ihr ganzer Körper bebt. Er hält sie noch fester, Tränen laufen ihr über das Gesicht, sie wischt sie nicht ab.

Kapitel 20

Sturm verhört

Am Montag wird die angekündigte Pressekonferenz im Rathaus Meersburg abgehalten. Die Presseleute sind zahlreich vertreten. Dass es in Meersburg einen solchen spektakulären Fall geben könnte, hatte bislang nicht im Bereich des Möglichen gelegen. Kriminalhauptkommissar Sturm erläutert den Stand der bisherigen Ermittlungen. Viel kann Sturm nicht sagen, nur, dass man durch einen Hinweis eines Urlauberehepaares den Ort, wo das Fahrzeug in dem See verschwunden war, gefunden hatte. Die Bergung wurde von dem Rettungsteam routinemäßig gelöst, die beiden Toten wurden nach Friedrichshafen ins Klinikum zur Obduktion gebracht. Über das Wochenende würden die Ermittlungen weitergehen, die Ergebnisse allerdings seien vor morgen, Dienstag nicht zu erwarten, noch müsse man von einem Unfall ausgehen.

Sturm verspricht, dass er die Presse sofort informieren werde, sobald verwertbare Untersuchungsergebnisse vorliegen. Fürs erste haben die Presseleute aber genug Material, der Fall wird bereits morgen die Schlagzeilen füllen.

ও

Florian Haas kommt am Montag pünktlich ins Polizeirevier, er wird in das Besprechungszimmer geführt, er nimmt an einem Tisch Platz, ihm gegenüber sitzt Kriminalhauptkommissar Sturm, ein zweiter Polizist sitzt schräg hinter Florian.

Sturm erklärt Florian Haas ausführlich, dass er als möglicher Tatverdächtiger geladen ist, und nimmt zunächst die Personalien auf. Florian Haas wird aufgeklärt, dass ihm für eine Aussage ein Aussageverweigerungsrecht zusteht und auch auf die Beiziehung eines Anwaltes bestehen kann. Die Hinzuziehung eines Anwaltes lehnt Florian ab. Florian wird zunächst nur allgemein vernommen.

Eustachius Sturm beobachtet Florian genau, er hat schon viele Protokolle erstellt, ein Verhör ist es noch nicht, noch nicht, denkt Sturm, aber seine Aussagen werden protokolliert. Die Fragen sind allgemein und Florian antwortet ebenso allgemein, ein Alibi hat er nicht, wenn man als Tatzeit die Samstagnacht auf Sonntag annimmt. Die Aussagen von Florian Haas sind eher flapsig und oberflächlich, er tut so, wie wenn ihn das alles nichts angehen würde.

Sturm aber hat die absolute Vermutung, dass Florian an dem Fall beteiligt ist, wenn nicht sogar noch mehr. Ein Motiv ist für Sturm immer das Entscheidende, das sagt ihm seine langjährige Berufserfahrung.

Aber das Scheidungsmotiv wird von Florian Haas dem Kriminalhauptkommissar gegenüber heruntergespielt. Die Ehe sei schon seit über einem Jahr kaputt, er und seine Frau Jule hätten sich nichts mehr zu sagen gehabt. Das von Jule beantragte Scheidungsverfahren sei laut Florian nur die logische Konsequenz, damit habe er sich schon längst abgefunden.

„Wissen Sie, Herr Hauptkommissar, es ist schon eigenartig. Es läuft die Scheidung, ich will bei Gutemanns ausziehen, habe auch schon eine Wohnung in der engeren Wahl und dann passiert dies. Frau Gutemann ist wahrscheinlich auf dem Fußweg gefahren, der ist für Autos gesperrt, was haben die beiden Frauen da zu suchen gehabt? Bei der Sperre kurz vor der Haltnau muss die Melly Gutemann nach links ausgewichen sein und dann ist das Auto in den See gerutscht, es ist dort sehr steil. Sie hat dann das Auto wohl nicht mehr halten können."

Florian gibt sich unbeteiligt, aber Sturm ist auf der Hut, das ist ihm alles zu einfach.

„Herr Haas, eine andere Frage: Am Sonntag ist die Weinstube geschlossen, Sonntag und Montag sind Ruhetage. Haben Sie etwas mitbekommen, dass die Damen weggefahren sind? Vom zweiten Stock kann man doch ein wegfahrendes Auto hören, es ist noch sehr warm draußen, sie werden die Fenster nicht geschlossen gehabt haben, nehme ich an."

„Tut mir leid, aber mein Schlafzimmer geht auf die andere Seite, da höre ich kaum etwas. Nein, ich habe kein Auto wegfahren hören. Das Auto von Frau Gutemann, also der Golf, war am Samstag noch an seinem Platz, das habe ich gesehen. Am Sonntag habe ich erst gegen Mittag in den Hof geschaut, da war das Auto bereits weg."

Florian macht diese Aussage, weil sie stimmt und auch nachprüfbar ist, Gäste könnten ja am Samstag den Golf gesehen haben.

Aber dann, kombiniert Sturm, wäre ja der Unfall oder der Mord frühestens von Samstag auf Sonntag oder danach passiert. Jetzt fehlt ihm noch die Todeszeit, er muss gleich im Klinikum anrufen, vielleicht wissen die inzwischen mehr.

„Augenblick, Herr Haas, ich komme gleich wieder."

Sturm steht auf und gibt dem Beamten mit der Hand ein Zeichen. Der Polizist, der sich mit im Raum befindet, soll auf Florian Haas aufpassen. Sturm geht in sein Büro und ruft im Klinikum in Friedrichshafen an, er weiß, dass man dort die beiden Leichen untersucht hat, übers Wochenende schon und auch noch heute. Sturm verlangt den Leiter der Pathologie, Dr. Aumann, beide kennen sich schon über Jahre.

„Guten Tag, Sturm hier. Herr Dr. Aumann, mich würde die möglichst genaue Todeszeit der beiden Leichen vom Samstag interessieren und auch, ob sich inzwischen neue Erkenntnisse ergeben haben."

„Hallo, Herr Hauptkommissar, Aumann hier. Nun, was wir heute schon sagen können, ist, dass nach dem Zustand der Leichen der Tod beider zum gleichen Zeitpunkt eingetreten ist, wir schätzen ihn von Samstag auf den Sonntag, es dürfte während der Nacht zum Sonntag passiert sein. Die Uhr im Fahrzeug ist bei 2.09 Uhr stehengeblieben, das kommt immer dann vor, wenn das Wasser im Fahrzeug einen Kurzschluss verursacht."

Aumann macht eine kleine Pause, wie wenn er etwas Wichtiges präsentieren wollte.

„Aber, Herr Hauptkommissar, hören Sie mir gut zu:

Der Tod ist nicht durch Ertrinken erfolgt, in den Lungen beider Leichen haben wir kein Wasser entdeckt. Und jetzt kommt noch der absolute Hammer, Herr Hauptkommissar: Wir haben an den beiden Leichen Spuren einer Erdrosselung entdeckt."

Eustachius Sturm haut diese Nachricht fast vom Stuhl, es war also doch Mord. Wir suchen also einen Mörder, einen Doppelmörder. Jetzt ist jede Einzelheit von Bedeutung.

„Herr Dr. Aumann, sagen Sie mal, wie sicher sind denn Ihre Erkenntnisse? Sind sie dem Staatsanwalt und auch der Presse gegenüber verwendbar? Das ist von großer Wichtigkeit."

„Herr Kriminalhauptkommissar, bei unseren Erkenntnissen sind wir absolut sicher. Wir haben wir immer zu zweit untersucht, jeder eine Leiche, und sind unabhängig voneinander zu denselben Resultaten gekommen. Kein Wasser in beiden Lungen, also kein Ertrinken. Dann konnten an beiden Halspartien Anzeichen einer Strangulierung entdeckt werden. Es muss sich bei der Mordwaffe um einen Draht, einen sehr dünnen Draht, gehandelt haben. Wären die Leichen erst später gefunden worden, wären die Spuren wahrscheinlich kaum mehr sichtbar gewesen. Da kann eine Woche mehr schon ausreichen und wir entdecken keine Spuren mehr."

Sturm versteht, was Dr. Aumann meint. Keine Woche länger hätten die beiden Toten im Wasser liegen können und die Spezialisten hätten mit hoher Wahrscheinlichkeit die Spuren nicht mehr entdeckt, das Wasser hätte die Hautpartien aufgeschwemmt.

„Fürs erste sind wir mit unserer Arbeit an den Toten fertig, jetzt muss die Spusi das Fahrzeug nochmals untersuchen, gerade jetzt, wo wir von einem Verbrechen ausgehen. Da könnten auch Kleinigkeiten ausschlaggebend sein. Grüßen sie Herrn Merk von mir, ich wünsche ihm viel Glück bei seiner Arbeit. Wenn wir noch etwas finden sollten, melde ich mich wieder, schönen Tag noch, Herr Kriminalhauptkommissar."

Mord also, ein Doppelmord, durch Strangulation in beiden Fällen, dann Vortäuschung eines Unfalles und die Versenkung des Autos im See. Das könnte man auf jeden Fall den Presseleuten morgen liefern. Aber ohne den Mörder, oder zumindest einen Ansatz dazu, geht das nicht, denkt Sturm. Wenn es eine Strangulation war, dann war es sehr wahrscheinlich Rache. Bei einem solchen Vorgehen, das weiß er, ist Eifersucht immer ein Motiv.

„Dieser Florian Haas kommt mir immer verdächtiger vor, aber wir können ihm noch nichts nachweisen. Noch nicht, der leugnet bislang alles ab und richtige Beweise gegen ihn liegen noch nicht vor. Und ein Geständnis wird er zumindest im Augenblick nicht ablegen."

ꙮ

Sturm spricht vor sich hin und geht langsam zurück zum Verhörraum. Er lässt sich bewusst Zeit und sammelt seine Gedanken. Dieser Umstand der fehlenden Beweise ärgert Sturm, macht der Kerl ihm etwas vor? Seine Aussagen hatte Florian Haas bislang ziemlich unbeteiligt getätigt, so, als ob er mit dem Fall nichts zu tun hätte. Da wird Sturm nachfassen müssen.

Sturm kommt zurück zu Florian Haas. Er sieht ihn an, wie kriegt er ihn dazu einen Fehler zu machen? Wenn er den ersten Fehler machen würde, käme der nächste bald hinterher, so kennt er das aus vielen Vernehmungen.

„Herr Haas, die Autopsie ist für heute erst einmal abgeschlossen, weitere Untersuchungen werden noch folgen. Für heute ist aber bereits klar, dass es sich um Mord handelt, in beiden Fällen."

Er beobachtet die Reaktion Florians, dessen Gesicht steht voll im Licht, Sturm kann jede Regung in seinem Gesicht registrieren. Florian Haas wird urplötzlich steif, er zuckt mit seinen Augen, sein Mund verzerrt sich etwas, wie wenn er etwas sagen möchte, es sich aber verkneift.

„Die Morde dürften nach den jetzigen Erkenntnissen in der Nacht von Samstag auf Sonntag durchgeführt worden sein. Und die beiden sind nicht ertrunken, der Unfall war vorgetäuscht."

Jetzt wird Florian Haas unruhig, er rutscht auf dem Stuhl hin und her. Mit seinen Händen fasst er sich ständig ins Gesicht. Wie haben die das so schnell herausgefunden? Aber er wird alles abstreiten, die haben gegen ihn noch nichts in der Hand. Seine Handinnenflächen beginnen zu schwitzen.

„Herr Haas, wir haben die Tatzeit, zumindest den engeren Zeitrahmen dazu, wir wissen, es war kein Unfall, beide waren schon davor ermordet worden, Sie haben für die Tatzeit kein Alibi, Sie haben aber ein Motiv. Dies bedeutet, dass Sie derzeit der Hauptverdächtige in dem Mordfall sind. Es besteht bei Ihnen Fluchtgefahr und auch Verdunkelungsgefahr, ich werde die Untersuchungshaft beim Staatsanwalt beantragen."

Sturm ist die Ruhe selbst geworden, für ihn zappelt dieser Haas schon, aber er ist verdammt zäh. Haas geht zum Gegenangriff über.

„Das lasse ich mir nicht gefallen. Wenn es kein Unfall, sondern Mord war, von mir aus, aber ich bin nicht der Mörder, wie kommen Sie gerade auf mich? Gut, ich habe für den Tatzeitpunkt kein Alibi, aber das haben andere auch nicht. Viele schlafen alleine, das können Sie mir nicht anhängen. Und mit der Scheidung meiner Frau habe ich mich schon längst abgefunden, von wegen Motiv, dass ich nicht lache."

Sturm lässt nicht locker, aber es ist ihm klar, dass er zumindest heute nicht weiterkommen wird.

„Wir stehen ja erst am Anfang unserer Ermittlungen, die gehen jetzt intensiv weiter. Tut mir leid für Sie, ein Geständnis wollen Sie ja nicht ablegen, oder?"

„Natürlich nicht, was soll ich denn zu gestehen haben. Wie sind denn die beiden umgebracht worden, gibt es da schon eine Erkenntnis? Haben Sie schon die Mordwaffe?"

Ja, mein Lieber, denkt Sturm, die gibt es sicher, aber wir haben sie leider noch nicht, aber das verrate ich dir doch nicht. Sturm möchte ihn noch schmoren lassen, er braucht weitere Untersuchungsergebnisse, auch solche aus dem Fahrzeug.

„Ich verlange, dass Sie mich auf der Stelle freilassen, ich sehe die Vorladung als beendet an. Es liegen keinerlei Beweise gegen mich auf dem Tisch. Wenn Sie meinem Wunsch nicht nachkommen, verlange ich augenblicklich einen Anwalt."

Florian Haas hat sich erhoben, er möchte den Raum verlassen. Sturm nickt dem Beamten im Raum zu, ihn gehen zu lassen. Innerlich knirscht Sturm mit den Zähnen, aber er kann derzeit Florian Haas nicht festhalten. Er braucht einen richterlichen Beschluss, da fehlen ihm aber noch Beweise oder zumindest deutliche Anhaltspunkte, die auf Florian Haas hindeuten.

Nachdem Florian Haas das Polizeirevier verlassen hat, versucht Sturm den Staatsanwalt telefonisch zu erreichen und informiert ihn über den aktuellen Stand. Weitere Ergebnisse der Spurensicherung werden bereits für morgen erwartet, dann könnte die Polizei eine Hausdurchsuchung durchführen. Der Staatsanwalt, der auch selbst an einer raschen Auflösung des Falles interessiert ist, sagt Eustachius Sturm die Anordnung eines richterlichen Untersuchungsbeschlusses zu, sofern sich aus den noch anstehenden Untersuchungen Anhaltspunkte für eine Täterschaft von Haas ergeben werden. Für diesen Fall sichert ihm der Staatsanwalt eine rasche Bearbeitung durch den zuständigen Richter zu.

Kriminalhauptkommissar Sturm fühlt sich eingebremst. Sein Bauchgefühl und seine berufliche Erfahrung führen ihn eindeutig zu Florian Haas als Täter hin. Aber schlussendlich sieht er ein, dass er ohne Beweise oder Anhaltspunkte einem Florian Haas gegenüber hilflos dasteht. Später versucht Sturm nochmals Kontakt zur Spurensicherung zu bekommen. Er erreicht Tilmann Merk und erfährt weitere interessante Details.

„Herr Hauptkommissar, es wird immer spannender, die Kollegen von der Spurensicherung haben im Fahrzeug Sandspuren entdeckt. Und zwar einmal auf der Fußmatte des Fahrzeuges in den Gummiecken, und zwar nur auf der Fußmatte der Fahrerseite. Außerdem wurden Sandspuren auf beiden Türholmen am Boden entdeckt, dort sogar besonders viel. Der Täter muss an seinen Schuhsohlen Sand gehabt haben. Dadurch, dass beide Türen geschlossen wurden, bevor das Fahrzeug ins Wasser verbracht wurde, sind die Sandspuren zwischen Autotür und Türrahmen nicht weggespült worden. Unser Labor hat diesen Sand untersucht und die Analyse dieser Sandpartikel hat ergeben, dass es sich um alten Sand handelt, verstehen Sie? Nicht um einen Sand vom Seeufer, sondern um alten Sand, wie er in alten Kellern vorkommt, nur dort sind diese völlig anderen Bestandteile enthalten. Auf der Fußmatte auf der Beifahrerseite und an den Schuhen beider Leichen waren aber keinerlei Spuren dieses Sandes zu entdecken.“

„Toll, und was bedeutet das jetzt?“

Sturm verfällt wieder einmal in seinen

unverwechselbaren Colombo-Stil und versucht, sich absichtlich etwas dumm zu stellen. Das tut er immer gerne, wenn er die Antworten schon erahnt und nur noch von dem Gegenüber bestätigt haben möchte.

„Das bedeutet, Herr Hauptkommissar, dass aus unserer Sicht der Täter beim Einladen der Leichen Schuhe trug, an denen dieser Sand noch haftete. Der Täter muss selbst das Fahrzeug mit den beiden Leichen gefahren haben, bis zu dem Ort, wo er dann das Auto im See versenkt hat. Da die Leichen allem Anschein nach auch nicht im Auto getötet wurden, könnten uns diese Sandspuren zum Tatort hinführen. Wenn meine Theorie stimmt, müsste das in einem alten Haus und dort in einem alten Keller geschehen sein. Können Sie damit etwas anfangen?“

„Ich danke Ihnen, ja, damit kann ich natürlich etwas anfangen. Diese neuen Erkenntnisse dürften meine Ermittlungen einen gewaltigen Schritt weiterbringen, erst einmal herzlichen Dank, Kollege Merk.“

Das ist es, das muss Sand aus dem Keller des Gutemann-Hauses sein. Wenn es wirklich dieser Haas war, dann können es logischerweise nur Sandspuren aus diesem Keller sein.

Dort könnte er die Morde begangen oder zumindest vorbereitet haben, da war er ungestört. Aber wie hat er dann die beiden Leichen hochgebracht? Die Kellertreppe ist ziemlich steil, das hatte er selbst bei der Besichtigung erkannt. Da bringt der Haas die Leichen doch niemals alleine hoch. Oder hat er beide doch oben erst umgebracht und hat dafür im Keller etwas versteckt? Egal, eines nach dem anderen.

ଓ

„Morgen müssen wir auf jeden Fall in das Gutemann-Haus und zwar in den Keller, da war hinten ein ungepflasterter Bereich mit einem Sandboden. Von dort könnten die Sandspuren aus dem Fahrzeugs stammen."

Sturm kombiniert jetzt messerscharf, morgen wird man weitersehen. Einen Durchsuchungsbeschluss für den Keller braucht er nicht, er wird aber Hannes Gutemann im Krankenhaus besuchen und ihn informieren. Den Hausschlüssel wird ihm Gutemann überlassen.

Sturm ist nicht mehr aufzuhalten, er hat die Spur entdeckt, die Spur vom Motiv zur Tat, von der Tat zum Mörder. Aber noch fehlen ihm sämtliche Brücken und Verbindungen zu den einzelnen Bausteinen und damit auch zu Florian Haas. Er muss nachdenken, dazu braucht er Ruhe, jetzt möchte er nicht abgelenkt sein. Und er braucht Zeit, um seine Gedanken zu sortieren.

ଓ

Sturm fährt nachhause nach Tettnag, er will sich mit seiner Frau Mechthild unterhalten. Mit seiner Frau hat er ein eigenartiges Verhältnis. Sexuell spielt sich zwischen den beiden nichts mehr ab, das hat er mit seiner Solveig ganz nett organisiert, aber wenn er Verständnis braucht und Themen sortieren will, ist ihm seine Frau immer eine gute Hilfe. Er parkt vor dem Haus und geht hinein, Mechthild ist da und zugleich erstaunt, dass ihr Eustachius schon nachhause kommt.

„Grüß dich, Stachi, heute kommst du aber früh nachhause, hat dir der neue Fall auf einmal eine Auszeit gegeben?“

Mechtild schmunzelt, normalerweise kommt Stachi nicht vor sieben Uhr abends nachhause.

„Die habe ich mir heute ganz einfach genommen, Mechthild. Ich muss auch einmal, ohne abgelenkt zu werden, die Einzelstücke zusammensetzen können. Dazu muss ich raus aus der Mühle, die ständigen Telefonate stören dabei.“

Er geht zum Kühlschrank und nimmt sich eine Flasche Wein heraus. Er setzt sich an den Esstisch, auf den geraden Stühlen sitzt er besser.

„Weißt du, Mechthild, ich bin mir sehr sicher, dass ich den Täter kenne, aber der streitet alles ab, gar alles. Und mich ärgert maßlos, dass ich die bereits vorliegenden Erkenntnisse nicht mit ihm in eine direkte Verbindung bringen kann.“

Sturm öffnet die Flasche Wein, natürlich eine von der Winzergenossenschaft Meersburg, seine Frau bringt zwei Gläser und setzt sich zu ihm.

„Manchmal habe ich ein untrügliches Gefühl, wer der Schuldige in einem Verbrechen sein könnte. Dann habe ich zwar viele Einzelheiten, aber noch kein Ganzes, und ich stehe dann da wie vor einem ungelösten Puzzle. Ihr Frauen und gerade du mit deiner Erfahrung als Richterin, habt doch auch diese Intuition.“

Mechthild beobachtet ihren Mann, solche Momente sind selten. Er hat leicht dunkle Ringe unter seinen Augen, der Fall und vor allem, dass er nicht vorankommt, belasten ihn offensichtlich. Immer wenn ihr Stachi bei einem Fall nicht weiterkommt, schlägt es ihm auf den Magen, das kennt sie seit vielen Jahren. Nicht umsonst hat ihr Mann einen empfindlichen Magen, da muss man aufpassen.

Sturm hat eingeschenkt, er hebt sein Glas und will mit seiner Frau anstoßen.

„Bist du sicher, Stachi, dass dir jetzt ein Wein guttut? Du solltest ein Brot dazu essen, es saugt die Säure etwas auf, warte ich hole dir ein Stück, du siehst mir übersäuert aus, trink langsam."

Mechthild bringt ihm ein Stück von dem Baguette vom Sonntagsfrühstück, sie ahnt schon, worauf ihr Stachi hinaus möchte.

„Also, Mechthild, lass mich einmal zusammenfassen. Wir haben bislang folgende Erkenntnisse: Zwei Menschen haben sich seit einiger Zeit auseinandergelebt, so sehr, dass die Frau die Scheidung einleitet. So weit, so gut, das könnte man noch hinnehmen, da muss sich nicht gleich ein Mord daraus entwickeln. Aber jetzt kommt der frühere Freund der Ehefrau auf Besuch und mit in das Spiel. Er trifft sich in Abwesenheit des Ehemannes mit ihr und die alte Liebe blüht wieder auf. Der Ehemann kommt nach einer Woche zurück und hat das Schreiben des Anwaltes mit dem Scheidungsauftrag seiner Ehefrau auf dem Tisch. Die Ehefrau ist während seiner einwöchigen Abwesenheit auch noch aus der gemeinsamen Wohnung ausgezogen. Verstehst du?"

Mechthild hört ihrem Mann gut zu, der langsam fortfährt.

„Da frage ich mich dann schon, ist das denn alles noch von dem Ehemann als normal zu bezeichnen, so wie der Florian Haas es mir gegenüber darstellen möchte? Weißt du, er tut so cool. Ich meine, da erwachen doch sofort Aggressionen und Rachegefühle, da wird doch einer verletzt, und zwar im tiefsten Grund seiner Seele, egal ob Deutscher oder Österreicher. Oder was meinst du?“

Das Stück Brot tut ihm gut, sein Magen beruhigt sich.

„Ach, Stachi, ist es wieder einmal so weit. Du willst wissen, wie ich gefühlsmäßig diesen Fall einstufen würde? Und da sage ich dir schon sehr deutlich, dass sich auch ein abgebrühter Ehemann das nicht gefallen lassen wird. Da werden die elementaren Empfindungen wie Ehre, Selbstachtung und menschliche Anerkennung verletzt, tief verletzt.“

Mechthild spricht in ruhigen Worten, natürlich hat sie eine Menge an Erfahrungen in all den Jahren gesammelt. Zu viele Fälle musste sie bei Gericht werten und einstufen und nicht immer waren die vorliegenden Aussagen ehrlich und somit verwendbar.

„Selbst wenn die Trennung schon Monate so gelebt worden wäre, sobald ein Rivale ins Gehege kommt, werden die Reizempfindungen aktiviert und je nach dem Typus der Person, können die Reaktionen teilweise sehr krass ausfallen. Was glaubst du, was wir in den Gerichtsfällen für Zerwürfnisse zur Kenntnis nehmen müssen? Da muss es noch zu gar keinem Mord gekommen sein, aber die Voraussetzungen dafür waren oftmals bereits zu erkennen.“

„Mechthild, da bin ich mit dir einig. Ich weiß, dass du durch dein Richteramt tiefen Einblick in die Verhaltensformen von Menschen hast. Wir von der Kripo kommen immer erst dann dazu, wenn schon etwas passiert ist. Ich bin sicher, es gehen viele Fälle knapp vor der Katastrophe noch einmal gut aus und wir kriegen sie erst gar nicht zu Gesicht."

Sturm trinkt an seinem Glas, der Wein schmeckt ihm und entspannt ihn zusehends.

„Stachi, ich kann dir in diesem Fall nur eines raten: Wenn dein Verdächtiger alles abstreitet und nichts zugibt, musst du dich, ob du es willst oder nicht, auf Indizien versteifen. Ich weiß, das ist dann meistens Schwerstarbeit für die Kripo, aber das ist fast immer die einzige Chance. Ich würde nochmals mit der Spurensicherung reden, die müssen doch irgendetwas finden, womit du ihn überführen kannst."

Mechthild sieht ihren Stachi mit einem ernsten Gesicht an. Er war doch sonst immer hinter jeder noch so kleinen Spur her und das Sammeln von Beweisstücken gehört schließlich zu einer guten Polizeiarbeit. Hat ihm vielleicht sein Alter schon etwas von seiner früheren Bissigkeit genommen?

„Oftmals ist man schon am Aufgeben und dann stößt man auf einen Punkt, der einen weiterbringt. Mörder hinterlassen immer Spuren, auch wenn sie glauben, sie hätten alle beseitigt, aber an alles denken die auch nicht immer. Es genügt oft eine einzige Spur, die dann den Weg zu anderen Beweisen aufzeigt. Bleib einfach dran, so kenne ich dich doch, gib jetzt nicht auf."

Sturm kennt den Unterschied zwischen seiner leichtlebigen und ein wenig dummen, aber hübschen Solveig und seiner mitten im Leben stehenden Mechthild. Bei ihr kann er sich erden, da werden Dinge auf einmal logisch und klar. Er möchte gerne diese Beziehung erhalten, besonders fair fühlt er sich wegen Solveig aber nicht dabei. Er ist da voll auf die Großzügigkeit seiner Frau angewiesen, Sturm ist sich dessen sehr bewusst.

„Danke dir, Mechthild, ich habe da heute erst vom Kollegen Merk neue Hinweise erhalten, vielleicht kommt da bereits morgen etwas Verwertbares heraus. Da könnte ich dann ansetzen, halte mir die Daumen, ein wenig Glück braucht man manchmal eben auch."

„Mein lieber Stachi, du weißt, nur der Tüchtige hat Glück und tüchtig bist du, das habe ich all die Jahre verfolgen können."

Richtige Indizien, Sturm meint juristisch verwertbare, hat er noch nicht, aber es ist ihm natürlich auch klar, dass dies der einzige Weg ist, dem unverändert leugnenden Florian Haas beizukommen. Die Sandspuren, von denen der Kollege Merk gesprochen hat, könnten hier bereits eine erste Spur ergeben.

Noch wären die Sandspuren, selbst wenn sie aus dem Keller des Gutemann-Hauses wären, zwar noch nicht die endgültige Überführung von Florian Haas, aber er würde näher an ihn herankommen. Damit könnte er auch dem Richter einen Grund zum Erlass eines Durchsuchungsbeschlusses und sogar zum Erlass eines Haftbefehls liefern. Damit könnte Sturm ihn weiter in Bedrängnis bringen, bis er seine überhebliche Art aufgibt.

„Ich muss diesen Kerl noch mehr unter Druck setzen, ich werde ihm Daumenschrauben ansetzen, der wird mich noch kennenlernen."

Sturm ist in Gedanken schon bei der für den morgigen Tag eingeplanten Durchsuchung des Gutemann-Kellers. Die muss er noch mit Tilmann Merk zeitlich abstimmen, auch für den Ortstermin wird er Merk noch anrufen, er möchte ihn dabei haben.

☙

Hauptkommissar Eustachius Sturm findet seine bisherige Arbeit grundsätzlich gut. Die Polizei hat den Fall ordnungsgemäß aufgenommen, eine routinemäßige Personensuche eingeleitet, zwar ohne ein Ergebnis abgeschlossen und war deswegen ab diesem Zeitpunkt auf Informationen von außen angewiesen. Dann kam glücklicherweise der Hinweis dieses Zeugenehepaars aus Albstadt, die Verfolgung dieser Aussagen lief schnell und professionell ab, das gesuchte Fahrzeug und beide vermisste Frauen wurden geborgen. Die Pathologie hatte einen Mord bestätigt. Nun war es seine Aufgabe, den Mörder der beiden zu finden.

Alle Anzeichen deuten darauf hin, dass es sich um einen vorsätzlichen Mord handelt und es gibt für Sturm keinen Zweifel, dass dieser Florian Haas der Täter sein muss, zu eindeutig ist für Sturm die Motivlage. Aber er muss einen Weg finden, diesen mutmaßlichen Mörder Haas zu überführen. Er kann es wenden, wie er es will, er kommt auf keinen anderen Ausgang. Haas muss der Täter sein.

„Bisher hat der Kerl versucht, mit uns sein Spielchen des von nichts Wissens zu spielen, er spielt uns den Ahnungslosen vor, das werde ich beenden.“

Sturm ist auch nach dem Gespräch mit seiner Frau Mechthild überzeugt, dass er mit seinem Verdacht völlig richtig liegt. Wenn Haas weiter alles abstreiten sollte, bliebe dem Kriminalhauptkommissar nur noch eines übrig, nämlich eine Indizienkette aufzubauen, wie Recht doch seine Mechthild hatte.

Einzig die gefundenen Sandspuren könnten ihn dabei weiterbringen. Im Auto der Toten konnte die Spurensicherung keine weiteren Anhaltspunkte finden, die auf Haas hingedeutet hätten. Der Täter muss bei der Tat Gummihandschuhe getragen haben, nachdem nirgendwo Fingerabdrücke zu finden waren. Die Gummihandschuhe muss er entsorgt haben.

Kapitel 21

Das Finale

Am nächsten Morgen ruft Sturm gleich den Leiter der Spurensicherung, Tilmann Merk, nochmals an. Er will noch heute Vormittag die Sanduntersuchung vorantreiben. Er hat eine Spur, die will er verfolgen und er hat einen Florian Haas gehen lassen müssen, den er nur wird festnehmen können, wenn sich belastende Anhaltspunkte ergeben würden. Eine Haftanordnung und der ebenfalls gestern beantragte Durchsuchungsbeschluss des Gerichtes könnten dann kurzfristig vorliegen, es kann losgehen.

Sturm fährt noch kurz am Krankenhaus vorbei und besucht Hannes Gutemann. Es geht im körperlich wieder besser, aber sein Gemütszustand muss noch über Psychopharmaka stabilisiert werden. Er gibt Sturm den Haustürschlüssel und nickt zustimmend, als er erfährt, worum es geht. Er versucht, noch etwas zu sagen, aber dann wendet er sich etwas ermattet von Sturm ab. Er scheint etwas verwirrt zu sein.

Wieder zurück auf dem Revier greift Sturm zum Telefon.

„Hallo, Herr Kollege Merk, ich brauche Sie dringend, wir haben zwar einen Anfangsverdacht, aber noch keine Spur zum Täter, also keinen offiziell Verdächtigen. Aber, wenn wir heute den Sand im Keller des Gutemann-Hauses untersuchen, und, angenommen, der entspräche dem Sand aus dem Fahrzeug, wäre ich einen Riesenschritt weiter. Können wir uns in Meersburg vor der Weinstube treffen, sagen wir in einer Stunde, also um 10.00 Uhr?“

Merk ist einverstanden, er kennt natürlich solche engen Terminsachen, das ist wie das Hase-Igel-Spiel, wer ist der Schnellere?

Beide treffen sich vor der geschlossenen Weinstube und gehen durch das Tor in den Innenhof, Merk hat eine Schaufel, eine Spachtel und verschiedene Plastikgefäße mitgebracht. Die Hauseingangstüre zum Hinterhaus ist wie immer nur angelehnt, sie gehen hinein, Sturm hätte keinen Schlüssel gebraucht, auch die Kellertüre ist unverschlossen. Beide gehen die steile Treppe hinunter und stehen dann vor dem Lattenverschlag, die Türe ist offen. Dahinter erkennt man den feuchten Sandboden, es muffelt nach verbrauchter Luft. Sturm erinnert sich in diesem Augenblick wieder an den Geruch in diesem Altenheim, wo seine Mutter die letzten Lebensjahre verbracht hatte, da roch es immer ähnlich schlecht.

Merk geht vorsichtig hinein, er möchte von dem Sand Proben nehmen, er legt eine Spachtel und drei Plastikgefäße auf den Boden. Während Merk einige Proben von verschiedenen Stellen nimmt, schaut Sturm, wie wenn es die Vorsehung so bestimmt hätte, an die Stelle, wo der Spaten an die Wand angelehnt steht. Er entdeckt auch auf dem Spaten ebenfalls Sandspuren, nimmt ihn vorsichtig in die Hand und zeigt Merk den Spaten.

„Schauen Sie, Herr Kollege, da ist auch Sand dran, mit dem ist gegraben worden. Mit einem Spaten gräbt man normalerweise immer tief. Vielleicht sollten wir auch etwas tiefer graben und vom dem tieferen Sand Proben untersuchen, der dürfte feuchter sein."

Sturm sticht mit der Schaufel in den Boden. Durch den lockeren Sand kommt er schnell tief hinein und, wie er den Sand herausheben will, kommen mit der Schaufel ein paar Drähte mit. Er gräbt weiter, noch mehr Drähte und zwei Drahtschlingen kommen zutage. Es läuft ihm eiskalt den Rücken herunter. Drahtschlingen, ja das sind Drahtschlingen, das könnte das Mordwerkzeug für exakte Strangulationen sein.

„Merk", er vergisst in der Aufregung die Anrede „Herr Kollege" und wechselt ins Du, „schau mal, ich werde verrückt. Das ist das Mordwerkzeug, wir haben ihn, diesen Hundesohn. Erwürgt seine Frau und auch gleich noch seine Schwiegermutter mit einer Drahtschlinge. Dem habe ich von Anfang nicht über den Weg getraut."

„Herr Hauptkommissar, genau, das ist die Sensation schlechthin, graben Sie bitte weiter, mir scheint, dass wir da einen Volltreffer gelandet haben."

Sturm gräbt weiter, auch an einer anderen Stelle, und jetzt kommt ihnen die ganze Abscheu dieser Gräueltat zu Gesicht. Tote Katzen kommen zum Vorschein, immer mehr, er legt sie nebeneinander in eine Reihe. Am Ende zählen Sturm und Merk dreizehn tote Katzen. Dreizehn Katzen mit unterschiedlicher Fellfarbe, alle wurden vergraben und mit Sand zugeschüttet. Starker Verwesungsgeruch kommt ihnen entgegen, beide kämpfen gegen die sich einstellende Übelkeit.

Tilmann Merk als der Fachmann für Spurensicherung nimmt zuerst eine Katze in die Hand, er hat Plastikhandschuhe angezogen. Er ist durch seinen Beruf ziemlich abgehärtet. Er tastet alle am Hals ab und sucht dort etwas, dann sieht er Sturm an.

„Sturm“, in diesem Moment vergisst er auch den Hauptkommissar, „Sturm, das ist eine Perversion, eine Perversion des Geistes. Wissen Sie was ich damit meine? Dieser Sauhund hat die Katzen als Versuchstiere benutzt, die sind alle stranguliert worden, die haben alle diese sehr spezifischen Spuren an den Hälsen, ich spüre sie beim Abtasten. Da hat der seine Versuche gemacht, bis er sich dann später an die Menschen herangetraut hat. Dieses Schwein, mich ekelt es vor so einem Menschen.“

„Das ist der Wahnsinn, Merk, Menschen gibt’s, da lerne ich selbst als Kriminaler noch hinzu. Jetzt sind wir schon sehr weit gekommen, wir haben jetzt elf Uhr, bis wann können Sie die Sandspuren ausgewertet haben?“

Und dann kommt Sturm der entscheidende Geistesblitz.

„Herr Kollege, wir nehmen den Spaten auch noch mit. Geben Sie ihn in eine Plastiktüte und untersuchen Sie ihn bitte auf Fingerabdrücke und auch auf DNA-Spuren. Von dem Haas werden wir eine DNA-Probe nehmen. Es fehlt mir noch immer der endgültige Beweis, dass es auch dieser Haas war.“

Tilmann Merk packt alle gefundenen Dinge in zwei große Tüten. Beide steigen die Kellertreppe hoch und stehen dann vor dem Haus. Sturm vermutet oben im zweiten Stock den Florian Haas. Das Auto von Haas steht hinten im Innenhof, er muss also zuhause sein.

„Lange wirst du nicht mehr frei herumlaufen, das verspreche ich dir."

Sturm sieht nicht zu der Wohnung hoch, er will vermeiden, dass er mit Florian Haas in einen Blickkontakt kommt.

„Herr Hauptkommissar, wenn wir jetzt losfahren, könnte ich Ihnen das Ergebnis der Untersuchungen in etwa zwei Stunden, also so um 13.00 Uhr bekanntgeben. Gegebenenfalls hätten Sie dann noch Zeit, die richterlichen Beschlüsse anzufordern und auch abzuholen."

Beide steigen in ihre Autos und fahren los. In Sturms Innerem rumort es, er braucht jetzt die Ergebnisse der Sanduntersuchung. Er ist sich sicher, dass dann der Richter den erforderlichen Beschluss erlässt.

ଓ

Bereits zehn Minuten vor 13.00 Uhr geht bei Sturm das Telefon und Merk ist in der Leitung.

„Hallo, Herr Hauptkommissar, wir haben die Ergebnisse des Labors hinsichtlich der Sanduntersuchungen. Ich kann Ihnen bestätigen, dass die Sandspuren aus dem Auto mit den Sandspuren im Keller identisch sind. Kompliment, Herr Sturm, das war eine richtig heiße Spur. Wie machen Sie jetzt weiter?"

„Für mich steht damit fest, dass dieser Florian Haas als dringend Tatverdächtiger anzusehen ist. Das werde ich jetzt sofort dem zuständigen Staatsanwalt übermitteln. Ich denke, dass ich den richterlichen Durchsuchungsbeschluss in den nächsten Minuten in Händen haben werde, dann müssen wir in die Wohnung.“

Sturm atmet tief durch, er spürt, dass er in diesem Fall endlich vorankommt.

„Herr Kollege, ich rede jetzt gleich mit dem Staatsanwalt und dem zuständigen Richter. Wenn ich den Beschluss in Händen habe, rufe ich Sie wieder an. Wir sollten dann schnellstmöglich die Wohnungsdurchsuchung bei dem Haas machen. Es scheint, dass er zuhause ist, ich melde mich wieder.“

Hauptkommissar versucht sofort den Staatsanwalt zu erreichen, zum Glück ist dieser greifbar. Nach der Schilderung der Ergebnisse der Untersuchungen sagt ihm der Staatsanwalt zu, den Durchsuchungsbeschluss zu genehmigen, Sturm könne ihn in den nächsten dreißig Minuten bei dem bereits informierten Richter abholen lassen.

Sie vereinbaren, dass der Kollege Merk vorbeikäme und den Beschluss für ihn abhole. Damit könnten dann beide sofort in die Wohnung von Florian Haas gehen und den Beschluss umsetzen.

Sturm erreicht Merk, und Tilmann Merk ist einverstanden, er ist ohnehin noch in Friedrichshafen, und wird den Beschluss abholen und mitbringen. Beide verabreden sich auf 14.30 Uhr in Meersburg vor der Weinstube zur Schönen Fischerin.

☙

Kriminalhauptkommissar Sturm ist schon zehn Minuten vor der vereinbarten Zeit vor der Weinstube, er parkt aber um die Ecke, damit er von Florian Haas nicht erkannt wird. Er hat seinen Kollegen Steinmeier mitgebracht, dieser hatte vorsichtshalber bei ZF in Friedrichshafen noch anrufen lassen und Herrn Florian Haas verlangt. Dabei wurde gesagt, dass Herr Haas heute Urlaub habe und nicht im Büro sei. Das könnte heute gutgehen, sämtliche Vorbereitungen waren getroffen.

Drei Minuten später taucht Merk auf und winkt mit dem Durchsuchungsbeschluss.

„Tag, Herr Hauptkommissar, das läuft aber heute flott. Jetzt bin ich gespannt, was wir noch alles herausfinden werden. Gehen wir rein!"

Die drei Männer gehen in den Hinterhof, dann die Treppen hoch bis zum zweiten Geschoss und läuten bei Haas. Sturm ist sich sicher, dass Florian Haas zuhause ist, da sein BMW immer noch im Hof stand, als sie ankamen.

Aus der Wohnung hören die Männer Geräusche und dann wird die Wohnungstür geöffnet und Florian Haas steht ihnen gegenüber. Er ist sichtlich überrascht und hält sich an dem Türrahmen fest, es scheint, dass er etwas angetrunken ist.

„Guten Tag, Herr Haas, mich kennen Sie bereits, das ist Herr Merk, der Leiter unserer Abteilung Spurensicherung, und das ist mein Kollege Steinmeier. Ich teile Ihnen mit, dass wir Ihre Wohnung durchsuchen werden, hier ist der Durchsuchungsbeschluss."

Sturm hält den richterlichen Beschluss Florian Haas unter die Nase. Dieser ist sichtlich perplex, er liest sich den Beschluss oberflächlich durch und nickt wie in Trance. Steinmeier geht als erster in die Wohnung, Sturm und Merk folgen. Florian Haas steht wie erstarrt immer noch an der Tür, er begreift nicht, was da gerade abläuft.

Tilmann Merk ergreift zuerst das Wort.

„Dann lassen sie uns zuerst nach Schuhen suchen, nach Schuhen mit Sandspuren, fangen wir gleich hier an."

Sie stehen im Flur der Wohnung und sehen sofort, dass dort unter einem kleinen Tischchen an der Wand drei Paar Schuhe ungeordnet herumliegen. Merk stürzt sich sofort auf die Schuhe und nimmt gezielt ein Paar Sneakers in die Hand.

„Da, Sturm, da in der gerippten Sohle, da ist Sand, überall Sand. Ich meine, es ist der gleiche Sand wie im Keller, zumindest ist es die gleiche Farbe. Sehen Sie, im anderen Schuh ebenso. Wir beschlagnahmen die Schuhe und nehmen sie mit, die kommen sofort ins Labor, wir kriegen das hin, ich verspreche es Ihnen."

Beide sind in Hochform, sie spüren, dass sie vor der endgültigen Lösung stehen. Steinmeier geht auf Hinweis von Merk noch in das Badezimmer und nimmt die Zahnbürste Florians an sich. Sturm dreht sich um und sieht Florian Haas ins Gesicht.

„Herr Haas, ich beschlagnahme hiermit dieses Schuhpaar und ebenso diese Zahnbürste, beide werden als mögliche Beweisstücke untersucht werden.

Wir haben das gefunden, wonach wir gesucht haben. Weitere ergänzende Durchsuchungen könnten sich noch ergeben, das müssen wir abwarten. Ich muss Sie darauf aufmerksam machen, dass Sie sich ab sofort zu unserer Verfügung zu halten haben."

Florian Haas ist kreidebleich, er ist nicht in der Lage, etwas zu sagen. Er versteht nicht, was da um ihn herum alles vorgeht. Er hatte heute bei seinem Arbeitgeber angerufen und sich einen freien Tag genommen, es war ihm am Morgen nicht gut gegangen. Sein Magen macht ihm zu schaffen, immer mehr und mehr, und der Alkohol wirkt immer weniger.

Die drei Männer lassen Florian Haas in der Wohnung stehen und gehen nach unten.

„Wenn jetzt das Labor noch die Übereinstimmung der Sandspuren bestätigt, und man seine DNA-Spuren an dem Spaten findet, nehme ich den Kerl fest. Dann habe ich ihn in meinem Schwitzkasten, der kommt mir da nicht mehr raus. Dann haben wir ihn, den Doppelmörder von Meersburg."

Tilmann Merk zupft seinen Kollegen Sturm am Oberarm.

„Herr Hauptkommissar, dieser Haas ist ein Alkoholiker, der war doch vorhin bereits wieder unter Strom. Aber sind wir froh darüber, denn im nüchternen Zustand hätte er wohl bemerkt, dass sich Sandspuren schon auf der Treppe und auf dem Teppich in der Wohnung befunden hatten. Wenn er die entdeckt hätte, wären sie sicher nicht mehr da gewesen."

„Ja, lieber Kollege Merk, manchmal braucht man

auch das Glück, ich meine, das Glück des Tüchtigen. In diesem Fall meine ich natürlich das Glück der Tüchtigen, denn Sie beziehe ich da schon mit ein."

Kriminalhauptkommissar Eustachius Sturm ist in seinem Element. Jetzt kann es sich nur noch um ein paar Stunden handeln. Die bisher gefundenen Beweisstücke lassen gar keinen anderen Schluss zu, der Haas hat beide Frauen nach einem teuflischen Plan erdrosselt und im See versenkt.

Eine Pressekonferenz könnte dann sehr schnell angesetzt werden, das wird für ihn ein großer Auftritt werden, das Fernsehen würde sicher auch kommen. Und einen Kamm hat er ohnehin immer in seiner Jacke stecken, er würde präpariert sein.

Kapitel 22

Schachmatt

Kriminalhauptkommissar Eustachius Sturm und Tilmann Merk fahren, so schnell der Verkehr es zulässt, in das polizeiliche Labor nach Friedrichshafen. Merk hatte seine beste Mitarbeiterin über ihr Handy erreichen können, sie hat heute ihren freien Tag, aber sie sagt ihm zu, dass sie kommen werde, dann wären sie komplett. Beide parken vor dem Gebäude und gehen gemeinsam hinein.

„Ich mache mich gleich an die Untersuchungen, wollen Sie warten, Herr Hauptkommissar? Aber es kann schon zwei Stunden dauern, bis wir alle Ergebnisse haben."

Sturm ist viel zu nervös und zu angespannt, als dass er wieder zurückfahren würde, er will lieber hier auf die Ergebnisse warten. Er nimmt sich einen Kaffee und setzt sich auf eine Bank im Flur des Institutes. Wenn sich jetzt der Kreis schließen würde, wenn also die Indizien so schlüssig wären, dass es überhaupt keinen Zweifel an der Täterschaft von Florian Haas gäbe, würde er sofort einen Haftbefehl beantragen. Ein Geständnis von Haas wäre wohl nur noch eine reine Formsache.

Aber Sturm wäre nicht Sturm, wenn nicht sein geschliffener Spürsinn ihn in diesem Moment auf eine weitere Spur führen würde.

„Dieser Haas arbeitet doch bei ZF in Friedrichshafen,

also hier vor Ort. Den Durchsuchungsbefehl habe ich dabei, warum also nicht zu ZF fahren und versuchen, mit seinem Arbeitgeber oder seinem Vorgesetzten zu reden, es könnten sich weitere Belastungsmomente ergeben. Die Zeit wäre damit besser genutzt, als hier herumzusitzen."

Wie er aufsteht, kommt durch die Eingangstür die Mitarbeiterin von Tilmann Merk herein. Sturm kennt sie, Carmen Wohlhüter ist schon einige Jahre bei Merk. Er bittet sie, Herrn Merk auszurichten, dass er jetzt zu ZF fahren werde. Danach komme er wieder hierher zurück.

Bei ZF parkt er auf dem Kundenparkplatz und weist sich an der Pforte aus. Er fragt nach der Abteilung, in der ein Florian Haas arbeitet, worauf der Pförtner in seinem Computer nachsieht und den Namen Florian Haas findet. Sturm wird an einen Herrn Schmidinger, Abteilung III, Kundenservice, verwiesen und bekommt einen Besucherausweis ausgehändigt. Er solle aber zunächst hier warten, er werde abgeholt.

Der Pförtner ist ein älterer Herr, wahrscheinlich schon gut im Rentenalter, denkt sich Sturm, während er ungeduldig wartet. Wenn die Rente nicht reicht, muss man hinzuverdienen, wahrscheinlich hat er einen Teilzeitjob als Geringverdiener. Aber mit seinem Rechner hat er gelernt umzugehen, immerhin. Viele Rentner machen das heutzutage so, gezwungenermaßen. Und das in unserem Land, sogar im wirtschaftlich als gesund geltenden Schwabenländle. Nichts ist mehr wie früher, überhaupt nichts mehr.

ൾ

Unruhig tritt Sturm von einem Fuß auf den anderen, dann kommt eine junge Dame und stellt sich bei Sturm vor, ihren Namen nimmt er gar nicht erst zur Kenntnis, er folgt ihr aber über einen Hof. Im ersten Verwaltungsgebäude fahren beide mit dem Aufzug in den dritten Stock, sie geht voraus und klopft an einem Zimmer an. Auf dem Schild neben der Tür steht:

Zahnradfabrik Friedrichshafen
Kundenservice, Abteilung III,
Leitung Herr Gustav Schmidinger.

Die Tür geht auf, der Mann stellt sich als Schmidinger vor, begrüßt Sturm und bittet ihn zunächst in sein Zimmer. Sturm erklärt die Situation.

„Herr Schmidinger, es hat sich vieles getan in den letzten Tagen. Es geht um Ihren Mitarbeiter Florian Haas. Es gibt inzwischen leider einige Verdachtsmomente, welche darauf hindeuten, dass Herr Haas in den Doppelmord verwickelt ist. Herr Schmidinger, hier ist der Durchsuchungsbefehl für seine Wohnung und für seine privaten Sachen. Nach meiner Ansicht gehört dazu auch sein Schreibtisch mit seinen privaten Dingen."

Sturm macht eine kleine Pause und beobachtet Herrn Schidinger. Er ist sich im Klaren darüber, dass der vorgelegte Durchsuchungsbeschluss nicht unbedingt auch für den Arbeitsplatz bei der ZF Gültigkeit hat.

„Ich möchte Sie bitten, mir den Arbeitsplatz von Herrn Haas zu zeigen, vielleicht finden wir weiteres Belastungsmaterial, das wäre doch auch in Ihrem Interesse, oder?"

Schmidinger liest sich den Gerichtsbeschluss im Stehen durch, er meint, dass nichts dagegen einzuwenden wäre, er wird den Anordnungen Folge leisten. Glück gehabt.

„Herr Kriminalhauptkommissar, ich kann Sie gerne zu dem Schreibtisch von Herrn Haas führen, darf Ihnen aber nur seine privaten Dinge aushändigen, die geschäftlichen Unterlagen kann ich Ihnen nicht zur Einsichtnahme zur Verfügung stellen, verstehen Sie? Herr Haas war in den letzten Wochen in keiner guten Verfassung, es wäre ohnehin ein sehr ernsthaftes Gespräch mit ihm angestanden. Ich habe seit langer Zeit die Vermutung, dass Haas trinkt, ich will damit sagen, dass er ein Alkoholproblem haben dürfte. Das könnte wiederum auf Probleme in seinem privaten Bereich hindeuten. Von seinen Kollegen wird er abgelehnt, er grenzt sich ständig aus. Kommen Sie bitte mit, ich gehe voraus."

Schmidinger geht zwei Türen weiter und betritt ein Großraumbüro. Die dort arbeitenden Mitarbeiter sehen erstaunt zu der Türe, als gerade Schmidinger und Sturm den Raum betreten.

„Hallo, das ist Herr Kriminalhauptkommissar Sturm von der Kripo in Friedrichshafen, er möchte sich den Schreibtisch von Herrn Haas ansehen. Lassen Sie sich nicht bei Ihrer Arbeit stören, es dauert sicher nicht sehr lange."

Neugierig und gespannt beobachten alle Mitarbeiter, was sich da gerade abspielt. Dass die Frau von Florian Haas und seine Schwiegermutter tot aus dem See geborgen worden waren, hatte sich bereits bis hierher herumgesprochen. Dann hatte der Haas also doch Schwierigkeiten, das hatten wir schon lange vermutet, so komisch, wie der manchmal war. Es würde ihm nur Recht geschehen, wenn ihm etwas nachgewiesen werden könnte, dann wäre er schnell hier weg, dann hätten wir ihn los, endlich.

☙

Schmidinger geht auf einen unbesetzten Schreibtisch zu und erklärt Sturm, dass dies der Arbeitsplatz des Florian Haas sei. Auf dem Tisch liegen nur wenige Schriftstücke und ein leerer Postkorb, alles sehr aufgeräumt, Sturm erkennt nichts Auffälliges.

„Herr Schmidinger, würden Sie bitte den Schreibtisch öffnen, ich möchte gerne in die beiden seitlichen Unterschränke Einsicht nehmen."

Schmidinger öffnet selbst die Schubfächer, erst die auf der rechten Seite. Aber es sind alles nur Papiere und Unterlagen für geschäftliche Vorgänge. Auf der linken Seite sind ähnliche Unterlagen in den ersten beiden Schubladen. Dann aber in der untersten Schublade entdeckt Sturm obenauf zwei blaue Ordner, die Schmidinger fachkundig als Geschäftsunterlagen definiert und wegnimmt.

In diesem Augenblick glaubt Sturm seinen Augen nicht zu trauen. Darunter kommen Ausdrucke und Kopien von Downloads sowie verschiedene Handzeichnungen zum Vorschein und alle befassen sich mit Themen wie „Strangulierungen" und „Erdrosselungen". Die Handzeichnungen lassen Drahtschlingen,

Angaben zur Drahtstärke und Längenangaben für die Drähte erkennen. Eine ganze Anzahl von handschriftlichen Randvermerken zeigen die Handschrift von Haas, zumindest bestätigt dies Schmidinger beim näheren Hinsehen.

„Herr Schmidinger, das sind doch alles private Unterlagen von Herrn Haas, oder beschäftigt sich die ZF mit Drahtschlingen? Gut, dann muss ich diese beschlagnahmen und als Beweisstücke sichern. Ich glaube, dass ich damit einen guten Schritt weitergekommen bin. Mein Verdacht hat sich erhärtet. Herzlichen Dank für Ihre Mithilfe, Herr Schmidinger, entschuldigen Sie bitte nochmals die Störung."

Sturm sammelt die Zeichnungen und Ausdrucke zusammen und nimmt den Stapel unter den linken Arm. Die Mitarbeiter im Raum beobachten mit großen Augen, was sich da gerade abgespielt hat. Sie ahnen bereits, dass sie ihren Kollegen Haas hier nicht mehr wiedersehen werden. Schmidinger begleitet Sturm hinunter und geht mit ihm bis zum Pförtner.

„Herr Kriminalhauptkommissar, darf ich Sie fragen ob Herr Haas nun als überführt gilt. Das hätte dann auch Konsequenzen hier bei uns, verstehen Sie?"

Sturm will in diesem Moment keine weiteren Angaben oder Aussagen machen, er ist viel zu erregt, jetzt fehlen nur noch die Ergebnisse aus den Untersuchungen der Spurensicherung.

„Herr Schmidinger, derzeit kann ich noch keine endgültige Aussage machen, wir müssen erst sämtliche Ergebnisse zusammenbringen. Ich werde gegebenenfalls in Kürze eine Pressekonferenz anberaumen, dann können Sie sich informieren. Aber eines kann ich Ihnen bereits jetzt sagen: Sie werden in nächster Zeit auf Herrn Haas wohl verzichten müssen. Nochmals herzlichen Dank für Ihre Kooperation."

Schmidinger begleitet Sturm noch bis zur Pforte und verabschiedet sich.

„Dann werde ich mich wohl oder übel um einen Ersatz für Haas kümmern müssen. Für meine Abteilung wird sich das aber eher positiv auswirken, Haas war nicht beliebt bei seinen Kollegen. Gute Fahrt, Herr Hauptkommissar."

☙

Sturm gibt seinen Besucherausweis beim Pförtner ab und geht zu seinem Fahrzeug. Er beeilt sich, denn er muss jetzt unbedingt zu Merk zurück, in der Zwischenzeit sind fast zwei Stunden vergangen, es könnten schon Ergebnisse vorliegen.

Dort angekommen, frägt er nach dem Kollegen Merk und, als dieser erscheint, meint Sturm schon in dessen Gesicht erkennen zu können, dass die neuen Ergebnisse zur Verfügung stehen.

„Mein lieber Kriminalhauptkommissar Sturm und geschätzter Kollege, ich sage Ihnen etwas: Wir haben ihn, der Sack ist zu, es gibt keinen Zweifel. Die Analysen standen schnell fest, alle verglichenen Sandspuren sind identisch, es sind überall die typischen Mineralien in allen Portionen enthalten gewesen, die nur in bestimmten Bereichen vorkommen. Und zu allem kommt noch hinzu, und das ist das Ende der Beweiskette, dass nämlich die Sandspuren an den Schuhen von Florian Haas dieselben Merkmale aufweisen. Haas war also in dem Keller und auch in dem Fahrzeug. Aber es kommt noch besser, die DNA-Spuren auf dem Spaten, Sie erinnern sich, sind mit den DNA-Proben von Haas ebenfalls identisch."

Merk sieht mit zufriedener Miene seinen Kollegen Sturm an, das war gute Polizeiarbeit, für ihn ist die Sache klar.

„Der Kerl hat mit seinen eigenen Händen und mit dem Spaten die toten Katzen und die Drähte und Drahtschlingen in dem Keller des Gutemann-Hauses vergraben. Der Haas hat das als Versteck benutzt, gar nicht so übel, dort hätte normalerweise keiner etwas vermutet und deswegen auch nicht gesucht."

„Der Kreis hat sich geschlossen." Sturm reicht seinem Kollegen die Hand.

„Lieber Herr Kollege Merk, herzlichen Dank für Ihre schnelle und gründliche Arbeit. Ich hatte die Wartezeit hier genutzt und bin zu ZF gefahren und habe den Arbeitsplatz von Haas durchsucht. Ich komme gerade von der ZF und konnte aus dem Schreibtisch von Haas noch diese Unterlagen beschlagnahmen."

Sturm zeigt mit zufriedener Miene Tilmann Merk die Unterlagen, dieser schüttelt sprachlos seinen Kopf.

„Herr Sturm, da kommt er nicht mehr raus, der Haas kommt mit großer Wahrscheinlichkeit überhaupt nicht mehr heraus, ich meine, der kommt nicht mehr zurück ins normale Leben. Der kann Abschied nehmen von allem, von Meersburg, vom Bodensee, von seiner persönlichen Freiheit und so weiter. Von einem freien Leben wird dieser Haas nichts mehr sehen. Gratuliere, das war eine gute Zusammenarbeit, denke ich: Wir sollten mal einen Schnaps darauf trinken."

ଔ

Eustachius Sturm hat jetzt alle Beweise und damit den Täter. Florian Haas hat mittels einer Drahtschlinge die beiden Frauen erdrosselt, er hatte das früh geplant, die Technik hatte er an dreizehn Katzen in dem Keller erprobt. Er hat gewartet, bis sein Schwiegervater Hannes Gutemann auf seiner Radtour war, und hat dann beide Frauen in einen Hinterhalt gelockt, wo genau, wird er ihm noch sagen. Die Leichen hat er in Melly Gutemanns Golf verstaut und sie dann im Auto so gesetzt, als ob sie eine Autofahrt gemacht hätten, und hat dann den Golf an der gefundenen Stelle in den See gleiten lassen. Perfekt ausgedacht, nur nicht bis ganz zum Ende.

Er hatte Gott sei Dank übersehen, dass es aufmerksamen Spaziergängern auffallen könnte, dass Autospuren in den See und zu einem Verbrechen führen würden. Und er hat nicht damit gerechnet, dass der erfahrene und überaus ehrgeizige Kriminalhauptkommissar Eustachius Sturm sein Gegenspieler sein würde.

Dieser wird jetzt den Haftbefehl beantragen und dann wird man Florian Haas holen.

Als Sturm dem Staatsanwalt von den Ergebnissen der Wohnungsdurchsuchung und der

Sanduntersuchungen erzählt, ist dieser mehr als zufrieden. Als Sturm dann noch die DNA-Analyse erwähnt und Florian Haas damit überführt, ist die Sache für den Staatsanwalt klar. Dem beantragten Haftbefehl wird er zustimmen und dem zuständigen Richter die Ausstellung anweisen. Dort kann ihn Sturm in der nächsten halben Stunde abholen.

Mit dieser Information fährt Sturm sichtlich zufrieden zum Amtsgericht und nimmt den Haftbefehl in Empfang. Endlich, endlich ist es so weit. Nachhaltigkeit zahlt sich doch aus.

☙

Von Friedrichshafen aus ruft er seinen Kollegen Steinmeier im Revier an und erklärt ihm die aktuelle Situation. Beide werden versuchen, noch heute Florian Haas festnehmen. Sturm fährt am Revier in Meersburg vorbei und nimmt den Kollegen Steinmeier mit. Sie parken im Innenhof des Gutemann-Anwesens und gehen die Treppe nach oben, der BMW parkt immer noch hinten im Hof.

Sturm läutet lange und heftig an der Wohnungstür und Florian Haas öffnet. Diesmal wirkt er nicht überrascht, er sieht den Beamten ins Gesicht. Für Sturm eine Spur zu frech, der wird sich noch wundern.

„Herr Haas, wir müssen Sie festnehmen, hier ist der Gerichtsbeschluss. Es wird Ihnen der Doppelmord an Ihrer Frau und an Ihrer Schwiegermutter vorgeworfen. Es ist Untersuchungshaft angeordnet, bitte machen Sie sich fertig zur Abfahrt. Persönliche Dinge können Sie noch einpacken, bitte beeilen Sie sich.“

Florian Haas verzieht sein Gesicht und bleibt zunächst stehen. Als ihn aber Steinmeier an der Hand nimmt und die Handschellen hervorholt, bewegt sich Florian. Er holt noch seine persönlichen Sachen, steckt diese in eine Tasche und folgt den Polizeibeamten.

Sie fahren ihn auf das Revier und setzen ihn in den Verhörraum. Steinmeier setzt sich auf einen Stuhl an der Wand, Sturm nimmt Florian Haas gegenüber Platz.

Sturm mustert Haas, er sieht heruntergekommen aus, seine Augen liegen in tiefen Höhlen, das Weiß seiner Augen ist gerötet. Gleich wird ihm Sturm die neuesten Erkenntnisse präsentieren. Ob er dann ein Geständnis ablegen wird?

Sturm setzt sich so, dass er selbst das Tageslicht im Rücken hat und das Licht Haas direkt ins Gesicht fällt. Sturm kann dadurch das Mienenspiel seines Gegenübers exakt beobachten, er ist in diesem Moment die Ruhe selbst. Er hat den Doppelmörder und er wird ihm keine Chance geben. Fast tut er ihm etwas leid, aber mit so einer Bestie kann es kein Mitleid geben.

„Herr Haas, nehmen Sie bitte Platz, ich beginne jetzt ein Verhör, das Band läuft mit. Sie können immer noch einen Anwalt verlangen, haben Sie einen oder müssen wir einen herbestellen? Einen Anspruch auf anwaltschaftliche Beihilfe steht Ihnen zu. In diesem Fall würden wir warten, bis der Anwalt hier ist.“

Florian Haas sieht bockig zur Decke, er wird sich gleich lautstark beschweren, die sollen ihn hier rauslassen, was wohl sein Chef bei der ZF von ihm denkt, wenn der von seiner Verhaftung erfährt.

„Ich will keinen Anwalt, jetzt noch nicht, was ich will ist, ich will raus hier. Sie haben mir nichts vorzuwerfen, ich bin doch kein Mörder, was wollen Sie eigentlich noch von mir? Noch einmal, ich will hier raus, verstehen Sie, Sie können mich ohne Beweise nicht länger festhalten. Wenn Sie das aber versuchen sollten, dann, ja dann verlange ich nach einem Anwalt."

Sturm würde ihm am liebsten an die Kehle gehen, dieser Kerl ist ja an Arroganz nicht zu überbieten. Gut, dann zunächst keinen Anwalt. Er spricht dies in das Mikrofon, damit es auch ins Protokoll aufgenommen wird, Sturm gibt Steinmeier mit einem Handzeichen einen Hinweis, er stellt sich seitlich von Florian.

„Gut, Herr Haas, dann beginne ich mit dem Verhör. Hören Sie mir erst einmal zu, wir haben viele neue Erkenntnisse und auch viele Beweise, eigentlich alle, es sieht verdammt schlecht für Sie aus."

Und dann legt der Kriminalhauptkommissar nach und nach die Ergebnisse der Untersuchungen auf den Tisch. Zunächst die Ergebnisse aus der Autopsie beider Leichen und, dass beide nicht ertrunken sind, dass es sich demzufolge um Mord handelt. Die Ergebnisse der Analyse der Sandspuren und der DNA-Proben sowie der Unterlagen, die er aus dem Schreibtisch von Florian hat, hält er noch zurück. Sturm spielt jetzt sein Spiel. Das Spiel des Kriminalers, der alle Trümpfe in der Hand hat und nun Trumpf für Trumpf fast genüsslich ausspielt. Für Sturm ist Florian Haas in diesem Moment nur noch eine Marionette und Sturm hat die Fäden in der Hand, er kann ihn zappeln lassen, wie er will.

ଔ

Florian wird es heiß, er beginnt an der Oberlippe zu schwitzen. In seinem Hirn springen die Gedanken hin und her, er ist nicht mehr in der Lage, diese zu sortieren.

„Was können denn die schon haben, und zwar gegen mich persönlich. Das, was man mir vorhält, das sind bis jetzt alles nur Unterstellungen, alles Bluff, nur Bluff. Solange keine Beweise auf den Tisch gelegt werden, die mich als Täter identifizieren, werde ich alles abstreiten. Stur bleiben, nichts zugeben, einen Anwalt kann ich immer noch verlangen."

Florian Haas versucht, sich zu stabilisieren. Er fragt nach einem Glas Wasser, der Beamte bringt es ihm.

Aber dann fährt Hauptkommissar Sturm ruhig und zielsicher fort. Er erzählt Florian Haas nochmals, wie es sich aus seiner Sicht zeitlich abgespielt hat, auch dass man in der Autopsie inzwischen herausgefunden hat, dass beide Frauen mit einer Drahtschlinge erdrosselt worden sind. Dabei beobachtet er das Mienenspiel seines Gegenübers genau.

„Jetzt, Junge, wird es eng für dich, ich sehe schon deine nervösen Reaktionen. Gleich habe ich dich, du Bastard," denkt Sturm, er ist siegessicher und sieht Florian Haas in das durch das helle Licht kreidebleich wirkende Gesicht.

Dieser wird immer nervöser, er fasst sich ständig ins Gesicht, in seinen Augen erkennt Sturm Angst, bloße Angst. Es bilden sich Schweißperlen auf Florians Stirn, kalter Schweiß, Angstschweiß.

„Sie können immer noch einen Anwalt hinzuziehen, ich wiederhole nochmals meinen Hinweis."

Haas schüttelt trotzig den Kopf. Als Eustachius Sturm dann das Ergebnis der Sanduntersuchungen bekanntgibt und noch erwähnt, dass derselbe Sand auch in seinen Sneakers gefunden worden ist, wird Florian noch weißer im Gesicht. Sturm erhöht die Schlagzahl und erwähnt jetzt, dass sie im Keller auch die Drahtschlingen und dreizehn tote Katzen gefunden hätten, die alle auf die gleiche bestialische Art getötet worden waren. Dass die toten Katzen und die Drahtschlingen mit dem Spaten vergraben wurden und die Untersuchungen ergeben hätten, dass an dem Spaten seine DNA-Spuren festgestellt worden sind.

Als Sturm dann noch erklärt, dass er inzwischen Florians Schreibtisch an seinem Arbeitsplatz bei der ZF im Beisein seines Chefs, Herrn Schmidinger, untersucht und persönliche Zeichnungen und Unterlagen für die Technik des Erdrosselns beschlagnahmt habe, bricht Florian zusammen.

Haas trommelt mit beiden Fäusten auf den Tisch, Steinmeier hält ihn am Kragen seines Hemdes. Er heult und schreit, er beschimpft Jule als Schlampe und, dass sie das alles verdient habe und ihre Mutter nicht weniger, beide hätten ihn abgelehnt, die Schwiegermutter von Anfang an. Er schreit so stark, dass er einen Hustenanfall bekommt und nach Luft ringt. Er wirft sich vom Stuhl, stößt dabei das Glas mit dem Wasser um und liegt wie ein Kleinkind am Boden. Er strampelt mit seinen Füßen, sein Körper schüttelt sich, er ist kurz vor dem Erbrechen, aber sein Magen gibt nichts her.

Steinmeier hilft ihm auf und setzt ihn wieder auf den Stuhl. Er muss Florian festhalten, damit er nicht wieder umkippt und fällt. Mit beiden Füssen trampelt er verzweifelt auf den Boden, nur langsam beruhigt er sich.

„Florian Haas, Sie sind des Doppelmordes überführt, die Indizien sind eindeutig, Zweifel an Ihrer Täterschaft gibt es nicht. Es wird zu einer Anklage kommen."

Danach will Florian ein Geständnis ablegen, er will jetzt immer noch keinen Anwalt, er will nur noch Ruhe und möchte sich hinlegen. Florian Haas ist am Ende, nichts ist mehr von seiner Überheblichkeit und seiner vorgetäuschten gespielten Selbstsicherheit zu spüren.

Er sitzt auf dem Stuhl, zusammengefallen, kraftlos und völlig apathisch. Er hat seinen Kopf in beide Arme auf dem Tisch vergraben. Man kann ihn leise wimmern hören, sein Körper zittert. An seinen Jeans breitet sich im Schrittbereich ein dunkler Fleck aus, er muss Urin gelassen haben, unkontrolliert. Sturm wird nachher eine medizinische Betreuung anfordern.

Dann nimmt Sturm das Geständnis auf, lässt es mit allen Zusätzen ausdrucken, Florian Haas unterschreibt mit zitternden Händen, er muss sogar zweimal ansetzen, um seinen Vor- und Zunamen schreiben zu können. Dann lässt Sturm Florian Haas in die Zelle zurückbringen und ordnet eine medizinische Untersuchung an.

Sturm macht sich auf den Weg zum Gericht, er möchte aber auch einfach an die frische Luft. Im

Gerichtsgebäude wird er den Staatsanwalt treffen und ihn entsprechend in Kenntnis setzen. Die Kriminalpolizei mit ihrem Hauptkommissar Sturm wird dabei ein gutes Bild abgeben, Sturm ist sichtlich zufrieden.

Er ruft noch kurz in der Klinik an und erkundigt sich nach Hannes Gutemann. Man sagt ihm, dass es Herrn Gutemann besser gehe, er wird morgen entlassen werden. Sein Gesundheitszustand ist stabil, er ist in guter körperlicher Verfassung, nur sein Nervenkorsett ist angegriffen, er müsse sich schonen. Ein Lokal, wie die Weinstube, könne er allein nicht mehr führen.

Kapitel 23

Was bleibt

Sturm lässt für den morgigen Tag auf 11.00 Uhr eine Pressekonferenz ansetzen. Er erwartet eine große Anzahl von Zuhörern, weswegen er um die Freigabe des großen Sitzungssaals im Rathaus bittet. Er lässt eine Pressemitteilung vorbereiten, die morgen an die Presseleute verteilt werden soll.

Dann beendet Sturm sichtlich zufrieden gegen 17.00 Uhr seinen heutigen Arbeitstag und fährt nachhause. In Tettnang angekommen stellt er fest, dass seine Frau noch gar nicht da ist. Er wartet und gießt sich derweil ein Glas Wein ein, wie immer einen Meersburger. Danach trifft auch seine Mechthild ein und sie erkennt zu ihrer Überraschung ihren Mann auf dem Sofa sitzend und ein Glas Wein in der Hand haltend. Sie spürt, dass sie einen mit sich zufriedenen Hauptkommissar vor sich hat.

„Dir geht es ja sichtlich gut. Bist schon da und gönnst dir einen Wein, sauber. Stachi, hast du vielleicht etwas zum Feiern?“

„Setz dich zu mir, Mechthild, für heute bin ich fertig, fertig mit der Arbeit und auch fertig mit mir selbst. Dieser Tag war sehr belastend, so ein intensives Verhör zu führen geht mir mittlerweile auch persönlich an meine Substanz. Ich gebe es zu, inzwischen spüre ich dabei eine starke körperliche Ermüdung, das war früher nicht so. Aber zum Schluss ging alles ziemlich schnell. Mein Erstverdacht war goldrichtig und hat sich bestätigt und du hattest mich ermutigt, meinen Bauchgefühlen nachzugehen. Weißt du, Mechthild, in unserem Alter und mit unserer Lebenserfahrung täuscht man sich nicht mehr sehr oft."

Mechthild holt sich auch ein Glas und schenkt sich selbst ein. Sie fühlt, dass ihr Stachi einen angestauten Bedarf an Nähe hat. Das gefällt ihr.

„Du willst mir also sagen, dass der Ehemann dieser Jule der Mörder war, so wie du es von Anfang an vermutet hattest. Das wird einen gesellschaftlichen Knall in Meersburg geben, mein Lieber, das spüre ich schon. Erzähl doch mal, wie du ihn überführen konntest, es müssen ja alles Indizien gewesen sein, da er zuvor doch ständig die Schuld weit von sich gewiesen hatte."

Sturm erzählt seiner Mechthild nun alle Einzelheiten. Über die kollegiale Zusammenarbeit mit Tilmann Merk, über das Zusammentragen der einzelnen Beweiselemente, über den Verlauf des von ihm, dem Kriminalhauptkommissar, geführten Verhörs. Von den ersten Anzeichen einer Schwäche des Verdächtigten bis hin zu seinem totalen Zusammenbruch und letztendlich zu seinem Geständnis. Mechthild ist voller Anerkennung bezüglich der Detailarbeit der Spurensicherung und dem Zusammenspiel der Behörden, da hat man auch schon anderes gehört.

„Kompliment, Stachi, das war erstklassige Arbeit, da wird die Polizei und ihr Ermittlungsteam eine große öffentliche Anerkennung erhalten. Weißt du, das ist nicht so ganz unwichtig in der heutigen Zeit. Zu oft steht gerade die Polizei in der Kritik der Presse."

Beide genießen einen entspannten Abend. Aus der schon angebrochenen Flasche Wein werden fast zwei. Selten waren beide in einer solchen Harmonie zusammen gesessen.

An Solveig denkt Eustachius Sturm an diesem Abend nicht.

ઙ

Auf der Pressekonferenz gibt Sturm dem Polizeisprecher eine Textvorlage mit den Informationen zu dem Fall, er meint aber, dass er ihm bei dem Punkt über die Aufklärung des Falles zur Seite stehen wird, er solle nur den ersten Teil verlesen, also die Chronologie des Falles. Die weiteren Ergebnisse würde Sturm persönlich vortragen.

Der Sitzungssaal ist restlos gefüllt, man muss noch weitere Stühle in die Gänge stellen. Presseleute, Fotografen, das regionale Fernsehen, Rundfunkreporter und natürlich viele Zuhörer kämpfen um die letzten Plätze. Auch Adalbert Weiler ist unter ihnen, er will nicht angesprochen werden, ihm geht es nicht sonderlich gut. Er wirkt blass und krank, sein Gesicht ist eingefallen. Es ist kein Tag wie sonst, die Spannung im Raum ist mit Händen zu greifen.

Dann erklärt der Polizeisprecher, dass diese heutige, zweite Pressekonferenz deswegen erforderlich geworden sei, weil inzwischen die Sachlage geklärt werden konnte und man den Täter überführt habe. Jetzt geht ein Raunen durch die Zuhörermenge, man hat also den Täter, dann kennt man auch die Beweggründe, die

Reporter halten Papier und Diktiergerät bereit.

Als man dann zu den Erkenntnissen der Spurensicherung kommt, bittet Sturm um das Wort.

„Kriminalhauptkommissar Sturm, Eustachius Sturm, mein Name, bitte verzeihen Sie, dass ich das Wort ergreife, aber ich möchte Ihnen die letzten Ergebnisse unserer Untersuchungen selbst darlegen, da haben sich die Dinge zeitlich regelrecht überschlagen. Sie erhalten im Anschluss ein Briefing für Ihre Arbeit, aber ich will Ihnen auch die wirklich letzten Entwicklungen persönlich zur Kenntnis bringen."

Und Eustachius Sturm kommt in Fahrt, er beherrscht in diesem Moment voll die Szenerie. Das ist seine Pressekonferenz, das ist schließlich sein Fall, das sind seine Ermittlungen, und das ist schlussendlich auch sein Täter. Dass er, Eustachius Sturm, den Täter überführen konnte und dieser bereits ein Geständnis abgelegt hat, will er sich für den Schluss aufheben.

Als Sturm bei den Funden im hinteren Keller des Gutemann-Hauses angekommen ist, bemerkt er eine starke Unruhe im Publikum, er macht eine kurze, dramaturgisch geschickte Pause. Die Katzenversuche werden ungläubig zur Kenntnis genommen, da ekeln sich die meisten Zuhörer. Ein Geraune entsteht im Zuhörerraum, es ist, wie wenn sich ein Protest erheben möchte und Sturm fasst sich kürzer.

Nun erklärt er die erdrückende Beweislast der Sand- und DNA-Proben und der am Arbeitsplatz des Täters gefundenen Unterlagen. Als er dann bekanntgibt, dass es sich bei dem Täter um den Ehemann einer der

Getöteten und auch um den Schwiegersohn des Vermieters handeln würde, braust Beifall auf. Der Name wurde von Sturm noch nicht genannt, aber allen ist es in diesem Moment klar, um wen es sich handeln muss.

Jetzt werden erste Proteste im Zuhörerraum laut. „Pfui Teufel, das ist doch kein Mensch, die Bestie soll im See versenkt werden, dieser Österreicher ist der Satan selbst, der Kerl gehört aufgehängt, der sollte auch erdrosselt werden, usw."

„Ich bitte um Ruhe, meine Damen und Herren. Der Fall ist aufgeklärt, jetzt ist die Justiz an der Reihe. Der Täter wird seine gerechte Strafe bekommen, ich denke, er wird in seinem restlichen Leben uns nicht mehr begegnen".

Hauptkommissar Eustachius Sturm versucht, die aufgebrachten Anwesenden zu beruhigen, dann stellt er sich den Blitzlichtern der Fotografen, diese Beachtung tut ihm gut, der Fall und vor allem die professionelle Aufklärung wird ihn über Meersburg hinaus bekannt machen.

☙

Mit dem Ende der Pressekonferenz stieben die Zeitungsleute auseinander, sie haben ihre Sensation für den nächsten Tag und darüber hinaus für die nächsten Wochen. Adalbert Weiler geht auch aus dem Gebäude, er muss erst das zuvor Gehörte sortieren und zusammenbringen. Anika hatte von dem Termin erfahren und darauf bestanden, dass Adalbert hingeht. Adalbert wird Anika berichten müssen. Auch das regionale

Abendfernsehen wird heute Abend einen ausführlichen Bericht senden.

Eustachius Sturm unterhält sich noch kurz mit dem ebenfalls anwesenden Staatsanwalt. Bei der gegebenen Beweislage ist es klar, dass er Anklage erheben wird. Florian Haas wird wegen Fluchtgefahr in U-Haft bleiben müssen. Der Bodensee, und nicht nur die deutsche Seite des Sees, hat seine Sensation.

Bereits am nächsten Tag werden die Lokalzeitungen in großen Lettern berichten. „Doppelmord in Meersburg" werden die meisten Überschriften lauten. Es wird auch bereits Fotos, sogar welche von dem Täter, geben. Und natürlich auch von dem tollen Hauptkommissar, sein Name wird immer wieder erwähnt werden, auch sein antiquierter Vorname. Die Nachsaison hat ihr Thema.

Aber auch bei den überregionalen Zeitungen sind die ersten Seiten voll mit den Berichten von dem „Doppelmörder von Meersburg", von dem „Katzenwürger aus Österreich" und von dem unscheinbaren „Sachbearbeiter des Satans". Einige Nachbarn werden interviewt, auch ehemalige Gäste der Weinstube ebenso wie Arbeitskollegen der Bestie.

In der Abendschau des Fernsehens kann man Bilder von der Weinstube „Zur schönen Fischerin" und von dem Tatort sehen. Die Haltnau und der nahegelegene Ort, an dem das Fahrzeug in den See gelassen worden ist, werden ausführlich gezeigt und kommentiert.

Hauptkommissar Eustachius Sturm bringt in einem Interview seinen Abscheu und Ekel über diese bestialischen Morde zum Ausdruck, er macht einen persönlich überzeugenden Eindruck, auch seine Frisur stimmt. Meersburg kann Pilgerfahrten zu den inzwischen bekannten Plätzen erwarten.

CS

„Grüß dich, Mechthild". Sturm steht da wie ein schüchterner Pennäler, die Blumen hält er hinter seinem Rücken versteckt. Man merkt, dass er immer noch sehr ungeübt ist, wenn es darum geht, Blumen in Verbindung mit Dankesworten zu übergeben. Schon etwas steif im Rücken holt er den Blumenstrauß hervor und streckt ihn unbeholfen seiner Mechthild hin.

„Blumen magst du doch gern. Es ist nur ein kleines Zeichen meines Dankes an dich, denn du hast mir den Rücken sehr gestärkt sowohl für die Auflösung des Falles als auch für das heutige Pressegespräch. Du kannst ja alles schon morgen in der Tageszeitung nachlesen."

Sturm tritt über die Türschwelle, im Hausflur spricht er dann weiter.

„Du hattest Recht, Mechthild, man muss hartnäckig sein und dranbleiben, und natürlich braucht man auch ein wenig Glück."

Während er seine auf dem Herweg einstudierten Dankesworte spricht, kommt Sturm auf eine spontane Idee: Er wird heute seine Frau wieder einmal zum Abendessen einladen, es ist ihm einfach danach. Beide verbindet doch noch immer einiges.

„Mechthild, ich schlage vor, dass wir es uns heute

Abend gutgehen lassen sollten. Ich hätte große Lust, nach Meersburg ins „See Pick“ zu fahren, da waren wir früher sehr oft und auch sehr gerne. Ein Felchenfilet und ein gut gekühlter Wein, ich würde sogar mal einen Riesling aus Rheinhessen nehmen, das wäre doch etwas, was meinst du?“

„Sag mal, auf Ideen kommst du, Stachi, ich wundere mich schon etwas. Aber, du hast ja immerhin auch etwas zu feiern, mein lieber Kriminalhauptkommissar. Und einen Fisch vom Bodensee kann man immer essen. Im „See Pick“ ist der auch besonders gut, die haben eine tolle Küche.“

„Mechthild, ich bin mir sicher, dass die heute geöffnet haben, also lass uns fahren. Die Frau Löhlein betreibt das Lokal schon seit wir es kennen, wie lange die das noch machen wird, weiß ich auch nicht, lass es uns noch einmal ausnutzen.“

ଓ

Sturm findet in der Innenstadt von Meersburg einen frei gewordenen Parkplatz, das ist schon mal ein gutes Omen. Eine kleine Gasse führt direkt zur Seepromenade und schon stehen sie vor dem „See Pick“, klein und fein, wie eh und je.

Im Lokal werden beide herzlich von der Chefin, Frau Löhlein, begrüßt, sie bekommen einen schönen Tisch im Freien vor dem Lokal und haben den See direkt vor sich.

„Schön, dass Sie wieder mal bei mir vorbeischauen, liebe Sturms. Wir haben in diesen Tagen sehr bewegte

Zeiten in Meersburg und ich habe schon gehört, dass dieser hässliche Fall doch so schnell gelöst werden konnte. Meinen Glückwunsch, Herr Sturm, die Pressekonferenz ist in aller Munde. Aber ich will an so einem schönen Abend nicht auch noch darüber sprechen, die ganze Stadt spricht ja schon darüber. Gönnen Sie sich einen entspannten Tagesausklang, hier ist die Karte."

Natürlich nehmen beide Felchenfilets, direkt fangfrisch aus dem See, die sind grätenfrei und zart. Zur großen Überraschung von Frau Löhlein wählt Eustachius Sturm heute einen Riesling und, weil der Abend so viel verspricht, gleich eine Flasche. Frau Löhlein schmunzelt und nimmt die Bestellung gerne auf.

Der Riesling kommt gut gekühlt, die Felchen sind geordert, Sturm hebt sein Glas und sieht Mechthild ins Gesicht.

„Sehr zum Wohl, Mechthild, das ist heute ein besonders schöner Abend, ich bin froh, dass ich ans See Pick gedacht habe. Und denke auch daran, bald wird es wieder früher dunkel, dann kommt der Herbst und die Tage werden kürzer."

Dic Gläser klingen schön, Frau Löhlein steht etwas hinter ihnen und beobachtet dic beiden. Man kennt sich schon viele Jahre. Der See liegt in der schrägen Abendsonne friedlich da, die kleinen Wellen schlagen nur noch leise an die Ufermauer. Septemberruhe am See.

Mechthild sieht ihren Stachi ein wenig nachdenklich von der Seite aus an.

„Sag mal, Stachi, wann kommt denn eigentlich dein

persönlicher Herbst? Wann werden denn deine eigenen Tage kürzer? Hast du dir schon mal Gedanken darüber gemacht, wie lange du noch im Dienst bleiben willst? Ich meine nur mal so, als Überlegung, irgendwann macht man sich doch auch darüber seine Gedanken, oder?"

Das wollte Mechtild schon lange einmal anbringen, aber die passende Gelegenheit hatte sich noch nicht ergeben, jetzt gerade wäre eine solche, meint sie.

Das hatte der Kriminalhauptkommissar gerade jetzt nicht erwartet. In den nächsten Tagen wird ihn die Presse feiern, und da soll er jetzt schon ans Aufhören denken? Er ist ja schließlich erst vierundfünfzig. Er weiß, im öffentlichen Dienst gibt es schon gute Möglichkeiten zu einer Frühverrentung zu kommen, aber nicht schon in seinem Alter, und gesund ist er ohnehin, er unterzieht sich schließlich einmal im Jahr einem dienstlich angeordneten Gesundheitscheck. Und hat er nicht gerade in dem Fall Haas bewiesen, wie zielstrebig er immer noch vorgehen kann?

„Ach, Mechthild, da sagst du etwas, das überrascht mich etwas. Aber wenn ich ehrlich bin, Gedanken habe ich mir dazu schon gemacht, so nebenher halt, mehr noch nicht. Nun, wenn du mich so fragst, dann meine ich, so sechs Jahre möchte ich schon noch dabei sein, dann wäre ich erst sechzig. Sie haben ja auch keinen anderen, und mit Verlaub gesagt, auch keinen besseren. Sechs Jahre noch, das könnte ich mir schon vorstellen, rechnest du selbst auch in dieser Richtung? Dann müsstest du allerdings früher aufhören."

Eustachius Sturm sieht seiner Frau ins Gesicht, als

Richterin hat sie natürlich auch die Möglichkeit einer vorgezogenen Pensionierung. Und sie ist immerhin schon zweiundfünfzig, aber um mit achtundfünfzig aufzuhören, bräuchte man schon einen Grund. Sie wird ihn schon finden.

„Könnte durchaus sein, ja, ich gebe es zu, Stachi, wir hätten dann noch einige schöne Jahre vor uns, da würde uns garantiert noch viel einfallen, was wir gemeinsam noch machen könnten."

Mechthild legt wohlwollend ihre rechte Hand auf seine linke, sie spürt, wie er kurz zuckt. Dem Kriminalhauptkommissar ist das ein wenig zu viel an Gefühl, so plötzlich und ohne Vorwarnung, man muss es ja nicht gleich übertreiben. Dass seine Frau gerade heute mit so einem Thema kommen muss, hatte er nicht gedacht.

❧

Der Fisch kommt und Frau Löhlein wünscht beiden einen guten Appetit. Goldbraun liegen die Felchen auf den Tellern, die braune Butter und frische Petersilienkartoffeln, das ist hier Tradition. Das zweite Glas von dem feinherben Riesling schmeckt noch besser als das erste. Man soll es nicht glauben, aber die in Rheinhessen machen auch einen guten Wein, Respekt.

Ein stimmungsvoller Abend geht langsam zu Ende und beide haben seit langem wieder einmal über ein wichtiges privates Thema sprechen können. Um so ein Thema anzusprechen, muss der richtige Augenblick abgewartet werden und heute war so ein Augenblick. Carpe diem, denkt sich Mechthild in diesem Moment.

Bei der nächsten Gelegenheit wird sie auch ihrem Sohn Achim davon erzählen.

Auf der Heimfahrt nach Tettnang spürt Sturm schon etwas den Riesling, aber es sind nur wenige Kilometer, er fährt deswegen vorsichtig und er kennt ja die Schleichwege.

Das Gespräch mit Mechthild hat ihn zwar überrascht, aber ihm dann doch auch gutgetan. Ja, noch sechs Jahre im Dienst, das sollte dann auch reichen. Um seinen Nachfolger müssen sich dann eben seine oberschlauen Chefs selbst kümmern, die wissen eh immer alles besser. Das wäre dann nicht mehr sein Thema. Da ist aus seiner Sicht derzeit weit und breit kein geeigneter Kandidat zu erkennen, zu viele Stellen wurden in den letzten Jahren gestrichen und abgebaut. Alle wollten sie einen schlanken Staat, jetzt haben sie ihn, aber nun fehlt der mittlere Nachwuchs, so ist das eben dann. Sollen sie doch selber suchen, der Gedanke, mit sechzig aufzuhören, gefällt ihm zusehends besser.

Zuhause in Tettnang steigt Sturm aus dem Auto und knöpft sich sein Hemd um einen Knopf weiter auf, das Sakko hat er auf dem Arm. Er bleibt einen Moment vor der Garage stehen und dreht sich zu Mechthild um.

„Also gut, Mechthild, dann eben noch sechs Jahre, wenn du das so meinst. Sechs Jahre können aber auch ganz schön lang sein, das sage ich dir. Wir müssen halt sehen, wie wir es hinbekommen."

„Mach dir dazu bitte keine Sorgen, ich nehme das schon in die Hand, kannst dich darauf verlassen."

Er geht sehr entspannt ins Haus, das war ein

schöner Tagesausklang und auch das Gespräch mit seiner Mechthild hält er nunmehr auch für angebracht und für richtig. Die Felchen waren wirklich gut. Man sollte doch öfters ins „See Pick" gehen, solange es noch von Frau Löhlein betrieben wird, denkt sich Eustachius Sturm.

Die abendliche Septemberruhe am See besänftigt das Gemüt, der See liegt dann ruhig in seinem Bett, nur eine leichte Brise ist auf der Haut zu spüren. Es ist schon verdammt schön hier, denkt sich Sturm.

Trotzdem wird Sturm dann später noch nach Ravensburg fahren, Solveig wird sich sicher freuen, sie erwarte ihn, hatte sie ihm am Telefon gesagt. Jetzt, wo in alle Zeitungen sein Konterfei zu sehen sein wird.

„Morgen," hatte sie ihm ins Telefon geflüstert, „morgen ist für uns Stachelbärchentag."

Mechthild wird das ziemlich egal sein.

☙

Anika wird von Adalbert informiert. Er kam kreidebleich von der Pressekonferenz zuhause an, ihm war übel. Seinen Sozius Max Vöhringer rief er in der Kanzlei an und berichtete ihm. Ins Büro wollte Adalbert heute nicht mehr gehen, er wird sich hinlegen müssen. Auch Vinzenz erfährt dann in den nächsten Tagen natürlich alle Einzelheiten aus den Zeitungen, er wird zwar nicht namentlich aufgeführt, aber es dauert nicht lange, bis seine Abteilung weiß, dass es die Freundin ihres Chefs war, die bestialisch ums Leben gekommen ist.

Die Beileidsbekundungen nimmt er gefasst entgegen, vom großen Vorstand bekommt er einen persönlichen Besuch und kann ein menschlich wertvolles Gespräch erfahren, das er in dieser Art nicht erwartet hatte. Er solle sich eine Woche Sonderurlaub nehmen, natürlich bezahlt und ohne Anrechnung, und sich von dem Schrecken erholen.

Vinzenz nimmt das Angebot an, er ist wirklich stark angeschlagen. Vier Tage später fährt er nach Meersburg zu seinem Bruder Adalbert und zu seiner Schwägerin Anika. Alle sind tief verzweifelt, da ist plötzlich eine schon sicher geglaubte Zukunft zerstört worden. Vinzenz sieht schlecht aus, es geht ihm nicht gut. Zum zweiten Mal wird er gezwungen, sein zukünftiges Leben vollkommen neu zu gestalten. Dieses Thema will er noch hinausschieben, zunächst möchte er die Situation hier ordnen und zu einem Abschluss bringen.

Die Beisetzung findet dann zwei Tage später auf dem Friedhof der Stadt Meersburg im Familiengrab der Gutemanns statt. Einen Tag zuvor konnte Vinzenz noch den Hannes Gutemann besuchen, die Weinstube zur „Schönen Fischerin" ist geschlossen und wird es sicher noch lange Zeit bleiben. Beide haben ein gutes Gespräch unter Männern, aber die Trauer um die geliebten Frauen ist aus allen Worten zu hören.

Beide Männer stehen dann am Grab, direkt neben einander und als die Särge hinuntergelassen werden, schüttelt es beide durch. Hannes Gutemann hält sich am rechten Arm von Vinzenz fest, er versucht, sich aufrecht zu halten und nicht zu kippen. Die

Trauergemeinde beobachtet die beiden Männer und teilt mit ihnen ihr tiefes Mitgefühl. Beide werfen noch eine Schaufel Erde und Blumen in das Grab, die allerletzte Geste, dann nehmen sie die zahlreichen Beileidsbekundungen der Trauernden entgegen.

Für Hannes Gutemann geht eine langjährige Lebenspartnerschaft zu Ende, für Vinzenz wurde der Beginn einer solchen mit dem Tod Jules zerstört. Eine trauernde Menschenkette begleitet die toten Frauen auf ihrem letzten Weg. Es herrscht eine bedrückte Stimmung, anders als bei sonstigen Beisetzungen.

Wenn zwei Leben durch die Hand eines Mörders beendet werden, gesellt sich zur Trauer auch der Schock und die Wut. Die Kondolenzreihe ist lang, und auch Kriminalhauptkommissar Eustachius Sturm hat sich eingereiht.

☙

Am Tag darauf besucht Vinzenz noch einmal Hannes Gutemann. Die Trauer liegt immer noch schwer auf beiden Männern. Vinzenz weiß, dass er zum letzten Mal in diesem Haus sein wird.

„Hannes, ich fahre heute wieder zurück nach Weissach, ich bin mir sicher, nunmehr endgültig. Einen nochmaligen Versuch zurückzukehren, kann es für mich nicht mehr geben. Ich weiß wohl, wie schön es hier ist, aber ich kann nach diesen Ereignissen nicht mehr zurückkehren. Ich wünsche mir, dass du gesund bleibst und versuchst, mit diesem Schicksalsschlag, so gut es eben geht, fertig zu werden, ich muss es selbst auch versuchen. Es wäre alles so wunderbar geworden, aber es hat leider nicht sollen sein. Leb wohl, Hannes."

Beide Männer umarmen sich, der Hannes weint plötzlich und es ist ihm nicht einmal peinlich. Der Schmerz sitzt tief, so ausweglos tief, und dazu auch noch so unnütz und sinnlos. Hannes Gutemann schüttelt seinen Kopf, er ist immer noch dabei, alles erst zu begreifen.

„Komm gut nach Weissach, Vinzenz, und pass auf dich auf. Wenn du wieder mal deinen Bruder besuchen solltest, komm doch bitte vorbei, du weißt, was ich für dich empfinde, da wird sich auch in Zukunft nichts ändern. Hättest Besseres verdient gehabt, mein Lieber."

Zum Abschied schauen sich beide lange in die Augen. Der früher so kraftvollen Hand Hannes fehlt jetzt die Spannung, Vinzenz verspürt ein leichtes Zittern. Dann geht Vinzenz wortlos aus dem Haus. Aus dem Haus, das fast sein Zuhause geworden wäre, ein geliebtes und ein vertrautes Zuhause. Vinzenz geht über den Schlossplatz und sieht zu den Wolken hinauf, wie wenn er Jule da oben irgendwo sehen könnte.

Er bleibt für einen Moment stehen, dann legt er die flache rechte Hand an die rechte Schläfe und salutiert in Richtung Himmel.

„Leb wohl, Jule, ich bin immer bei dir, versprochen."

☙

Monate später wird gegen Florian Haas Anklage erhoben, die Staatsanwaltschaft wirft ihm einen

Doppelmord aus niedrigen Beweggründen vor. Das Gericht verurteilt Florian zu lebenslänglicher Haft mit anschließender Sicherungsverwahrung.

Ein Psychiater stellt bei Florian eine traumatische Kindheit fest, die zu einem labilen Verhältnis zu seiner Umwelt geführt habe. Die Schwere der Tat wird durch sein planmäßiges Vorgehen noch erhöht, die Tötung der aufgefundenen dreizehn Katzen ruft in der Öffentlichkeit immer noch Abscheu und Ekel hervor.

Von der gesamten Presse wird dies alles mehrfach und detailliert ausgeschlachtet, die große ZF bekommt so viele Seitenhiebe ab hinsichtlich einer qualifizierten Mitarbeiterführung, dass der Abteilungsleiter von Florian Haas, Schmidinger, aus dem Verkehr gezogen wird.

Der Vater von Florian Haas ist bei den Prozesstagen nicht anwesend, dies wird von den Medien festgestellt. Er erfährt das Urteil aus den Zeitungen und nimmt es kommentarlos zur Kenntnis.

In den folgenden Monaten besuchen viele Feriengäste die von der Presse beschriebenen Plätze. Bei den Stadtführungen macht man Halt vor der „Schönen Fischerin", man kann in den Innenhof hineingehen, es wird einem alles erklärt. Fotos werden gemacht. An der Stelle, an der der VW Golf in den See geschoben wurde, hat jemand in das Wiesenstück eine kleine Steinplatte eingelassen. Oftmals liegen hier Blumen im Gedenken an die beiden toten Frauen.

Der Uferweg Richtung Hagnau hat sich zu einem beliebten Wanderweg entwickelt. Nicht selten kann man hier auf das Ehepaar Haasis stoßen, immer noch geben beide gerne Auskunft, wenn sie angesprochen werden.

Die Stadt Meersburg hat dort, wo der Golf in den See gefahren wurde, eine Bank aufgestellt. An der Rückenlehne kann man auf dem obersten Holm ein Messingschild erkennen mit der Gravur:

„Gestiftet von Gudrun und Werner Haasis."

Die Bank und das Messingschild wollen der Vergesslichkeit entgegenwirken in einer so kurzlebig gewordenen Welt. Und außerdem hat man von hier aus einen der schönsten Ausblicke auf die gegenüberliegende Seeseite. Der Bodensee ist schon seinen Ruf wert.

ര

Kriminalhauptkommissar Eustachius Sturm ist inzwischen eine bekannte Person geworden. Auf der Straße grüßen ihn deutlich mehr Leute, als früher. Seine Frau Mechthild ist stolz auf ihn. Dass er das gemeinsame Gespräch mit ihr noch vor kurzem gesucht hatte, bestätigte Mechthild seine grundsätzlich positive Haltung zu ihr.

Zu seiner großen Überraschung erhielt Sturm sogar einen Anruf von Achim, seinem Stiefsohn, dieser hatte von dem Fahndungserfolg in der Zeitung gelesen.

„Grüß dich, Dad, du bist ja gerade ein großer Held, wenn ich die Artikel in den Zeitungen so lese."

Achim sagt seit damals immer Dad zu Sturm, das Wort Vater oder Papa hatte er ihm gegenüber nie in dem Mund nehmen wollen. Papa war sein verstorbener

Vater gewesen und da wollte er von Anfang an einen Unterschied machen. An Dad hatten sich aber beide gut gewöhnen können.

„Glückwunsch, natürlich auch von mir, das war ja ein Riesenfall und jetzt schlägt er hohe Wellen. Und dieser Österreicher mit seinen Katzenversuchen, mir kommt das Grauen. Weißt du, Dad, als Tierarzt sieht man das noch einmal aus einer anderen Perpektive. Katzen sind zäh und so schnell sind die nicht tot zu kriegen, da muss schon einer viel Kraft und Energie aufwenden. Aber der Mörder wird wohl von seinem Leben nicht mehr viel haben, die werden ihn wegsperren, das war‘s dann wohl."

Sturm war sichtlich gerührt, natürlich über die Glückwünsche aber viel mehr noch über den Anruf selbst und dass er wieder einmal Achims Stimme vernehmen konnte. In diesem Augenblick überkommt ihn ein kleines Schuldgefühl, denn er und auch Mechthild wollten doch schon seit längerem Achim in Wangen besuchen. Die Tierarztpraxis kennt er zwar schon, aber die Dinge verändern sich doch immer und ein wenig neugierig ist er auch.

„Wir wollten uns doch mal wiedersehen. Dad, weißt du das? Kommt doch einfach vorbei, ich würde mich riesig freuen. Pack die Mama einfach ins Auto und mach einen kleinen Ausflug, dann gehen wir gemeinsam zum Fidelisbäck, da hat es dir doch immer so gut geschmeckt und was damals gut war, wird sicher heute immer noch gut sein."

Eustachius hört Achims helles Lachen, schon früher hatte er dieses Lachen, ein gewinnendes Lachen,

Sunnyboy eben.

„Genau, Achim, das machen wir, prima Idee, und zum Fidelisbäck gehen ist sowieso immer gut. Den erstklassigen Leberkäs von denen habe ich schon ewig nicht mehr gegessen. Ich rede nachher gleich mit Mechthild. Herzlichen Dank für deinen Anruf, du hast Recht, die Entfernung ist ja nur ein Katzensprung. Also mach es gut, ich melde mich wieder."

„Also dann, ich höre von dir, das ist jetzt aber fest versprochen. Mach es gut, Dad, ich freue mich schon."

Eustachius Sturm muss es sich eingestehen, er hat immer noch eine sehr gute und menschliche Verbindung zu seinem Stiefsohn, das tut ihm gut.

Wenn Familie funktioniert, ist Familie schon eine feine Sache. Man schätzt das erst wenn man älter ist. Sturm sieht sein Familienleben im Großen und Ganzen als intakt an, zumindest was den inneren Kreis betrifft.

Und Solveig zählt er da nicht gerade dazu, das ist bequemer für ihn.

☙

Für Solveig war Sturm ohnehin ein Held, sie hatte immer schon gewusst, dass ihr Stachelbärchen ein ganz Großer ist, sie hat ihn deswegen auch gut belohnt. Aber sie ist selbst auch sehr froh, dass Ravensburg doch ein Stück von Friedrichshafen und von Meersburg entfernt ist, das schafft Abstand. Abstand zu dem ganzen privaten Umfeld ihres Helden, zu dem sie keinen Zugang hat, aber auch Abstand zu diesen widerlichen und bestialischen Morden.

Dieses unmenschliche Drama hielt die Menschen noch für lange Zeit in Atem. Es ist bis heute die schrecklichste Tragödie geblieben, welche die jahrzehntelange Idylle am See erschüttert und auch verletzt hatte. Da blieben emotionale Narben bei vielen Beteiligten zurück. Zwei Menschen wurden urplötzlich aus der Gemeinschaft herausgerissen. Und für einen bei vielen Menschen beliebten Treffpunkt bedeutete diese Untat die Schließung.

Das beschauliche Meersburg stand wochenlang wie unter einem Schock. Vor allem die Art der Tötung der beiden beliebten Frauen und die satanische Planung bestimmten die Diskussionen der Leute. Diese Tat beschäftigte die Menschen in Meersburg und auch die im Hinterland noch viele Wochen. Vielen war es sehr recht gewesen, dass der Täter kein Einheimischer war, da tut man sich bei der Bewertung leichter. Die Welle der Ablehnung und Entrüstung erreichte die Menschen sogar bis in Bregenz …

Nachwort I

Manchmal meint man miterleben zu können, wie sich das Schicksal für sein eigenes Eingreifen schämt, schämt dafür, einem Menschen in dessen Leben geschadet zu haben und sich deshalb um eine Wiedergutmachung bemühen möchte. Wie gesagt, manchmal, nicht immer. Und so war es, dass der Schicksalsengel des Hannes Gutemann, eines Tages gnädig gestimmt war, nahezu reumütig, und versuchte einen Ausgleich für den angerichteten Schaden zu schaffen.

Dieser Altlastenausgleich passierte etwa ein gutes halbes Jahr nach Mellys und Jules Tod. Hannes Gutemann, gerade vierundsechzig Jahre alt geworden, hatte sich entschieden, einen schönen Frühlingstag zu nutzen und von Meersburg mit dem Schiff auf die Mainau zu fahren. Der Winter war vorüber, der Hannes hatte ihn gut überstanden, die Menschen sagen dann immer: „Er ist gut über den Winter gekommen“. Es war Apfelblütenzeit und die Blumen leuchteten. An solchen Tagen gibt die Mainau ihren ganzen Zauber preis, die Blumeninsel lockt dann nicht nur Bienen, sondern auch viele Menschen an.

Hannes Gutemann hatte schon bei dem Lösen des Schiffstickets an dem kleinen Schalter eine attraktive Dame entdeckt, die er auch zu kennen glaubte. Als beide das Schiff betraten, kamen sie ins Gespräch, sie wollte ebenso wie Hannes diesen herrlichen Frühlingstag nutzen. Es stellte sich heraus, dass die Frau in früheren Jahren zusammen mit ihrem inzwischen verstorbenen Mann in Überlingen das bekannte

Speiserestaurant „Zum lieben Augustin“ betrieben hatte. Hannes Gutemann war mit seiner Melly ein paar Mal dagewesen und jetzt erinnerte er sich auch an sie.

Sie erzählte dem Hannes, dass das Restaurant ohne ihren Mann nicht mehr zu halten gewesen sei und sie deswegen gezwungen war, es abzugeben. Ruth Messerer war ihr Name und sie erzählte ihm, dass sie, inzwischen 54 Jahre, zusammen mit ihrer Tochter Jessica derzeit ein Café in Hagnau betreiben würde.

Auf der Mainau angekommen, spazierten sie gemeinsam entlang der riesigen Blumenrabatte und genossen die weitflächige Schlossgartenanlage. Später tranken sie im Schlosscafé einen Cappuccino und, als sie die Heimfahrt antraten, versprachen sie sich, doch baldmöglichst wieder zusammenzukommen.

Dies geschah dann auch bereits in der darauffolgenden Woche. Ruth hatte bei Hannes angerufen, denn er hatte ihr genau zu diesem Zweck seine Rufnummer gegeben. In Meersburg, auf der Promenade, saßen dann beide. Zwei vom Schicksal allein gelassene Menschen, die beide in ihrem Leben große Rückschläge hatten hinnehmen müssen.

Sie fingen an, sich zu mögen. Nach dem üblichen Kaffee trank man noch einen Weißherbst aus der Region und beide tauschten sich über ihre Leben aus. Ruth erinnerte sich natürlich noch genau an die Morde im vergangenen Jahr, auch sie hatte sämtliche Zeitungsberichte verfolgt. In Hagnau war dies über Wochen hinweg zum Tagesthema in ihrem Café geworden.

Ruth Messerer empfand Hannes Gutemann

gegenüber ein ehrliches Mitgefühl und teilte ihm das auch mit. Aus dieser anfänglichen Begegnung wurde dann rasch mehr und, um es kurz zu machen, ein Jahr später heirateten beide, aber nur standesamtlich, „vorerst einmal". Hannes Gutemann, demnächst Rentner, war immer noch ein sportlich aussehender Mann und Ruth Gutemann, verwitwete Messerer, geborene Eberl, war eine attraktive Frau geblieben, um die ihn seine Radlerfreunde offen beneideten.

Der Vorteil an dieser Eheschließung aber war auch dann der Umstand, dass Ruth ihre Tochter Jessica mit in diese Ehe und damit ins Spiel brachte. Dies führte wiederum schnell dazu, dass Mutter und Tochter das Café in Hagnau abgaben und beide in das Hinterhaus des Gutemann-Anwesens zogen. Jessica richtete sich in der renovierten Wohnung im zweiten Stock ein, sie war gerade wieder alleinstehend, und sie interessierte sich sehr für die bis dato immer noch geschlossene Weinstube.

Und so kam es, dass bald danach die beiden Frauen mit der „Schönen Fischerin" eine Wiederauferstehung feierten. Nun hatte Meersburg wieder sein Traditionslokal und die Familiennachfolge war damit auch gleich gesichert.

Wie gesagt, manchmal gehen Schicksale gnädig mit einem um.

Nachwort II

In Weissach dagegen tat sich das Schicksal erkennbar schwerer. Vinzenz wurde von Jules Tod vollkommen aus der Bahn geworfen. Er hatte seinen Plan, wieder in die Heimat zurückzugehen, schnell verworfen und sich ganz in die beruflichen Aufgaben gestürzt. Er wollte von niemandem mehr auf die Mordfälle in Meersburg angesprochen werden, er hatte sich gezwungen, diesen schrecklichen Vorfall aus seiner Gedankenwelt auszuschließen. Seine Haare waren grauer geworden, er wirkte verschlossener und in seinem Entwicklungsteam nahm man sein verändertes Verhalten nachdenklich zur Kenntnis.

Man zeigte aber auch viel Verständnis für ihn, denn die Morde von Meersburg waren noch wochenlang ein Thema in der Firma gewesen. Das Regionalfernsehen hatte damals täglich und dann später noch einmal über das Gerichtsverfahren berichtet und stets war Vinzenz als einer der Leidtragenden im Bild zu sehen gewesen.

Für Vinzenz selbst war es dann einerseits Flucht und andererseits Ablenkung, aber er konnte nicht anders, er musste sich für etwas entscheiden und er hatte sich für etwas entschieden. Seine nunmehr ausschließliche Fixierung auf seinen Beruf und auf seine mehr als speziellen Aufgaben hatte Vinzenz nun endgültig zu seinem Lebensinhalt gemacht. Eine Familienplanung war in endlose Weite gerückt. Sein Arbeitgeber sah das mit großer Zufriedenheit und Anerkennung, Vinzenz stand kurz vor dem Eintritt in die Chefetage als stellvertretender Technikvorstand.

Erst zwei Jahre später war er überhaupt in der Lage, ein Wochenende bei seinem Bruder Adalbert und seiner Schwägerin Anika in Meersburg verbringen zu können. Beide hatten ihn mehrfach eingeladen und nun kam er endlich. Aber Anika spürte sofort, wie sich Vinzenz jetzt gegen die dortige Familienidylle sperrte. Den gut gemeinten Vorschlag Anikas, einen Besuch in der wiedereröffneten „Schönen Fischerin" zu machen, lehnte er strikt ab. Er wollte auch dem Hannes Gutemann nicht begegnen. Sein Gesicht verdunkelte sich schlagartig und er wurde plötzlich sehr ernst und verschlossen. Anika machte diesen Vorschlag deshalb auch kein zweites Mal mehr, sie hatte verstanden. Ein weiterer Versuch schien Anika sinnlos zu sein.

Vinzenz hielt zwar den Kontakt zu ihnen nach Meersburg noch aufrecht, man telefonierte zwei oder drei Mal im Jahr und erkundigte sich nach dem allgemeinen Befinden, einen Besuch bei Vinzenz in Weissach machten Adalbert und Anika aber nie, was hätten sie auch dort tun sollen? Vinzenz wohnte dort in einer kleineren Wohnung und Weissach selbst gab gerade auch nicht viel her. Und nur ständig über den schrecklichen Schicksalsschlag zu sprechen wollten beide Seiten nicht, und andere Themen gab es keine. Man hatte sich verloren, ganz einfach verloren, die Beziehung war nach und nach abhandengekommen und ein Fundbüro dafür gab es nicht.

Am meisten unter der Entfremdung litt Adalbert, dem sein Wunsch nach einer Großfamilie Weiler verwehrt worden war.

„Schade, sehr schade, wir hatten noch so viele Ideen

für ebenso viel Gemeinsames", war Anikas Kommentar eines Tages ihrem Mann gegenüber. Sie war schon immer eine kluge Frau gewesen und hatte ihren nordischen Weitblick nicht verloren.

Aber in diesem Fall musste auch sie zur Kenntnis nehmen, dass das Leben gelegentlich eigene Wege geht, auf die einzelne, und vor allen Dingen Außenstehende, keinen Einfluss nehmen können.

Anika dachte in diesem Moment auch an ihr eigenes Leben und welche Wendungen es genommen hatte. Manche Entwicklungen muss man dann eben so hinnehmen, wie sie sich ergeben.

Che sarà, sarà. Was sein wird, wird sein.

Persönliches Nachwort

Diese Handlung wurde von mir sehr willkürlich in das schöne Meersburg am Bodensee verlegt, man möge mir das verzeihen. Mir ist Meersburg seit vielen Jahren bestens bekannt, weshalb ich auch nicht gezwungen war, die sonst üblichen Recherchen anstellen zu müssen. Aber die Personen und einige Lokalitäten in diesem Buch sind frei erfunden. Etwaige Ähnlichkeiten mit tatsächlichen Begebenheiten oder lebenden oder verstorbenen Personen wären rein zufällig.

Trotzdem hat sich die im Buch geschilderte Tragödie angeblich in einem echten Leben ereignet. Zwar nicht in Meersburg und auch nicht in unserem Deutschland, dafür aber irgendwo in Österreich. Also weit weg, an einem ähnlich traditionellen Ort, in einer nicht weniger bekannten Weinregion und auch an einem großen Wasser, nämlich an der Donau, so wurde es mir erzählt. An jener Donau, die auch in der dortigen Region weit weniger blau dahinfließt, als das allgemein von ihr behauptet wird.

Aber auch dort wären damals die Menschen über diese Untat empört gewesen und hätten mit großem Abscheu reagiert. Gefühle und Empfindungen sind, Gott sei Dank, doch bisweilen länderübergreifend.

BHW

Bernd Heinz Werner

Vita

Bernd Heinz Werner,

Jahrgang 1941,

geboren in Augsburg.

Gymnasium in Memmingen,

Banklehre und Laufbahn,

Stationen:

Illertissen, Ulm, Frankfurt/M.,

Albstadt, Berlin, Balingen, Ansbach,

Niederlassungsleiter, Industrievorstand,

Consultant für Mergers & Acquisitions,

Seniorberater bei Schaefer & Partner,

verheiratet, zwei Kinder, vier Enkel,

lebt heute mit Ehefrau Renate in Ansbach

Lightning Source UK Ltd.
Milton Keynes UK
UKHW022034150223
417099UK00009B/219